オタク用語辞典

大限界

だいげんかい

小出祥子 編
名古屋短期大学小出ゼミ（2022・2023年度生）著

三省堂

大扉・表紙・カバー写真——
オリオン大星雲（M42）「オリオンバー」と
わし星雲（M16）「創造の柱」の合成
Credit: ESA/Webb, NASA, CSA, M. Zamani
(ESA/Webb), the PDRs4All ERS Team /
NASA, ESA, CSA, STScI; J. DePasquale,
A. Koekemoer, A. Pagan (STScI).
校正——北野太一・吉岡幸子・三省堂編修所
装丁——三省堂デザイン室（門澤泰）

大限界序

本書を初めてお手に取られた皆さんへ

『大限界』は、名古屋短期大学 現代教養学科 小出ゼミ'22が、在学中に大学祭で販売した手作りの辞書でした。その後、様々なご縁を経て、この度、三省堂様から出版させていただくことになりました。ドゥフフ…

本書の名前の由来は、『大言海』+『限界オタク』=『大限界』です。

『大言海』(冨山房発行)とは、日本最初の近代辞書『言海』の増補版のタイトルです。辞書オタクの皆さんであれば、気づくのは容易だったことでしょう。『限界オタク』の意味については、本書15ページで解説しておりますので、どうぞご覧ください。

それにしても、『言海』と『限界』を掛け合わせるとは、我ながらあっぱれなネーミングセンスだと思っています。(自画自賛)

さて、皆さんは「オタク」という謎の生命体が使う謎の言語を聞いて、「おまえは何を言っているんだ?」と思ったことはありませんか? 私は(思ったことも思われたことも)あります。オタクは心の底から湧き上がる熱い想いを語りたい不思議な生き物ですから、新しい概念や言語をポンポンポン生み出してしまうんですね。全く困ったものです。

もし、知り合いのオタクが何を喋(しゃべ)っているのか分からなかったときは、鞄(かばん)の中から颯(さっ)と本書を取り出して、引いてみてください。もしかしたら、初耳の謎語(なぞご)を日本語に翻訳する鍵になるかもしれません。

本書は十二名のゼミ生が、各々の沼っている界隈(かいわい)に纏(まつ)わる用語を集めた血と汗と涙の結晶です。収録されている用語に偏りがある点については、どうかご容赦ください。「辞書のくせに、知りたい言葉が書いてないじゃねーか！」と思ったときは、皆さんやそのお知り合いと、我々の生息分布が違ったのだと思っていただければ幸いです。

当初の同人版（百余冊）は昨年五月から十一月までの約半年で制作したものでした。今じっくり読み返してみると、誤字脱字やミスだらけの未熟な本でした。小出ゼミ'22は卒業後も加筆・訂正を重ね、そして後輩の小出ゼミ'23は更にジャンルを充実させて項目を増やし、本書をよいものにしてくれました。また、SNSなどを通じて、出版に至るまで皆様から応援していただけたこと、心から嬉しく思っています。

オタ活と同じくらいの、いや、それ以上の熱量で、私たちの学生生活を注ぎ込んだ本です。オタクの本気を楽しんでいただければ幸いです！

二〇二三年十月

名古屋短期大学現代教養学科
二〇二二年度二年　小出ゼミ
二〇二三年度二年　小出ゼミ

大限界目次

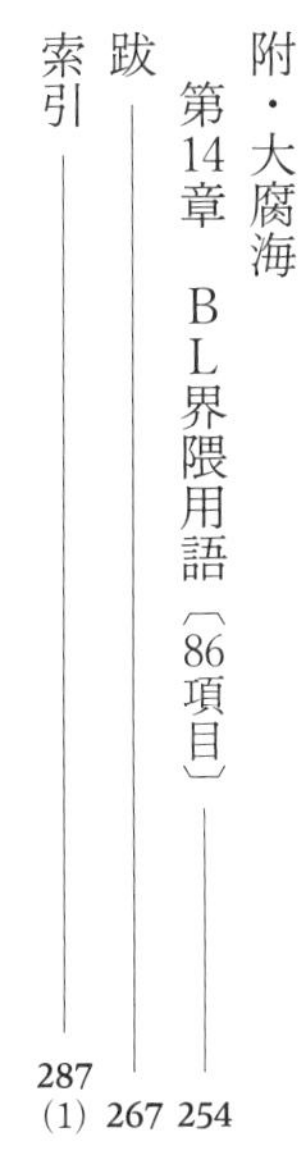

大限界凡例

見出し
各分野・ジャンルでオタクが産み出した用語など、計一、五五九項目を章ごとに五十音順で配列しています。

📖 辞書的意味
一般的・本来的な語義がある場合、その意味を記し、オタク的意味と対比できるようにしました。

意味 オタク的意味
この語をオタクが使うときの意味を、できるだけ一般読者の方にも分かっていただけるように解説しました。

用例 オタク的用例
オタク用語の使い方を示す例文です。実際の使用例も掲げています。

（　） 省略可能など
省略して読んでもよい部分や原語などの補足を表します。

おてふり —— ころぺン

助かる（たすかる） 📖危険な状態を免れる。意味 推し（☞9ページ）から供給（☞14ページ）をいただいたことに対して返す感謝の言葉。☞助けて（20ページ） 用例『くしゃみ助かる（=くしゃみをしている可愛い様子を供給していただき、ありがとうございます）』

全ステ（ぜんステ） 意味 特定のコンサートツアーや演劇などのすべての公演（=ステージ）を観に行くこと。また、特定の会場で行われる全公演に入ることも指す。「全通」ともいう。☞多ステ（32ページ） 用例『全ステして推しのどんな姿も見逃さないぞ！』

（物理）（かっこぶつり） 意味（本来物理的な力を伴わないことに）物理的、肉体的な力が利用されること。用例『照兄の包容力（物理）、すごそう』

デキジュ 意味 プロ意識が高く、スキャンダルや不祥事を起こさないデキるジャニーズJr.。⇕カスジュ 用例『自担はデキジュだから、安心！』

夢女子（ゆめじょし） 意味 推し（☞9ページ）の登場するオリジナルストーリーの中で、自分（を表すキャラクター）と推しとの間に恋愛関係などの自分が理想とする関係を作り、それを楽しむ女子。用例『夢女子は意外に現実主義者だと思う』

柱　そのページの最初と最後の見出しを仮名〔和語・漢語は平仮名、外来語は片仮名〕で示しました。

☞ 見よ
関連項目への参照です。説明が他の項目にある「空見出し」もあります。

（=　） 説明・言い換え
その語句の説明や言い換え語です。

（　） 補足・注記
状況・場面の補足や、関連語などの注記です。

⇕ 反対語
見出し語とは意味が対立する語です。

挿絵
事物を説明するイラスト計五点を添えました。

量産型

第1章

オタク 共通用語

推しのために自身が持つありとあらゆるものをなげうつことができる者。推しの話題になると、突然、早ロクソデカボイスになることでも知られる。略して「オタ」「ヲタ」。「ヲタク」とも表記される。

アクスタ

意味 アクリルスタンドの略。立てられる設計になっていて、アニメキャラやアイドルのグッズとしてよく作られる。家に飾るだけでなく、イベント会場や聖地、映えスポットなどに持ち出され、外で撮影されることも多い。☞祭壇（16ページ） 用例『コージのアクスタ持ってお散歩行ったけど、ピントがどうしても後ろの草に合っちゃって、写真上手く撮れない…』

アニオタ

意味 アニメオタクの略。アニメを愛好するオタク。用例『アニオタの何が悪い！』

痛バ

意味 オタクであることを隠すことなく（＝痛い）、推し（☞9ページ）の缶バッジなどを大量につけたバッグ。用例『次のライブのために痛バ編まんとあかん』

古の○○

意味 オタク歴の長い人や古いネット文化を知っている人。○○には「オタク」「腐女子」「夢女子」などが入る。☞太古の○○（19ページ） 用例『古のオタクだからネチケットにはうるさいよ』

インターネットやめろ

意味 インターネットを控えるよう催促するネットミームの一つ。インターネットに依存している他者の心配や、誹謗中傷行為を止めるように伝える際に使うこともあるが、そのような意味でなく言いたいから使っているという人も多い。2021年以降にステッカーが制作され、そこからパロディが多く作られるようになった。「インターネット○○」「○○やめろ」と言葉を変えて使用されることもある。用例『「インターネットやめろ」「インターネットやめないで」「インターネットたべろ」「インターネットたべないで」「インターネットたべれない」』

インターネット老人

意味 昔のインターネットを懐かしむ人。1990年代～2000年代前半のインターネットに触れ、楽しんでいた層。総称として「インターネット老人会」ともいう。用例『そのネタ知ってるのはインターネット老人すぎる』

産んだ記憶ある

意味 推し（☞9ページ）が可愛くて愛おしいあまり、

尊い愛情がとめどなく溢れ出てしまい、「なぜ、こんなに愛情を感じてしまうのだろう…？　この推しは自分が産んだにちがいない！」と信じ込んでいる。用例『ちょ…、このニコニコ笑顔可愛すぎる…これはさすがに産んだ記憶ある…』

エアプ　意味 エアプレイの略。知ったかぶり。〔ゲーム界隈を中心に使用されていたが、最近では他の界隈でも使用されている〕用例『ロスト知らないとか、FE〔＝ファイアーエムブレム〕エアプかよ！』

ATM（エーティーエム）　📖 automated (automatic) teller machineの略。現金自動預入支払機。意味 推し〔☞9ページ〕を応援するために、とにかくお金を使う人のこと。また、その行為。用例『推しのATMになりたい』

エロい　📖 性的にいやらしい。意味 魅力的な見た目であること。褒め言葉として使用する。用例『凛々蝶さまの太ももはとてもエロい』

円盤（えんばん）　📖 ❶円形で平たいもの。❷円盤投げの用具。❸レコード盤。意味 CD、DVD、Blu-rayのこと。用例『ライブでしか聞けないあの歌、求む！円盤化！』

お顔が天才（おかおがてんさい）　意味 顔以外も良いことはいうまでもないが、顔の造形が本当に素晴らしく、唯一無二である様子。あまりにも尊く「顔」という表現では不敬に当たるため、「お顔」という表現を用いる。☞顔がいい（11ページ）、顔面国宝（13ページ）用例『今日もまた、コージのお顔が天才なのよ…』

推し（おし）　📖「推す」の名詞形。人や物事を他に薦めること。意味 応援する対象。その対象の夢や目標を達成するために、こちらも努力を惜しまず協力したいと思わせる人物。〔「存在してくれるだけで今日も幸せ」と思わせるような、もはや崇拝対象に近い場合もある〕☞担当（33ページ）用例『推しがいるから、今日も幸せ〔＝推しという存在が、私に幸せをもたらしてくれています。ありがとうございます〕』『推しは推せるときに推せ〔＝将来的にメディアへの露出が少なくなる可能性もあるのだから、メディアに露出しているうちは、全て買い占める勢いで、グッズを買っていこう。イベントにも参加していこう。課金していこう」』

推し活（おしかつ） 意味 推し（☞9ページ）を応援し、楽しむために行う活動。「推しごと」ともいう。 用例『バイト忙しすぎて推し活ぜんぜんできてない…泣きたい』

推しごと（おしごと） 意味 ☞推し活（10ページ） 用例『推しごと頑張るためにお仕事に行く』

オタ活（かつ） 意味 オタク活動の略。 用例『オタ活をするということは、呼吸をすることと同義』

オタク 📖相手（の家や属す所）を敬っていうことば。 意味 ☞第1章扉（7ページ） 用例『オタクはキモイとか、前時代的過ぎて笑う』

オタクくんさぁ… 意味 日本のロックバンドWANIMAの画像を使用したネットミーム。オタクの言動に対して、呆れたり、責めたり、からかったりする際に使用する。自虐的に自分の言動についても使える。オタクが作り上げたネタであり、実際にWANIMAが発言したものではない。 用例『オタクくんさぁ…こんな時間までTwitter（現・X）やってて明日起きれんの?』

オタクくん見てる～? 意味 NTR（=恋人を奪われること）の様子をビデオレターで送るチャラ男のセリフが発展したネットミーム。現在は何かを見せる際に使用されており、ただオタクくんに何かを見せたがっているチャラ男となっている。 用例『オタクくん見てる～? 今からオタクくんが楽しみにしていたイベントストーリーを先に読んじゃいま～す』

オタ卒（そつ） 意味 オタクを卒業すること。 用例『推しの新ビジュを見てしまったら、当分オタ卒はできぬ…!』

おっふ 意味 キャラクターのあまりの美しさに激しく動揺し、思わず出てしまった声。漫画『斉木楠雄のΨ難（さいなん）』で使用されている。 用例『おっふ。て、照橋さん…!』

鬼リピ（おに） 意味 曲や映像を、鬼のように何度もリピートして再生すること。 用例『新曲神曲過ぎて鬼リピ確定だわ』

俺はパーを出したぞ

意味 2022年8月5日朝6時58分の「めざましじゃんけん」(=フジテレビ系列の番組『めざましテレビ』のコーナー)に登場したシャンクス(=『ONE PIECE』のキャラクター)の発言がネットミーム化したもの。原作ではキャラクターの一人称は「おれ」の表記である。「俺は○○を出したぞ」と言葉を変えて、何かを出したときに使用されることもある。☞シャンクス、ありがとうございました(18ページ)

用例『俺は性癖を出したぞ』

害悪オタク

意味 言動が自己中心的で周りに迷惑をかけるオタク。

用例『ライブ中に喧嘩とか害悪オタクすぎんだろ』

解釈一致

意味 作品に対する自分なりの理解が他の人と同じであること。また、公式や原作と自分の理解が同じであること。⇕解釈違い

用例『神絵師が描く二次創作、ほんと解釈一致だわ』

解釈違い

意味 作品に対する自分なりの理解が他の人と異なること。また、公式や原作と自分の理解が異なること。⇕解釈一致

用例『運営さん、解釈違いです』

開封の儀

📖東大寺正倉院の宝庫の扉の封印を解く、年に一度の儀式。

意味 うやうやしく丁寧に儀式めいた様子で、購入したグッズの封を開けること。その様子を撮影し、SNSに投稿することもある。

用例『只今より、開封の儀を執り行う』

界隈

📖その辺りの地域。近所。

意味 特定のジャンルや分野。

用例『最近BL界隈だと、何が流行っているのです？』

顔がいい

意味 推し(☞9ページ)の顔が整っていることを改めて認識し、感動したときに使う表現。もちろん顔以外もいいが、顔が良過ぎなので、まず顔面の素晴らしさを称える。☞お顔が天才(9ページ)、顔面国宝(13ページ)

用例『あぁぁぁぁ、顔がいい…』

顔カプ

意味 作品中では直接接点のないキャラクター同士を、オタクが顔の好みで妄想して作ったカップリング(☞12ページ)。

用例『公式で

絡みないA×Bは顔カプやん』

課金(かきん) 📖料金・費用を課すること。 意味 推し〈☞9ページ〉のためにお金を使うこと。グッズを買ったり、ゲーム内の有償アイテムを購入したりすることを指す。このお金は不思議と底をつかない。 用例『課金勢のおかげで日本経済は今日も回っている』

掛け持ち(かけもち) 📖複数の仕事や役目を一人で受け持つこと。 意味 同時に複数のグループなどを推すこと。 用例『掛け持ちしているから今月の出費がヤバい』

勝たん(かたん) 意味「○○しか勝たん」の形式で用いられ、○○が無条件で最高であることを表す。「やっぱり推し〈☞9ページ〉が一番!」と思ったときに発する表現。○○の部分には推しの名前のほか、必殺技名などが入る。 用例『可愛いキャラが出てきたけど、最終的に推ししか勝たんのよ』『やっぱ、真銀斬〈=ゲーム「アークナイツ」のキャラクター・シルバーアッシュの必殺技〉しか勝たん!』

ガチ恋勢(がちこいぜい) 意味 特定のキャラクターやアイドルに本気で恋をしている人々。〈「リアコ①」〈☞27ページ〉は主に女性ファンに使用されるのに対して、「ガチ恋勢」は男女問わず使われる傾向がある〉 用例『ガチ恋勢だから毎日起きた瞬間から眠るギリギリまで推しに思いを馳せてる』

ガチ勢(がちぜい) 意味〈対象をただ楽しむだけでなく〉多くの時間や資金を費やして、その対象との関わりを極めようとしているファンやプレイヤー。その対象がゲームであれば、得点やテクニックを極めようとしたり、アイドルであれば、ライブへの全通〈☞32ページ〉やグッズへの重課金〈☞12ページ〉をしたりする。 用例『ガチ勢のお姉さんがカッコよすぎた』

(物理)(かっこぶつり) 意味〈本来物理的な力を伴わないことに〉物理的、肉体的な力が利用されること。 用例『照兄の包容力(物理)、すごそう』

カップリング 📖二つのものを組み合わせること。 意味 恋愛・性愛関係にある二人。また、ある二人を恋愛・性愛関係にあるとみなすこと。関係を表す際には「キャラクターA×

キャラクターB」とし、キャラクターAがいわゆる男性役、キャラクターBがいわゆる女性役を表す。略して「カプ」。**用例**『このカップリングは公式だからセーフ』

金(かね)なら出(だ)す

意味 推し(☞9ページ)の活動の支援や、推しのグッズを買うことに対してなら喜んでお金を払うから、思う存分活躍してほしいし、素敵なグッズも欲しいという気持ちが口から音になって出たもの。推しは本当に尊いので、出した金額以上の価値を感じることができ、「あれ、これって無料なのでは?」と錯覚することも多い。☞実質無料(じっしつむりょう)(17ページ) **用例**『問題ない。金なら出す』

壁(かべ)になりたい

意味 推し(☞9ページ)や推しカプの全てを至近距離から見ていたいものの、直接的な関わりは持たずに、推しには決して干渉しない第三者として存在していたい。むしろ存在は消していたい。**用例**『阿部ちゃんの部屋の壁になりたい…勉強机でもいい…』

神(かみ)

📖宗教的信仰の対象となる尊い存在。**意味** 人間とは思えないほどに素晴らしい人物やキャラクター。主に、推し(☞9ページ)自身や、推しを生み出してくれる作者、絵師、公式(=運営会社)を指す。それ以外にも、入手困難なチケットやグッズをくれる友人に対しても使われる。**用例**『運営が神すぎて幸(さち)』

顔面国宝(がんめんこくほう)

意味 国の宝として拝みながら、皆で大切にしていきたいような素晴らしく美しい顔面をもつ人物。☞お顔(かお)が天才(てんさい)(9ページ)、顔(かお)がいい(11ページ) **用例**『めめマジで顔面国宝やわ~』

擬獣化(ぎじゅうか)

意味 本来獣ではない人や物を、獣の姿に変化させること。また、変化すること。「ケモ化」ともいう。動物そのものの姿をしたタイプや、二足歩行で話すタイプなど、変化の段階は様々である。人によっては、人の姿に動物の耳や尾を生やしたタイプを含める場合や、変化の段階によって、「擬獣化」と「ケモ化」を使い分ける場合もある。**用例**『擬獣化した推しが可愛すぎるんですけど!?』

逆張り（ぎゃくば）りオタク 意味 流行に対して、意図的に逆行しようとするオタク。 用例『わたし逆張りオタクだけど、逆張りの逆張りしたら戻ってきた！（＝多数派の逆のさらに逆になったため、結局多数派になった）』『逆張りオタクだから流行り物は流行り終わってから読む派』

ギャップ萌（も）え 意味 仕事とプライベート、見た目と性格など、印象が異なることに惹かれること。 用例『見た目オラオラ系なのにビビりとか可愛いかよ！ ギャップ萌え～』『ギャップ萌えしたらそれはもう推しにならざるを得ないんだよ。諦めな』

きゃわわ 意味 かわいさのあまり、「かわいい」と発音できないほど感情が揺さぶられたときに口から出る音。 用例『ワノ国編のサン五郎がきゃわわなんだよね』

キュン死（し） 意味 ときめき（キュンキュン）のあまり心臓が止まってしまいそうになること。☞死（し）ぬ（17ページ）、死（し）んだ（18ページ）、召（め）される（26ページ） 用例『ミミッキュみて、博士死んだらしいけど、あれって絶対キュン死だよね』

供給（きょうきゅう） 📖商品を市場に出すこと。 意味 推し（☞9ページ）についての情報が発表されたり、推しの言動が見られたりすること。オタクにとっての命の糧。 用例『供給多すぎて、溺れそう』

供給過多（きょうきゅうかた） 📖需要に対して供給が過剰なこと。 意味 好きなジャンルや作品などからの情報が多過ぎること。決して嫌なわけではない。一つの情報を堪能しきる前に次の情報が供給されるため、心が受け止めきれず、溺れそうになる。でも嬉しい。 用例『供給過多で息の根止まる』

今日（きょう）も一日（いちにち） 意味 脈絡無くアップロードする画像に添える表現。漫画『NEW GAME!』の登場人物・涼風青葉（すずかぜあおば）のセリフ「今日も一日がんばるぞい！」など、由来には諸説ある。 用例『今日も一日（この言葉と共に、会話の流れと無関係な画像をアップロードする）』

草（くさ） 📖木ではない柔らかい植物の総称。 意味 笑えるほど滑稽（こっけい）でおもしろいこと。また、「草生える」で笑っていること。（元々、「w」で笑っているこ

とを表現していたが、それが草が生えているように見えるため、草の一言で表現されるようになった）
用例『オタク用語辞典のタイトルが大限界なの草』

口から音源（くちからおんげん）

意味 ライブ時でもCD音源のような、正確な音程の歌声が出ている様子。用例『急な生配信で、口から音源な歌聞けて、120年寿命延びた』

軽率（けいそつ）

📖軽はずみな様子。意味 よく考えて行うべきことを、ホイホイと無警戒に行ってしまう様子。用例『推しのこんな姿観たら、軽率に恋に落ちてしまう…』

けしからん

📖常識外れで許しがたい言動を叱ったり咎めたりするときに言う言葉。意味 推し（☞9ページ）があられもない姿を見せていることに対して、叱るそぶりを見せてはいるものの、本心ではもっと見たいというときに使う表現。用例『けしからん！ いいぞもっとやれ！』

ケモ化（か）

意味 ☞擬獣化（ぎじゅうか）（13ページ） 用例『推しをケモ化してくれる人は非常に頭がいい』

限界オタク（げんかいオタク）

意味 オタクの中でも、推し（☞9ページ）への愛情や熱量が限界に達しており、そのために言動が痛々しく、人間としても限界を迎えてしまった究極のオタク。人間を卒業してしまったといっても過言ではなく、急に挙動がおかしくなったり〝発狂〟しだしたりするため、取り扱いには十分気をつけるべし。（好き） 用例『限界オタクすぎて最新話のこと考えただけで動悸（どうき）する』

高画質（こうがしつ）

📖画質が綺麗なこと。意味 画面の向こうにいる推し（☞9ページ）の姿の解像度が高く、ビジュアルが素晴らしいこと。用例『ライブ映像が思っていた数百倍は高画質で大変良い』『誕生日イラストが高画質だから一層輝いて見える』

公式カプ（こうしきカプ）

意味 公式カップリングの略。作品の設定として相思相愛であると認められているカップル。用例『A×Bはほぼ公式カプ』

後方腕組み彼氏面（こうほううでくみかれしづら）

意味 他のオタクとは違う雰囲気を醸し出し、後方で腕を組みながら彼氏面をしていること。実際は他のオタクと大差がなく、彼氏面をして

オタク共通
三次元共通
日本の男性アイドル
K-POP
2.5次元
二次元共通
ゲーム共通
アークナイツ
スプラトゥーン
ファイアーエムブレム
プロセカ
ポケモン
原神
BL

いる対象とは付き合っていない。用例『私は常に後方腕組み彼氏面してるから』

古参（こさん）

📖古くからその組織で仕事などをしていること。意味 あるジャンルやグループができ上がった初期からのファン。古株。⇔新規 用例『古参の方が新規の私にも本当に優しくて、このグループのファンが増えているのも、古参の方の力があるのだなと思いました』

コポォ

意味 オタクの笑い声。好きなものを熱く語っているときに、思わず笑いがこみあげるが、オタクなので口を大きく開けて快活に笑うことが憚（はばか）られ、喉や唇を閉じた状態で出てしまう音。用例『拙者はオタクではござらんのでwww コポォ』

コミケ

意味 コミックマーケットの略。東京ビッグサイトにて、お盆付近と年末の年二回を基本として行われるオタクの祭典。主に同人誌（☞21ページ）の即売が行われる。二次創作やグッズを発表・頒布（販売）することで、原作への愛を表現するオタクと、それらを購入することで作品への愛を表現するオタクとが交差する場所。もちろん一次創作作家がオリジナル作品を同人誌という形で発表する場でもある。用例『コミケに一緒に行かない？』

転ぶ（ころぶ）

📖❶つまずいたりして転倒する。❷弾圧されたキリシタンが改宗する。意味 今まで興味のなかった別の作品やグループ、キャラクターなどに興味が移る。用例『あいつ、声優からYouTuberに転んだらしいぜ』

祭壇（さいだん）

📖神仏や霊に供物を捧げて祭祀・礼拝を営むための台。意味 棚などに推し（☞9ページ）のグッズなどを祀り、推しを身近に感じようとするための場。同じアクスタ（☞8ページ）や同じ缶バッジ、推しが表紙の雑誌などが整然と並び、推しのメンバーカラーがある場合は、その

祭壇

色で統一されることが多い。用例『祭壇の前で、本人不在の誕生日会をやった』

雑食（ざっしょく） 📖野菜や肉など、何でも食べること。意味 どのような属性のキャラクターでも性癖に刺さり楽しむことができる、変わった人。用例『雑食だからマイナーカプ推してても、供給少なくて死ぬことはない』

自衛（じえい） 📖危害や暴力に対して、自分で自分を守ること。意味 苦手な要素・シチュエーションに関するものをミュート・ブロックする（=SNSなどで自分からは見えない状態にする）こと。☞地雷（18ページ） 用例『自衛失礼します』

思想（しそう） 📖主義主張。意味 行動を規定する考え方。その考え方に、特に偏りがあったり、こだわりが強い様子を「思想が強い」という。用例『大限界とか思想強すぎるだろ』

実質無料（じっしつむりょう） 📖実際には料金がかからないこと。意味 実際に支払う金額以上の価値を感じる物を購入する、あるいは、したときに使われる言葉。まるで支払いがなかったかのような満足感や幸福感に包まれることから。例えば、推し（☞9ページ）のガチャガチャを回したときなど、実際は一回300円の支払いが生じているにもかかわらず、出てくるグッズにそれ以上の価値を感じているために「300円を入れたら無料でグッズが出てきた」と感じる。かなり重症。実際には財布の中身がしっかり減っている。用例『十万円使ったけど、推しがこんなに可愛いから実質無料』

死ぬ（しぬ） 📖命がなくなる。意味 素晴らしさにショックを受けたり、最高だと表現したくなったりした際に使われる言葉。別に死なない。大げさな表現だが、当人は誇張しているつもりはない。☞死んだ（18ページ）、召される（26ページ） 用例『今回のイベント良すぎて死ぬ』

死亡フラグ（しぼうフラグ） 意味 今後のストーリー展開で、死亡することを予測させる行動。例えば、戦いに出る前に「この戦いが終わったら、俺、結婚するんだ」と幸せそうな様子を見せたり、殺人鬼がいるとされる環境で、助かるために単独で逃げようとするなどのお約束的行動をとった者は、その後死亡することが多い。用例『死亡フラグなんて叩き折れ』

シャンクス、ありがとうございました

意味 2022年8月5日朝6時58分の『めざましじゃんけん』（＝フジテレビ系列の番組『めざましテレビ』のコーナー）に登場したシャンクス（＝『ONE PIECE』のキャラクター）の発言「俺はパーを出したぞ（☞11ページ）」に対する女性アナウンサーの返答がネットミーム化したもの。「俺は○○を出したぞ」への返答として、「シャンクス」の部分に何かを出した相手の名前を入れて使用されることもある。用例『三省堂、ありがとうございました』

情報垢（じょうほうアカ）

意味 情報を流すSNSアカウント。正しい情報をアナウンスしてくれる善良なファンアカウントと、ゴシップネタを流す胡散（うさん）臭いアカウントがある。用例『情報垢のおかげで、雑誌の発売情報を知れたから、ちゃんと買えたよー!!』

地雷（じらい）

📖 地中に設置し、敵がその上を通過すると爆発する兵器。意味 自分にとって受けつけられないもの、嫌いなもの。SNSのTL（タイムライン）などで突如流れてくると拒絶反応が出る。☞自衛（じえい）（17ページ）用例『地雷を話題に出さないのは礼儀』

新規（しんき）

📖 ❶新しく何かをすること。❷（飲食店で）新しい客。意味 あるジャンルやグループなどのファンに新しくなった人。⇔古参 用例『新規のふりしてたら構ってもらえると思ってんのか。お前、古参だろ。ばれてるぞ』

死（し）んだ

📖 死を迎えた。意味 感極まって、情緒がぐちゃぐちゃになること。本当に死ぬことはない。☞死（し）ぬ（17ページ）、召（め）される（26ページ）用例『ファンサされて普通に死んだ』

しんどい

📖 骨が折れる。つらい。意味 推し（☞9ページ）によって心のキャパシティを超えたときの心情。推しが可愛過ぎてしんどくなることもあれば、推しが不幸過ぎてしんどくなることもある。用例『供給過多でしんどい、心臓がしんどい』

すこ

意味 「好き」のネットスラング。意味は変わらないが、言い方を変えることで気軽に気

持ちを伝えられる。【用例】『すこすこのすこ』

スパダリ

【意味】スーパーダーリンの略。社会的地位があり、収入が良く、顔も良く、家事なども完璧にこなすハイスペックな男性。【用例】『顔も良くて、声も良くて、ダンスもすごくて、歌もうまくて、料理までできちゃう私の推し、スパダリ過ぎん!? 舘様っていうんですけどね…』

全てを解決する

【意味】なにもかもを解決できるほど強い様子。元ネタは『金田一少年の事件簿外伝 犯人たちの事件簿』7巻に登場するセリフ「やはり暴力…!! 暴力は全てを解決する…!!」だとされている。【用例】『やはり真銀斬…!! 真銀斬は全てを解決する…!!』

生誕祭

📖 人が生まれた日を祝う祭り。〈「聖誕祭」はクリスマス〉【意味】推し〈☞9ページ〉の誕生日を祝う祭り。「誕生祭」とも。【用例】『うちって、普通の日によくケーキ出てくるなと思ったら、母の推したちの生誕祭と事務所入所日だった』

聖地巡礼

📖 信者が聖地を回ること。聖地巡拝。【意味】書籍・映画・アニメなどの舞台となった場所を巡ること。【用例】『推しのYouTubeの撮影場所、聖地巡礼してくるわ』

戦利品

📖 戦争や戦闘に勝って手に入れた品。【意味】購入したグッズ。〈以前は同人誌即売会で購入した同人誌を指すことが多かったが、最近ではそれ以外のグッズ全般に使用できる〉【用例】『今日の戦利品、確認しよーっ♪』

太古の〇〇

【意味】「古の〇〇」〈☞8ページ〉よりも古さを強調したいときに使用する表現。【用例】『太古のオタク過ぎて最近のネタについていけん』

他界隈掛け持ち

【意味】複数のジャンルやグループを同時に推している状態。【用例】『他界隈掛け持ちさんって頭こんがらがらないのかな』

助かる

📖 危険な状態を免れる。【意味】推し〈☞9ページ〉から供給〈☞14ページ〉をいただいたことに対して返す感謝の言葉。☞助けて〈20ページ〉【用例】『くしゃみ助かる〈=くしゃみをしている可愛い様子を供給していただき、ありがとうございます〉』

助けて（たす）
📖人に助力を求める命令形。意味 供給（☞14ページ）に耐えられず救済を求めるさま。☞助かる（19ページ）用例『うわぁ〜〜〜〜!!!! 茅ヶ崎の新カード顔良すぎるんだけど。助けて』

タヒる
意味 死ぬ。半角片仮名で「タヒ」と横書きに並べると漢字の「死」に似ていることから。用例『ゲームしすぎて3徹はさすがにタヒる』

ちいこきいのち
意味 ちいさくて守りたくなるような可愛い存在。推し（☞9ページ）のぬいぐるみなど、生きていなくても命があるのと同じぐらい大切に扱うべきものに対しても使用できる。☞よわよわいのち（27ページ）用例『ちいこきいのちは守るべきなんよ』

ちくちく言葉（ことば）
意味 人を傷つける言葉。暴言だけに限らず、相手が傷つく内容であれば含まれる。☞強い言葉（20ページ）用例『なんでそんなちくちく言葉言うの』

積む（つ）
📖上に重ねて置く。意味 ある商品に付随する特典（＝握手券など）を得るためや、ランダムに出現するアイテムを得るためなどに、大金を投じて、商品を大量に購入する。用例『今回の推しイベ、ガチるから、マジで積むわ』

強い言葉（つよ・ことば）
意味 暴言。☞ちくちく言葉（20ページ）用例『強い言葉使いすぎだろ！』

つよつよ
意味 強いこと。優れていること。用例『顔面つよつよで画面割れそう（推しの顔が素晴らしすぎて、それが映っているスマホ（やテレビなど）の画面が割れてしまいそう）』

強火（つよび）
📖鍋底全体に火が当たるぐらいの火加減。意味 推し（☞9ページ）に対する愛情が過激であること。「（強火）」の形で、過激な意見であることを示すこともある。用例『強火の人多くて、めちゃめちゃ楽しかった！』『この曲の推し、どう見ても5歳です！（強火）』

強火オタク（つよびおたく）
意味 特定の人物や作品に対して熱狂的に応援しているオタク。想いが強いだけで、良識はある。用例『私強火オタクだから、推しの発した言葉、全部Excelにまとめてる』

強火担（つよびたん）

意味 推し（☞9ページ）を熱狂的に応援するファン。曲やアルバムに対して使用する例もある。同事務所や同グループに所属するタレントの強火担になるタレントも存在するように、タレント自身が使うこともある。用例『グループ内に推しの強火担がいる気配感じる…』

データなんかねぇよ

意味 理屈っぽいキャラクターのひろゆき（＝西村博之）氏に対し、真逆な存在として創作された「パワー系ひろゆき」「マッスルひろゆき」のセリフ。「データなんかねぇよ」という文と共に首が太く肩幅が広いひろゆき氏の画像（＝パワー系ひろゆき・マッスルひろゆき）が投稿されることが多い。MAD（☞61ページ）動画もあり、現在では「〇〇なんかねぇよ」という構文で、〇〇が無いということを示すときに使われがち。用例『ダイヤなんかねぇよ』

出戻り（でもど）

📖 嫁いだ女性が離婚や死別によって生家に戻ること。意味 一度ファンを辞めたが、もう一度同じ人や作品のファンに戻ること。用例『新曲が良すぎて出戻りしました』

デュフフ

意味 オタクの笑い声。好きなものを熱く語っているときや推しのことを考えているときに、思わず笑いがこみあげるが、オタクなので口を大きく開けて快活に笑うことが憚（はばか）られ、口をすぼめたまま笑うため出る音。「ドゥフフ」とも。用例『拙者、大事なリアタイがあるのでwwwこの辺りで帰るでござるwwwデュフフww』

天使（てんし）

📖 キリスト教で、神と人間を仲介する天の使い。エンジェル。意味 推し（☞9ページ）の素晴らしさ、愛らしさをたとえた表現。〈素晴らしさ、愛らしさの程度が甚だしくなると「大天使」〉用例『今日もナミさんは天使だ』

同人誌（どうじんし）

📖 同好の人々が自らの作品を発表したり情報交換をしたりするために発行する雑誌。意味 コミケ（☞16ページ）など同人誌即売会で頒布（販売）されている、一般には流通しない雑誌。最近は同人誌即売会だけでなく、オンラインでの取り扱いも増えてきた。ファンが、自分の思いの丈をぶつけた二次創作を作ることが多い。一次創作の作品もある。用例『同人誌ってなんでこんなに薄いんだろう(すっとぼけ)』

同担（どうたん） 意味 同じ人物を他の人と一緒に担当(☞33ページ)すること。また、その人。☞同ペン(50ページ) 用例『今日は、同担の友達とオタ活してきた！ 秒で3時間経過したよね…』

同担拒否（どうたんきょひ） 意味 同担(☞22ページ)を拒絶すること。〔K-POP界隈では「同ペン拒否」という〕 用例『「先生、スノの誰担ですか?」「コージだよー」「よかった！ ショッタだったら、先生嫌いになるとこだった。私、同担拒否なんで」』

同担拒否過激派（どうたんきょひかげきは） 意味 過激な思想を持った同担拒否(☞22ページ)。高確率で同担(☞22ページ)への当たりが強い。 用例『同担拒否過激派オタクだから同担見ると吐く』

尊い（とうとい） 📖 あがめて大切にする気持ちを起こさせる様子だ。 意味 推し(☞9ページ)を最上級に賛辞する言葉。推しの存在そのものに素晴らしい価値があり、その存在を感じることで、オタクは寿命が延びたり、死んだりする。推しが尊いおかげで、明日死ぬんかなって思うときもあれば、180年ぐらい寿命が延びるときもある。息をするように呟く言葉。 用例『今日も推しが尊い…！』

当落（とうらく） 📖 当選と落選。 意味 チケットの当選落選の発表。発表時刻のSNSは、阿鼻叫喚のるつぼと化す。 用例『チケットの当落って何時から？ 緊張しすぎてもうメール開けないよ～』

トゥンク 意味 ある人物を見て、一瞬で恋に落ちるほどのトキメキを感じたときに口から出る音。相手の背景に薔薇の花がブワッと咲き乱れているように見えている。 用例『宿儺の器がまじトゥンク』

吐血（とけつ） 📖 血を吐くこと。 意味 推し(☞9ページ)から与えられる尊さを体で受け止めきれず、口から何かが出そうになっている様子。実際に口から血は出ず、ものすごく早口な感想や、意味をなさない雄叫びが出ていることが多い。 用例『釘崎野薔薇が可愛くて吐血した』

努力 未来 A BEAUTIFUL STAR（どりょく みらい アビューティフルスター） 意味 米津玄師氏の楽曲『KICK BACK』の歌詞・M

Vの一部がネットミーム化したもの。SNS上で見境なく「努力 未来 A BEAUTIFUL STAR」という歌詞を発言する。それと共に、MV中に登場する「あり得ないほどムキムキな腕（取り外し可能）の米津玄師」、「トラックに轢かれる米津玄師」、「トラックに撥ねられた後、地面へと無事に着地する米津玄師」の画像が貼られることもある。用例『努力 未来 A BEAUTIFUL STAR（あり得ないほどムキムキな腕（取り外し可能）の米津玄師の画像）』

ニチャア

意味 オタクの笑い声。笑う際に口の中の粘膜が立てる音で、オタクの陰気で湿っぽい様子を表している。（「ニチャアする」の形で、笑顔になる意味も表す）用例『公式からの供給が素晴らしすぎて、私の妄想かと思った…ニチャア』『推し鑑賞会楽しすぎて、ずっとニチャアしながらペンラ振ってた…』

ぬい

意味 ぬいぐるみの略。特にキャラクターやアイドルをデフォルメしたものを指す。用例『推しのぬい、いろんなとこに連れまわしたい！』『そろそろぬい整理しなきゃと思ってたのに、着せ替え始めちゃって、ぜんぜん進まない～』

沼（ぬま）

📖泥深く水草の茂った湿地。意味 推し（☞9ページ）や作品などの魅力の深み。最初は気軽に興味を持っただけなのに、知れば知るほど、次々と魅力を発見してしまい、気づいたときにはもう抜け出せなくなっている。（ハマっていく際の擬音は「ずぶずぶ」）用例『目黒が沼過ぎる。好きだが』

沼る（ぬまる）

意味 「沼（ぬま）」（☞23ページ）を動詞化した語。用例『それは沼るわ』

ハーレム

📖オスマン帝国の君主（＝スルタン）の後宮。意味 一人の男性が複数の女性から好意を持たれ、どの女性とも恋人関係になる可能性がある状態。用例『ハーレム漫画の女の子ってみんなかわいくない？』

背後注意（はいごちゅうい）

意味 一人で見なさいね、という意味。内容が見る人を選ぶものである場合に使われる。用例『背後注意って書いてあったのに駅で普通に見ちゃった』

配布（はいふ）

📖配って行き渡らせること。意味 ①運営からキャラクターやコーデ（☞85ページ）、素材などが配られること。②運営から配られたキャラクターやコーデ、素材など。用例『グレイディーアとかルーメンとか、本当に配布で良かったのかなって性能してるわ』

儚い（はかない）

📖弱々しく消えやすい様子。意味 この世のものとは思えないほど美しく繊細で、今にも消えてしまいそうな様子。何かを憂いた表情の推し（☞9ページ）であることが多い。用例『桜に攫（さら）われてしまいそうなほど儚い』

爆イケ（ばくイケ）

意味 最高にイケている状態。姿かたちがいいだけではなく、動きや雰囲気、放たれるオーラまでも完璧で、もはや近寄りがたく神々しい様子。「ビジュがいい（☞25ページ）」よりもさらによい状態。用例『今月の表紙も、めめ爆イケ過ぎて惚れる』

歯茎（はぐき）げっそり

意味 元気がなく、歯茎がげっそりとなるほど萎えている状態。⇕歯茎むき出し 用例『動画の鬱シーン見て思わず歯茎げっそりした』

歯茎（はぐき）むき出（だ）し

意味 歯茎がむき出しになるほど笑っている状態。これ以上ないほどの笑顔。「歯茎出た」「歯茎ムキムキ」ともいう。⇕歯茎げっそり 用例『このMV良すぎて歯茎むき出しなった』『推しのビジュが最強で歯茎出た』『顔見た瞬間歯茎ムキムキになってまう』

箱推（はこお）し

意味 グループなど、あるカテゴリー全体の人を推すこと。用例『あぁぁぁ…!! 私、箱推しだから、推しを一人になんて決められない…!! グッズ、誰の買えばいいの…。…あ、全員の買えばいいのか（真顔）』

バブい

意味 成人男性であるにもかかわらず、赤ちゃんのような素直な様子をみせていること。無心にお菓子を頬張っていたり、とにかく楽しそうに笑っていたりするような純真無垢な様子。肌がつやつやしていたり、瞳がキラキラしていたりするとなお良い。〔名詞形は「バブみ」。そもそもは「話し手がバブバブしたくなるほど母性があふれている人物」に対して「バブみを感じる」と表現されていた。現在では、対象の人物自体がバブバブしている様子を表すようにもなり、こちらの使用例の方が多いようである」 用例『推しがお口いっぱいにハンバーガー頬張って、ニコニコしながらもぐもぐしてるとこ、ほんとにバブくて死ぬ』

パモさん構文(こうぶん)

意味 ゲーム実況者ジャック・オ・蘭たん氏の実況動画『ホゲータもらっちゃいました―ポケモンバイオレット#26』にて生まれたネットミーム。パモさん(☞228ページ)が、床の汚れを見ているような体勢をとった際に、「oh! パモさん床の隙間の汚れwatch…… カワイイカワイイね」と言ったのが始まりである。「oh!“動作の主体”“動作の対象”“動作(英語)”……“様子”“様子ね”」という形で使用される。用例『oh! パモさんパラドックスポケモンgenocide…… ツヨイツヨイね』

ビジュ

意味 ビジュアルの略。見た目全体。用例『ビジュが炸裂している』

ビジュがいい

意味 テレビ番組や雑誌の推し(☞9ページ)のビジュアルが良いときに使う表現。髪型や髪色、肌の状態、衣装などによって異なる、推しの微妙な雰囲気の違いをオタクは見分けることができる。出演するテレビ番組の演出や、雑誌の企画によっても、かなり変わる。でも結局、今日も推しのビジュはいい。用例『『東海ウォーカー』の舘様、本当にビジュがいい…。この雑誌は、いつも信頼できる…。本当にありがとうございます』

フヒヒ

意味 オタクの笑い声。卑屈で陰湿な感じの、不気味なオタクであることを表し、自虐的に使用する。用例『フヒヒwwサーセンwww』

フラグ

📖旗。意味 ストーリーの伏線。☞死亡(しぼう)フラグ(17ページ) 用例『フラグ回収が早すぎて頭が置いてけぼり』

フラゲ

意味 フライングゲットの略。新製品を発売予定日よりも早く入手すること。(フラゲできる日を「フラゲ日(び)」という) 用例『どこに注文すると、一番早くフラゲできるのかな』

ボクっ娘(こ)

意味 一人称が「僕」の少女。用例『ボクっ娘はかわいさのすべてを司る』

マイナーカプ

意味 推している人の少ないカップリング(☞12ページ)。用例『マイナーカプすぎて二次創作の作品数が一桁で泣く』

待って（まって）
📖相手に待つことを要求する言葉。
【意味】推し（☞9ページ）の衝撃的な情報や姿を見て、感情の収拾がつかず、思わず叫んでしまう言葉。本当に待つ必要はない。むしろ、もっと来いと思っているときも多い。【用例】『え、待って？ 次のイベントって屋上組なの??』『（推しが海外高級ブランドのアンバサダーに就任した情報を見て）待って!!!!』

身内（みうち）
📖親戚・血縁関係にあたる人。【意味】仲のいいオタク同士。【用例】『身内だけのライブ鑑賞会楽しー!!』

召される（めされる）
📖動詞「召す」の受け身。（「天に召される」は亡くなる意）【意味】作品や推し（☞9ページ）などに対して好きという気持ちが高まり過ぎて、昇天してもおかしくないような精神状態。☞死ぬ（17ページ）、死んだ（18ページ）【用例】『推しの新コーデ発表により我は召されるのであった……』

メタ読み（メタよみ）
【意味】作品の世界に入り込むのではなく、作品の構成や媒体の事情、過去作品の特徴など、高次の視点から、ストーリー展開を先読みすること。（形容詞「メタい」としても使用される）【用例】『「推理もの見ててもメタ読みして、声優から犯人分かっちゃうの、ホントやめたいんだけど、たぶんあいつが犯人だよ」「おい！ メタいこと言うのやめろ！」』

メリバ
【意味】メリー（＝愉快な、陽気な）バッドエンドの略。当事者にとってはハッピーだが、周りの人物や読み手にとってはバッドエンドに受け取れるエンディング。【用例】『メリバはもやもやするから苦手だけど、推しカプならそれでも大歓迎』

萌え〜！（もえ〜！）
【意味】ある人物やものに対し「好き」の感情が急激に昂（たかぶ）り、爆発した際に発せられる叫び声。2000年前後によく使用された言葉「萌え」を、その時代のオタクのもつ熱量と力強さをイメージしながら発する。【用例】『萌え〜〜〜〜〜!!!!!』

厄介オタク（やっかいオタク）
【意味】こだわりが強く、自分の考えを曲げずに行動するオタク。自虐的に自分のことを指すときもある。【用例】『私厄介オタクだから、ガチャ来るたびに推しにキレ散らかしちゃう』

厄介地雷持ち（やっかいじらいもち）

意味 普通は好まれる要素に対して激しい苦手意識を持っていたり、苦手なものに対して強い拒否感を表したりする人。用例『厄介地雷持ちだからその話無理』

夢女子（ゆめじょし）

意味 推し（☞9ページ）の登場するオリジナルストーリーの中で、自分（を表すキャラクター）と推しとの間に恋愛関係などの自分が理想とする関係を作り、それを楽しむ女子。用例『夢女子は意外に現実主義者だと思う』

嫁（よめ）

📖❶息子の妻。❷結婚相手の女性。意味 特定のキャラクターを自分のものとして表現する際に用いる表現。ずっと愛しています。用例『俺の嫁、今日も可愛いな』『サーナイト、嫁ポケ〜』

よわよわいのち

意味 生命力が弱い生き物。ひらがなで表記することにより、より一層か弱い印象を持たせている。自分に対しても使用できる。☞ちいこきいのち（20ページ） 用例『よわよわいのちだからすぐ死ぬ』

リアコ

意味 ①特定のキャラクターやアイドルをファンとして応援しているだけでなく、リアルに恋している女性。☞ガチ恋勢（こいぜい）（12ページ） 用例『あの界隈は、リアコ勢多そうだから、近づけない』 ②女性ファンに対して「リアルな恋人」のような振る舞いを見せるキャラクターやアイドル。用例『ふっかにパーカーはヤバい。パーカー着て寝転んでるなんて、ガチでリアコでしかない』

リアタイ

意味 リアルタイムで、テレビ番組を視聴したり、ラジオ番組を聴いたりすること。用例『リアタイは自担のタスク!!! 絶対に見ねば』

履修（りしゅう）

📖科目や課程を修めること。意味 鑑賞したりプレイしたりして、一通り知っていること。（「履修済」「未履修」などの形でも使用される） 用例『ヴァイオレット・エヴァーガーデン、アニメ履修せずに映画見ても大丈夫そ?』

量産型（りょうさんがた）

📖同じ型で大量生産される製品。意味 フリフリしたかわいらしい服装やヘアメイクをした、よくいる見た目の、女性のオタクの総称。**用例**『あの界隈のライブは量産型が多いな～』

量産型

わかりみが深い（ふか）

意味「わかりみ」とは「わかること」で、心から同意すること、すべて理解したこと。〔古くは「禿同（はげどう）〔＝激しく同意〕」と記された〕 **用例**『「新曲、推しのソロが儚すぎてしんどい」「わかりみが深い…」』

わりい　おれ死（し）んだ

意味『ONE PIECE』11巻99話で、主人公のルフィが処刑台にあげられた際に使用した表現。原作のような処刑台の状況で使うのではなく、オタク特有の死を感じた際に使うネットミームの一つ。☞死（し）ぬ（17ページ）、死（し）んだ（18ページ） **用例**『〔推しの新しいカードのイラストが公開されたことに対して〕わりい　おれ死んだ』

ワロタ

意味 笑った。 **用例**『それはワロタ』

第2章

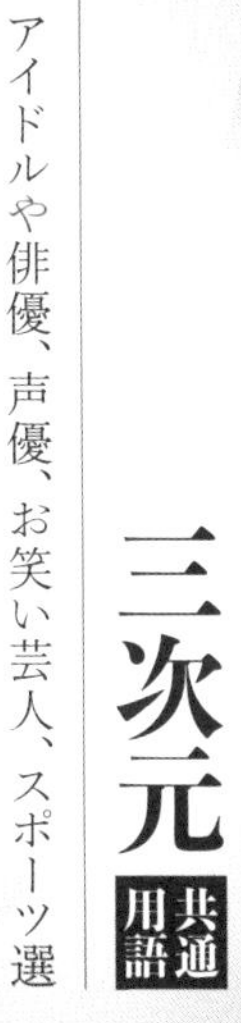

三次元　共通用語

アイドルや俳優、声優、お笑い芸人、スポーツ選手など、実在する人物のこと。アニメやマンガなどに登場する架空の人物を「二次元」と言うことに対する呼び方。

アー写（しゃ）

意味 アーティスト写真の略。公式にマスコミに提供されるタレントの写真。新曲などが出るタイミングごとに新しい写真が供給（☞14ページ）されることも多く、ファンも供給を楽しみにしている。 用例『めめのアー写かっこよすぎだわ…』

遠征（えんせい）

📖❶敵を征伐しに遠方に行くこと。❷遠方に出かけて、試合・登山・探検などをすること。 意味 遠い場所のコンサートや舞台に行くこと。泊まりがけの場合も多い。開催する会場と日時が発表されると、近くのホテルは争奪戦となる。 用例『次のLIVE、大阪と神奈川しか開催されないから遠征しなきゃ…!!』

オーラス

意味 コンサートツアーや舞台の最終公演。全公演の中で最も盛り上がり、チケットの倍率も高くなる傾向がある。 用例『オーラスって大体Wアンコあるからいいよね！ しかも次の公演も発表されるかもしれない…!!』

顔（かお）うちわ

意味 顔写真がプリントされたうちわ。公式の発売品のほか、個人で手作りしたものもある。手作りのものは、顔写真以外の部分にラインストーンが敷き詰められているなど、凝ったものが多い。☞カンペうちわ（30ページ）、名前（なまえ）うちわ（34ページ）、ファンサうちわ（34ページ） 用例『今回の顔うちわ、自担のビジュが最高で大優勝です！』

神席（かみせき）

意味 特に最前列の良席（☞35ページ）をいう。ただし、推し（☞9ページ）からファンサ（☞34ページ）をもらえたことで、ライブ開始前は普通の席だと認識していた席が、ライブ終了後に神席になっていることもある。 用例『特大のファンサもらえた…!! 今回、マジで神席だった!!!』

カンペうちわ

意味「投げチュして！」などの演者に向けたメッセージが書かれたうちわが、カンペのように何枚も重ねてあるうちわ。☞顔（かお）うちわ（30ページ）、ファンサうちわ（34ページ）、名前（なまえ）うちわ（34ページ） 用例『カンペうちわ作るの大変だけど一個のうちわで沢山メッセージ書けるからいいよね』

規定外（きていがい）

📖規定に当てはまらないこと。 意味 規定サイズよりも大きいサイズのうちわ。周りの迷惑になるため、禁止されている場合は、持ち込まないようにしよう。用例『前の席の人が規定外持っててステージ見にくかった…最悪！』

銀テ（ぎんテ） 意味 銀テープの略。コンサート最後の演出として、大量に降ってくる。〔ファン同士でこの争奪戦が起こり、そのときだけはアーティストよりも注目される存在。また、銀テが多く取れたときに、取れなかった人に銀テを分ける優しいファンもいる〕 用例『隣の席の人が余った銀テくれた！ 一個も取れなかったから嬉しい〜〜〜』

キンブレ 意味 株式会社ルイファン・ジャパンが製造するペンライト「KING BLADE」の略。商標名。用例『キンブレはJr.（ジュニア）担がよく使ってるイメージ』

現場（げんば） 📖 実際に作業などが行われている場所。意味 コンサートや舞台など、推し（☞9ページ）の活動を見に行ける場所。用例『ファンになって初めての現場だ！ 楽しむぞ〜！』『次の現場決まった！〔＝次回のライブのチケットが当たって、行けることが確定した〕それまでバイト頑張れる…』

C&R（コールアンドレスポンス） 📖 メインボーカルとコーラスなどの掛け合い。意味 曲中などで演者がするアクションに対してファンが行う合いの手などのリアクション。現場で推しの煽りを聴きながらC&Rをするのはもちろん楽しいが、ライブDVDを見ながらC&Rをしても十分楽しめる。ペンラ（☞34ページ）も一緒に振るとより楽しい。用例『コロナのせいでC&Rできないの悔しい…声出ししたい』

最前（さいぜん） 📖 ❶いちばん前。❷さきほど。意味 ライブ会場などのいちばん前の席。用例『最前確保したから、ずっと推し見てられた！』

三次元（さんじげん） 📖 縦・横・高さで表される空間。意味 ☞第2章扉（29ページ）用例『うちの推し、顔も良く、スタイルも良く、歌も上手く、ダンスもバチバチに踊れるのに、三次元に存在しているなんて、信じられない…』

参戦（さんせん） 📖 ❶戦争に参加すること。❷競技会に出場すること。意味 コンサートやライブ、演劇など、イベントに参加すること。用例『今週末、推しのライブに参戦してくるー！』

参戦服（さんせんふく）

意味 コンサートやライブ、演劇など、イベントに参加するときに着る服。推し（☞9ページ）に会うその日のために、何週間も前から準備する。一緒に参戦（☞31ページ）する友達とコーディネートを合わせたり、雑誌の推しのファッションを意識したりと、参戦服の色やブランド、デザインにはこだわりが詰まっている。用例『参戦服買いに行ったら、推しのメンカラだけ売り切れてて、予約したけど、マジで当日までに届いてくれ…』

自担（じたん）

意味 自分の担当（☞33ページ）の略。あるグループやチームなどの中で、最も好きで、最も応援している人物。複数人で画面に映っていても、どうしても自担を目で追ってしまうし、声を聞き分けてしまう。愛おしい。用例『来週、自担が表紙の雑誌がでるから、10冊買うために節約中』

センステ

意味 センターステージの略。アリーナ席の真ん中に設置されているステージ。用例『初めてセンステの近くの席になれた!!』

全ステ（ぜんすて）

意味 特定のコンサートツアーや演劇などのすべての公演（＝ステージ）を観に行くこと。また、特定の会場で行われる全公演に入ることも指す。「全通」ともいう。☞多ステ（32ページ）用例『全ステして推しのどんな姿も見逃さないぞ！』

全通（ぜんつう）

📖鉄道などの路線全部が開通すること。

意味 ☞全ステ（32ページ）用例『刀ミュ（＝ミュージカル刀剣乱舞）は全通したい』

ソロコン

意味 ソロコンサートの略。普段グループで活動しているタレントが一人で行うコンサート。用例『推しだけをずっと見ることができるソロコンって神すぎん??』

多ステ（たすて）

意味 コンサートツアーや演劇などの複数回の公演（＝ステージ）を観ること。☞全ステ（32ページ）用例『さすがに全ステは無理だけど多ステくらいはしようかな』

他担狩り（たたんがり）

意味 アイドルが他の人のファンに積極的にファンサ（☞34ページ）などをして、自分のファンにしてしまうこと。また、他の人のファンでさえも目を離せなくなってしまうほど魅力的な様子。（K-POP界隈では「他ペン狩り」という）

用例『佐久間さんのブログ読んでからずっと拗(こじ)らせ続けている……「他担狩りの佐久間」の片鱗を見せつけられた…恐ろしいものを見たよ…好きすぎる…』

担降り(たんおり)

意味 ファンを辞めること。用例『熱愛出たので担降りします』

担当(たんとう)

📖受け持つこと。また、その受け持ちの人。意味 応援し育てる対象。「推し」(☞9ページ)よりも、使命感を持って応援し、育てていかなければならない。そのビジュアルや言動をただ無条件に肯定するのではなく、よりよくなっていくために、時に批判したり苦言を呈したりする人もいる。だけど結局は可愛くてたまらない。また、○○担当、○○担の形で、誰を応援しているかを表す場合もある。〈アイドルやYouTubeの配信者など、ファンに向けた発信を行うような対象に対して使用される場合が多い。そのような特徴があれば、ゲームなどのキャラクターに対しても使用される。また、アイドルがキャラクターとして登場するようなアニメやゲームでも使用される〉用例『今月、担当が表紙の雑誌が三冊出るから、十冊ずつ買わなきゃ』『あ、ダテ担の方ですか？よろしくお願いします！』

単独コン(たんどく)

意味 単独コンサートの略。〈複数のグループではなく〉一つのグループだけでコンサートを行うこと。「単コン」ともいう。用例『やっときた単独コン絶対行きたい！』

DD(ディーディー)

意味 誰でも大好き。「だれ」「だい」のローマ字表記の頭文字から。用例『いつも何かを好きになるときDDになりがちなんだよね』

デビューコン

意味 デビューコンサートの略。デビュー曲をメインに据えたコンサート。用例『デビューコンの倍率やばくない？』

天井席(てんじょうせき)

意味 コンサートの最後列の座席。アーティストの顔が見づらくなるため、双眼鏡必須。または、だいたい大画面のスクリーンを見ることになる。用例『天井席だから音を楽しむ気持ちで見よ』

トロッコ

📖レールの上を走らせる、土木工事用の手押しの運搬車。意味 大きな会場でのコンサートで、アーティストが乗る可動式の乗り物。トロッコはスタッフが手動で動かしている。アーテイストがトロッコに乗っているときは、ファンサ（☞34ページ）をもらうチャンスでもある。**用例**『トロッコの出入口が真横なんだけどやばくない？』

トロッコ

名前うちわ

意味 演者の名前が大きく書かれたうちわ。推し（☞9ページ）に見てもらうため、自作していくファンが多い。☞顔うちわ（30ページ）、カンペうちわ（30ページ）、ファンサうちわ（34ページ） **用例**『名前うちわ、ギャンギャンの蛍光色で頑張って作ったから、推しに見つけてほし～！』

花道

📖 客席を貫くように舞台から張り出した細長い道。**意味** アリーナ席の真ん中を通り、メンステ（☞35ページ）、センステ（☞32ページ）、バクステ（☞43ページ）をつなぐ道。**用例**『まさか花道でランニングマンやるとは…』

花道横

意味 花道（☞34ページ）の真横の席。**用例**『花道横、初めて当たった！』

ファンサ

意味 ファンサービスの略。コンサートや演劇などで、決められた振りや演技以外に、特別感を演出するためにアイドルや演者がファンに向かって行う行為。手を振ったり、「投げキスして！」「指さして！」というファンの要望に応えたりする。これをいただいたファンは無事に召される（☞26ページ）のである。**用例**『やばい、丸ちゃんからファンサもらっちゃった！』

ファンサうちわ

意味 「（ファンに向かって指差ししながら）バーンして！」「指さして！」「頭ぽんぽんして！」など、推し（☞9ページ）からしてほしいファンサ（☞34ページ）が書かれたうちわ。☞顔うちわ（30ページ）、カンペうちわ（30ページ）、名前うちわ（34ページ） **用例**『ファンサうちわになんて書くか、真剣に悩んでたら2時間経ってた…』

ペンラ

意味 ペンライトの略。コンサートごとに販売されることが多い。たこ焼きやいちごなど食べ物の形、地球儀や仮面など雑貨の形、拳銃や刀など武器の形など、グループによって個性が出る。**用例**『推しのペンラ、持ったー?』『番組協力のときたこ焼きのペンラ持ってる人いたけどどこのグループのやつ⁇』

ペンラ

ぼっち参戦（さんせん）
意味 一人ぼっちで参戦（☞31ページ）すること。**用例**『今回はぼっち参戦します』

目が足りない（めがたりない）
意味 演者全員の様子を全て目に焼きつけたいにもかかわらず、人数が多かったり、目を奪われる行動が多過ぎたりして、全てを見ることができない。**用例**『ほんとにらぶフェスは目が足りない!! 誰か私に目をくれ（切望）』

メンカラ
意味 メンバーカラーの略。**用例**『SixTONESの森本慎太郎のメンカラは緑だ！』

メンステ
意味 メインステージの略。**用例**『やばい、メンステの一番前の席だ…！』

良席（りょうせき）
意味 花道（☞34ページ）近くや、メインステージ近くなど、推し（☞9ページ）が見やすい環境の席。☞神席（かみせき）（30ページ）**用例**『電車で席譲ったり、席に関する徳を積むと、良席当たるらしいよ！ 徳積んでこ！』

リリイベ
意味 リリースイベントの略。CDなどの発売（＝リリース）を記念して行われ、ミニライブや特典会などがある。**用例**『リリイベ決まったからアルバム積まなきゃ（＝アルバムを大量に購入しなきゃ）』

連番（れんばん）
📖宝くじや座席券などの番号が連続していること。**意味** コンサート会場で隣同士の席のチケットをとること。二つ席を連続して取ることを「2連」という。同様に「3連」「4連」などもある。**用例**『次のライブはTwitter（現・X）で繋がってる子と連番予定』『最近のライブはどこも2連まででしか連番できないらしい…』

オタク共通
三次元共通
日本の男性アイドル
K-POP
2.5次元
二次元共通
ゲーム共通
アークナイツ
スプラトゥーン
ファイアーエムブレム
プロセカ
ポケモン
原神
BL

第3章

日本の男性アイドル 界隈用語

日本の男性アイドル、特に大手芸能プロダクション・ジャニーズ事務所に所属するタレント、及びそのファンに関連するオタク用語を採録した。

2023年10月2日に「ジャニーズ事務所」の名称変更が発表された。今後、事務所名に関連する用語などに大きな変化が予想されるからこそ、いま記録しておく意義があると考え採録した用語も多い。引き続き、用語・用法の変化に注目していきたい。

そして、オタクとしては、これからも推したちを推し続けていくのみである。

アリトロ 意味 アリーナトロッコの略。アリーナ席の通路をトロッコに乗ってアイドルが通る演出。近くでアイドルを見ることができ、ファンサ〈☞34ページ〉をいただくチャンス。 用例 『今回のなにわ男子のアリトロの動線〈=トロッコが移動する道筋〉を教えてください!!』

アンコ 意味 アンコールの略。 用例 『今回のLIVEはアンコでなにを歌うかな?』

アンリー 意味 自担〈☞32ページ〉以外に興味がないだけでなく、他のタレントに対して批判的、攻撃的な言動をするファン。「アンチ」+「オンリー〈☞38ページ〉」から。 用例 『公式にいちゃもんリプしてるアンリー怖すぎ…』『アンリーをいっぱい抱えているタレントを推すと疲れそうだね』

埋もれ(うもれ) 📖 うもれること。 意味 アリーナ席のブロックの中でも中心辺りの場所。周りの人に埋もれてアイドルの姿が見えにくく距離も近いわけでもない微妙な席。 用例 『アリーナだったけど埋もれで全然見えなかった』

M誌(エムし) 意味 月刊アイドル雑誌『Myojo』(集英社)の通称。 用例 『今月のM誌買ったのにまだ読んでない!!』

エリアファンサ 意味 〈特定の一人にではなく〉あるエリアにいるファン全体に向かって行われるファンサ〈☞34ページ〉。 用例 『健人君が投げちゅをアリーナ全体にエリアファンサしてたの凄かった!!』

エリート 📖 指導的地位にある少数の人。 意味 オーディションを経ずに特別ルートでジャニーズ事務所に入所したり、入所後すぐにデビューが決まったりするタレント。 用例 『履歴書は出したけどオーディションなしで入所してるからエリートなんだって』

お立ち台(おたちだい) 📖 挨拶やインタビューなどの際に一段上がって立つ台。 意味 アイドルが歌ったりファンサ〈☞34ページ〉をしたりするときに立つ台。ステージではなく観客席近くの通路に置かれる。 用例 『観客席の中にお立ち台あるのは神すぎ!』

オタク共通
三次元共通
日本の男性アイドル
K-POP
2.5次元
二次元共通
ゲーム共通
アークナイツ
スプラトゥーン
ファイアーエムブレム
プロセカ
ポケモン
原神
BL

お手振り（てふり）
〔意味〕コンサートなどでアイドルがファンに向けて手を振ること。〔用例〕『さっくんのお手振りいただきました!! まじで指がピンクなんだけど!? 本当に苦しい…』

オンリー
📖ただそれだけ。〔意味〕一人のタレントだけを一途に応援しているファン。同じグループであっても他のタレントの活動には興味がない。〔用例〕『あの子は廉オンリーらしいよ』

外周（がいしゅう）
📖ある範囲をとりまく外側の部分。〔意味〕アリーナ席を囲むように伸びたステージ。メインステージやバックステージ、センターステージに繋がっている。アイドル達が外周を走り回ってパフォーマンスをしてくれることで、たくさんのファンが幸せになる。〔用例〕『外周に距離近くてメンバー全員の横顔堪能できた…！』

カウコン
〔意味〕カウントダウンコンサートの略。大晦日の午後11時過ぎから元日の午前1時にかけてフジテレビ系列で放送される『ジャニーズカウントダウン』の通称。〔用例〕『カウコンでキラキラの衣装着てる自G（グル）を愛している』

カスジュ
〔意味〕失言をして炎上するなど、ファンの信用を失うような問題を起こすジャニーズJr.（ジュニア）。⇔デキジュ 〔用例〕『正直カスジュ推すの楽しい…』

関ジュ（かん）
〔意味〕関西ジャニーズJr.の略。〔用例〕『最近の関ジュの人気すごくない??』

ギャラる
〔意味〕「ギャラリー」の動詞化。コンサートや舞台のチケットはないが、会場周辺に出掛けて、その雰囲気を楽しむこと。〔用例〕『コンサート落ちた… でも、コンサートの空気味わいたいからギャラるぞー』

G（グル）
〔意味〕グループの略。「自G（＝自分が推しているグループ）」、「他G（＝自分が推しているグループではないグループ）」のように使用される。〔用例〕『他Gだけど「証拠」って曲、本当に本当に好きなんだよね』

コロペン
〔意味〕近くに来たアイドルに合わせて、ペンライトの色をコロコロと変えること。また、変える人。ペンライトの色は推し（☞9ページ）のメンバーカラーに合わせることが多いため、アイドルは自分のメンバーカラーのペンライトを持ったファンに向かってファンサ（☞34ページ）を行う場合が多い。そのため、周りの観客が近くに来たアイドルに合わせてペンライトの色を変えてしまうと、自分の推しがせっかく近くに来ても、推しからファンサをもらえる可能性が低くなってしまう。**用例**『周りにコロペンが多かったせいで、自担からは、ふわっとしたエリアファンサしかもらえんかった…』

魂（コン）

意味 コンサートの略。「デビュー魂」のようにそのツアーの略称などを「魂」の前につけて使用する。**用例**『キンプリのデビュー魂、最高だった！』

冷め期（さめき）

意味 自担（☞32ページ）への気持ちが薄れて冷めている時期。**用例**『最近自担のこと全然追えてなくて冷め期なのかも』

事務所担（じむしょたん）

意味 事務所に所属しているタレント全体を推すこと。**用例**『事務所担だから、ジャニフェスの円盤7700円は無料同然』

自名義（じめいぎ）

意味 自分の名前で登録したファンクラブ枠。⇔他名義 **用例**『自名義がぜんぜん仕事してくれない（＝当選しない）!!』

ジャニーズ

意味 ☞第3章扉（36ページ）、ジャニタレ（40ページ） **用例**『Jr.（ジュニア）のころから必死で努力してた推しが、認められてデビューが決まって、テレビでも活躍するようになって、知名度が上がって、さらにファンが増えて、もっとキラキラのアイドルになっていくっていう、推しの人生に寄り添ってずっと応援できるっていうのが、ジャニーズの素晴らしいところだよね！（めちゃめちゃ早口）』

ジャニカレ

意味 ジャニーズ公式カレンダーの略。グループごとに、公式カレンダーが発売される。（デビュー後、ある程度の期間が過ぎると、販売されなくなるため、販売されている間はありがたく購入すべし） **用例**『今年のジャニカレも最高だわ』

ジャニショ

意味 ジャニーズショップの略。公式の生写真やグッズを購入することができる。**用例**『久々のジャニショで爆買いした。あんな長いレシート初めて見たわ』『コロナでジャニショ予約制らしくてなかなか行けない…』

オタク共通
三次元共通
日本の男性アイドル
K-POP
2.5次元
二次元共通
ゲーム共通
アークナイツ
スプラトゥーン
ファイアーエムブレム
プロセカ
ポケモン
原神
BL

ジャニタレ

意味 ジャニーズタレントの略。ジャニーズ事務所に所属するタレント。CDデビューしたグループや、俳優として活躍するタレントの他に、デビューを目指すジャニーズJr.（ジュニア）や研修生から構成される。用例『毎日のようにジャニタレのコロナ陽性者の情報が上がってるから、推しがいつ陽性になってもおかしくない…』

ジャニネ

意味 ジャニーズネットの略。ジャニーズ事務所が運営している公式サイト。メディアへの出演情報や、舞台、コンサートの情報、グッズの情報などが掲載されている。用例『お昼にテレビに出るの知らなくて録画できなかった……ジャニネ見るべきやった』

収録日（しゅうろくび）

意味 コンサートや舞台作品の映像を収録している日。用例『今日のライブ、カメラが沢山（たくさん）入ってるから収録日かもしれない』

Jr.黄金期（ジュニアおうごんき）

意味 1990年代後半から2000年代初め、デビュー前のジャニーズJr.たちがデビュー組（☞42ページ）をしのぐほどの人気を博していた時期。用例『Jr.黄金期のメンバー、今見ても本当に豪華すぎる…』

Jr.マンション（ジュニアマンション）

意味 ステージ上の壁一面に鉄枠で縦横に仕切りが作られた、ジャニーズJr.が並んでパフォーマンスするための舞台装置。一つの枠に一人ずつジャニーズJr.が配置される。KAT-TUNの亀梨和也が考案したといわれている。用例『Jr.マンションの迫力すごいな』

情報局（じょうほうきょく）

意味 ジャニーズジュニア情報局の略。ジャニーズJr.の公式FC（＝ファンクラブ）。ジャニーズJr.にはグループごとの公式FCがないため、Jr.として一つにまとまっている。最新情報が得られ、Jr.がメインのコンサートに応募できる。用例『最近Jr.推ししてるから情報局に入ろ！』

シンメ

意味 シンメトリーの略。複数で踊る際に、左右対称の立ち位置で踊る二人のこと。信頼関係やライバル関係など、その二人だけの特別な関係性がある場合も多く、そこにエモさを感じるファンも多い。用例『シンメを調べれば調べるほど良すぎて最高！』

スタトロ

意味 スタンドトロッコの略。スタンド席の通路をトロッコ（☞33ページ）に乗ってタレントが通る演出。アリーナ会場のスタトロはファンとアイドルの距離が近く、ファンサ（☞34ページ）がもらえることが多い。用例『スタトロ最前羨（うらや）ましい〜』

制作開放席（せいさくかいほうせき）

意味 本来機材などを置くスペースに空きが出た場合に、その場所を開放してできる観客席。復活当選（＝チケットの落選者を対象として改めて行われる抽選で当選すること）もできなかった場合にFC（＝ファンクラブ）からメールが届くことがある。しかし多くの場合、公演前日頃に当落（☞22ページ）が知らされるため、当選しても社会人などは行きづらい。用例『制作開放席のご案内来たー!!』

0（ゼロ）ズレ

意味 公演中、アイドルの立ち位置が自分の真正面である状態。用例『ラウールと0ズレで目が合った！…気がする』

遭遇（そうぐう）

📖 偶然めぐりあうこと。意味 街でタレントを見かけること。〈遭遇したタレントの情報を流すSNSのアカウントもある〉用例『東京に行ったら自担と遭遇するかな？』

退所（たいしょ）

📖 研究所など「所」の付く組織を辞めること。意味 ジャニーズ事務所所属のタレントが事務所を辞めること。用例『退所の可能性あるからFCメールの大切なお知らせが届いたら怖くて中見れない…』

W誌（ダブリューし）

意味 月刊アイドル雑誌『WiNK UP』（ワニブックス）の通称。用例『他の雑誌よりW誌追加でポチりたいな〜』

W（ダブル）アンコ

意味 二回目のアンコール。オーラス（☞30ページ）などに多い。用例『Wアンコはテンション上がるね！』

他名義（ためいぎ）

意味 家族・友人など、他人名義によるファンクラブ枠。⇔自名義 用例『友達がライブ当ててくれた!! 他名義マジ感謝』

着（ちゃく）ブロ

意味 着席ブロックの略。座ったままコンサートを観る席。立つことはできない。アイドルたちが割とかまってくれるブロックなので人気がある。年齢制限などの条件はなく誰でも申し込むことが可能。着席ブロックで申し込んでも普通の席で当選することもある。〈別名「親子席」ともいわれるが、子どもがいなければ利用できないという意味ではない〉 用例『着ブロはゲートKらしいからスタンド席確定かな…』

茶の間（ちゃのま） 📖家族が食事やだんらんなどをする部屋。 意味 コンサートや舞台などの現場〈☞31ページ〉には行かず、推し〈☞9ページ〉をテレビで見て応援すること。また、そうする人たち。 用例『現場には遠いから茶の間で応援してます』

○○出（で） 意味 タレントを好きになったきっかけ。 用例『インライ出の向井担が爆誕しました』

D誌（ディーし） 意味 月刊アイドル雑誌『Duet』（ホーム社発行、集英社発売）の通称。 用例『発売日だったからD誌買ってきた〜〜!!』

デキジュ 意味 プロ意識が高く、スキャンダルや不祥事を起こさないデキるジャニーズJr.（ジュニア）。⇔カスジュ 用例『自担はデキジュだから、安心！』

デビュー組（ぐみ） 意味 〈ジャニーズJr.（ジュニア）に対して〉既にデビューしているグループ。 用例『この数年でデビュー組のメンバーカラー黒の人たちが朝ドラ出まくってるのミラクルすぎ』

dr期（でれき） 意味 いつにも増して自担〈☞32ページ〉への愛が強くなり、四六時中自担のことを考えてしまう自担に対してデレデレの時期。 用例『現場行ってまたdr期に入ったかも』

ドリボ 意味『DREAM BOY（ドリームボーイ）』または『DREAM BOYS（ドリームボーイズ）』の略。帝国劇場で行われるジャニーズ伝統の舞台。ボクシングがテーマとなっている。 用例『ドリボ終わってすぐ髪色黒に戻した自担、オタクのこと分かりすぎてて、すこ』

トンチキ 📖ぼんやりしていて気のきかないこと。 意味 ジャニーズ特有の、個性が強く奇妙で狂気じみてさえ感じられるのに何故か癖になってしまう楽曲および作品などの世界観やテンション。公演名や楽曲タイトル、舞台演出、セリフ、歌詞などに対しても使用される。 用例『この前ジャニーズトンチキソングメドレーやってたけど見た？』

バクステ

意味 バックステージの略。メインステージと真反対にあるステージ。用例『ここバクステめっちゃ近いじゃん！』

バック

📖 背中。背部。背後。意味 バックダンサーの略。ジャニーズのコンサートでは主にジャニーズJr.（ジュニア）が務めることが多い。用例『次のなにわ男子のバックはアンビかな？』

P誌（ピーし）

意味 月刊アイドル雑誌『POTATO』（ワン・パブリッシング）、『ポポロ』（麻布台出版社）の通称。用例『都会はP誌今日発売なのか…田舎はまだなのにな〜』

干される（ほされる）

📖 職場で仕事を回されなくなる。意味 自担（☞32ページ）にファンサ（☞34ページ）どころか目線すらもらえない状態。害悪オタク（☞11ページ）のせいで、その一帯が干されることもある。用例『周りにフェイスシールドしてない人多くてファンサ干された…』

無所（むしょ）

意味 無所属の略。グループに所属していないJr.。活動自体が少ないこともある。用例『なにわのライブに無所のJr.は出ますか？』

ムビステ

意味 ムービングステージの略。客の真上を移動するステージ。ステージは透明な床でできているためアイドルを真下から見ることができる。このステージが導入されたのは嵐のライブツアー「嵐 LIVE 2005 One SUMMER TOUR」（2005年夏）の大阪公演。考案者は松本潤。用例『ムビステの通り道だから推しを下から見れるね』『ムビステで踊るの怖くないのかな？』

辞めジュ（やめじゅ）

意味 ジャニーズ事務所を辞めた元ジャニーズJr.のこと。用例『ふとしたときに昔好きだった辞めジュを思い出す…』

落下物（らっかぶつ）

📖 上方から落ちてくる物。意味 コンサートの演出として上から降ってくるグッズの総称。銀テ（☞31ページ）や紙吹雪、風船などがある。コンサートのロゴが入っているグッズも多く、ファンにとっては、とてつもない価値がある。用例『なにわ男子のライブの落下物はハートの風船だったよ』

第4章

K-POP 界隈用語

コリアンポップス、つまり韓国のポップスのことである。その多くは複数人で構成されたダンスグループであり、日本に比べ、バンドやソロアーティストは多くない。現在は第四世代といわれるアーティストらが人気を博している。日本でもその人気は高く、現代の若者文化の一つといえるだろう。

愛嬌（あいきょう）

意味 アイドル特有の可愛らしさをアピールするパフォーマンス。韓国語では「エギョ」。韓国では番組などで愛嬌を求められる場面が多くある。そのため、愛嬌ソングというものがあり、恥ずかしがりながら愛嬌をするアイドルたちは本当に可愛い。 用例 『推しの愛嬌、ヤバい！』『エギョジュセヨ〈＝愛嬌してください〉』

アッケ

意味 自分の好きなメンバーの良さを際立たせるために、他のメンバーに誹謗（ひぼう）中傷などの嫌がらせをする悪い〈韓国語でアッ〉人〈韓国語でケイン〉。推し〈☞9ページ〉のためとは言え、他のメンバーを傷つけることは絶対にやめるべし。 用例 『アッケ最悪』

アドラ

意味 韓国の放送局MBCのラジオ番組『IDOL RADIO』の略。様々なアイドルが出演する人気番組。 用例 『アドラのMCホホンにしたの優勝だわ』

アユクデ

意味 『アイドルスター陸上選手権大会〈韓国語でアイドルスタユクサンソンスクォンデフェ〉』の略。毎年元旦とお盆の時期に、大勢のアイドルを集めて行われる陸上番組。リレーやバスケ、アーチェリーなど様々な種目があり、アイドルたちが頑張って競技に取り組む姿を見ることができる。 用例 『アユクデはリレーで余裕勝ちしちゃうバンタンが最高にかっこいい！』

アンコン

意味 アンコールコンサートの略。ワールドツアー終了後、特定の国でもう一度開催されるコンサート。 用例 『今回のアンコン、セトリ〈＝セットリスト〉落ちした曲多くて泣いた』

イル活（かつ）

意味 韓国のアイドルが日本〈韓国語でイルボン〉で活動すること。〈韓国までは中々会いに行くことのできない日本人にとっては本当に嬉しいこと〉☞イルコン（45ページ）、イルデ（46ページ） 用例 『ようやくイル活だ！ この日をどれだけ待ち望んでいたか…』

イルコン

意味 韓国のアイドルが日本〈韓国語でイルボン〉で行うコンサート。☞イル活（かつ）（45ページ）、イルデ（46ページ） 用例 『やばい!! 夏にイルコン決まった!!!』

イルデ

意味 韓国のアイドルの日本〈韓国語でイルボン〉デビュー。☞イル活（45ページ）、イルコン（45ページ） 用例『ITZYがイルデして本当に嬉しい！』

インガ

意味 韓国の放送局SBSの音楽番組『人気歌謡〈韓国語でインキガヨ〉』の略。CD売り上げや視聴者の投票などによって、毎週No.1アーティストが選ばれる。 用例『ブルピン様のインガの写真良すぎて保存量やばすぎる』

Mカ

意味 韓国のCS放送局「Mnet」の音楽番組『M countdown』の略。カウントダウン形式でアーティストたちが曲を披露する。カムバック〈☞カムバ（47ページ）〉ステージがよく披露されることでも有名。毎週No.1アーティストが選ばれる。しかし、「トリプルクラウン制度」と呼ばれるシステムがあり、一曲で三週連続一位を獲ると、次回からは人気があってもノミネートされなくなる。 用例『Mカでバンチャンが英語で喋ることで、海外勢も投票をしてて、流石ウリ〈=私たちの〉リーダー』

MBTI

意味 無料で行える「16personalities性格診断」。自己紹介などによく使用されている。韓国では、就職活動での履歴書の自己PR欄で、MBTIを使用する若者も増えている。 用例『MBTI診断したら最推しとの相性最高で死んだ』

エンディング妖精

意味 音楽番組で曲を披露した後にカメラにクローズアップされる、妖精のように美しいメンバー。このとき、アイドルたちは個性豊かなポーズをファンに披露するため、ファンは曲が終わった後に誰がどのようなポーズをするのかを期待しながら楽しんでいる。 用例『メンバーのエンディング妖精全部に映り込んでくる高速移動のジョンハンさん可愛すぎて笑ったw』

OST

意味「Original Sound Track」の略。ドラマや映画、アニメの主題歌など、作品中で使用される曲。 用例『ジョンホのOST最高。さすがアチズのメインボーカル』

オルコン

意味 オールコンサートの略。コンサートの全ての日に参加すること。一度はしてみたいと思うが、お金や休日がないと難しいためなかなかできない。用例『BTSのオルコン死ぬまでに一度はしてみたい…』

オルペン

意味 グループのメンバー全員のことを好きな人。「ALL＋ファン〈韓国語でペン〉」を韓国語風に読んだ用語。用例『ツウィペンよりのオルペン』

オンニライン

意味 女性グループの中での年上メンバー。お姉さん〈韓国語でオンニ〉メンバーのこと。☞line（53ページ） 用例『ウンチェを家族のように見守るオンニラインが微笑ましい』

カップホルダー

意味 カップにつけるホルダー。アイドルの誕生日やデビュー記念日などにカフェなどで配布しており、カップホルダーをもらうためにカフェに行くこともある。用例『ニキのカップホルダー売り切れだった…』

カムバ

意味 カムバックの略。新曲やアルバムを発表し、活動を再開すること。新曲などの準備期間はメンバーを見る機会が減るが、カムバの後は、韓国では音楽番組やバラエティ番組などに多く出てくれる。用例『Keplerやっとカムバだ!!!』

K-POP（ケーポップ）

意味 ☞第4章扉（44ページ） 用例『K-POPってなんであんな供給多いん…？金足りないが…？』

ケミ

意味 グループ内の特定のメンバー二人の相性の良さ。〈ケミは韓国語で相性の良さを意味する〉用例『ホソクのお母さん度とグクのバブ度がケミ起こしてる…』

ケミ名（めい）

意味 グループ内で仲や相性のいいメンバー同士につけるコンビ名あるいはグループ名。それぞれの名前を取ったり、年齢に基づき決めることが多い。☞ケミ（47ページ） 用例『ニキとソンフンのケミ名であるニキフンも、奇跡的に誕生日が1日違いという意味から呼ばれている運命ズも、全部かわいい』

サセン

意味 アイドルたちの私生活〈韓国語でサセンファル〉を侵害して、過激なストーカー行為を繰り返す人。アイドルたちに怪我をさせたり、家で待ち伏せしたりする迷惑な存在。本当にやめてほしい。用例『サセン許せない』

サノク 意味 音楽番組などの事前収録〈韓国語で事前録画をサジョンノッカという〉。アイドルたちからファンへ差し入れをしてくれることもあり、ファンにとっては最高のイベント。用例『今日のサノクではテテからの差し入れがあるって！羨ましい…』

シーグリ 意味 シーズングリーティングの略。アイドルたちが年末年始に発売する各グッズのセット。ファンにとって年末年始の楽しみの一つ。用例『韓国版のシーグリ買ったけど、カレンダーが韓国の祝日だ…』

ショーケース 📖商品や展示物などの陳列棚。意味 アイドルがデビューしたり、既にデビューしているアイドルが新しいアルバムを出したりするときに行うコンサート。歌う曲数は少ないがその分貴重なトークが長く聞けたり、また、通常のコンサートとは違い、PRを目的としているため無料で観覧できたりする。ファンにとっては夢のようなイベント。用例『aespaのショーケースの倍率えげつない』

序列最下位 意味 グループ内で最も序列が低く、よくいじられたり、尻に敷かれることが多い人。いじりを優しく受け止める器の大きさを持つメンバーであり、愛されキャラ。用例『ソンファ序列最下位とか言われてるけどメンバーにめっちゃ頼りにされてて尊い』

S 意味 数字に複数形の「s」をつけ、同い年のメンバーを表す。例えば、1995年生まれのメンバーを「95s」のように表記し、韓国語読みで「クオズ」と呼ぶ。用例『クオズ(95s)わちゃわちゃ感かわいい～～！』

スポ 意味 「spoiler」の略で、ネタバレのこと。新曲などのリリースの前に、アイドル本人がライブ配信などを通して戦略的に行うこともある。またファンもそれを楽しみ、盛り上がる。用例『わっつかりやすいスポをするIVEの姫たち』

スミン 意味 ストリーミングの略。曲や動画をインターネットで再生すること。音楽チャートで推し〈☞9ページ〉の曲の順位を上げるために、繰り返し再生することもある。用例『カムバしたからスミンしなきゃ!!』

スローガン

意味 アイドルの写真や名前が印刷された紙やタオル。また、それを掲げること。日本のアイドルのコンサートにおける「うちわ」と似た使い方をされる。コンサート会場でこれらを両手で広げて写真に撮るファンも多い。また、コンサート会場で、アイドルには内緒で全員に無料配布されることもあり、それを使ったサプライズがアイドルに対して行われることがある。用例『ソウルコンのドギョムのスローガン代行お願いしたい…』

セルカ

意味 セルフカメラの略。自撮りのこと。アイドルは自撮りをSNSなどで投稿することが多く、練習生時代にセルカの授業があるケースもある。用例『ジンくんが載せてくれたセルカ、餅チミすぎてたまらん…!』

センイル

意味 〈韓国語で〉誕生日。用例『最推しジスのセンイル、韓国でお祝いできないの悲しい…』

センイルケーキ

意味 誕生日〈韓国語でセンイル〉ケーキ。日本のものとは違い、デコレーションはシンプル。生クリームがフラットに塗られており、そこにメッセージが書かれている。ファンは手作りでこれを作ることが多い。用例『明後日はジェニの誕生日だから、たとえ忙しくてもセンイルケーキ作りたい!』

センイル広告(こうこく)

意味 ファンが好きなアイドルを応援する目的で、アイドルの誕生日などに出す広告。韓国特有の文化で、日本人のファンたちにとっては韓国に行く目的の一つにもなる。用例『韓国到着してすぐに念願ジミンのセンイル広告みれた〜〜〜!!!!』

ソンムル

意味 〈韓国語で〉プレゼント・お土産。「アイドルへのソンムル&アイドルからのソンムル」と「ファン同士のソンムル」の二種類がある。用例『テテとリサのソンムルを代わりに受け取って、本人たちに渡してあげるパクボゴム優しい…』

ソンムル交換(こうかん)

意味 ファン同士でプレゼントを交換すること。ファン同士が交流を深める方法の一つ。ライブの開演前などによくみられる。用例『ハニペンでソンムル交換してくれる人いますか⁇〈SNSでの呼びかけ〉』

他ペン 意味 自分の推している人と違う人のファン〈韓国語でペン〉。また、話題にしている人物と違う人のファン。用例『このMVは他ペンも惚れる』

他ペン狩り 意味 ☞他担狩り（32ページ） 用例『ミンギは他ペン狩りで有名だから軽率に堕ちないように気をつけて‼』

チケッティング 意味 チケットを購入すること。韓国では先着順でチケットを購入できるため、通信環境の整ったネットカフェなどに待機するファンもいる。用例『IUのチケッティングなめてた…』

チッケム 意味 特定のメンバーのパフォーマンスだけを映す動画。韓国語で「直接」を意味するチッチョッ、「カメラ」を意味するケムから。通常のカメラでは見ることのできない推し〈☞9ページ〉の表情やダンスを見ることができ、推しの魅力に改めて気付かされる。用例『チッケムにもファンサを欠かさないシュアさん』

チョッコン 意味 コンサートの初日。チョ〈韓国語で初め〉と、コンサートの省略形から。⇕マッコン 用例『バンタンのチョッコンのDVDで癒されよう』

チョッパン 意味 カムバ〈☞47ページ〉期間最初〈韓国語でチョ〉の放送〈韓国語でバンソン〉。⇕マッパン 用例『スキズのチョッパン、ビジュ良すぎて死』

TMI（ティエマイ） 意味 Too Much Information〈=どうでもいい情報〉の略の韓国語風読み。アイドルが「今日のTMIは○○」と、近況やマイブームを話したりする。用例『今日のTMIを自信満々に教えてくれるチェウォン可愛すぎる』

同ペン 意味 同じ人のファン〈韓国語でペン〉。☞同担（22ページ） 用例『グクペン?! 同ペンだね‼』

同ペン拒否 意味 ☞同担拒否（22ページ） 用例『他ペン○、同ペン拒否〈=同じグループのファンの人と交流したいが、同じメンバーのファンとは交流をしたくないという、SNS等での表示〉』

ドショ 【意味】韓国の放送局SBSの音楽番組『THE SHOW』。番組名の韓国語風発音から。【用例】『ドショのMCしてるヨサン、アイドル過ぎてまぶしい…』

ナムグル 【意味】男性〈韓国語でナムジャ〉グループの略。【用例】『NMIXXはナムグルのカバーうま過ぎて鳥肌止まらん…』

ヌッパン 【意味】出演者が布団などに寝ころんだ〈韓国語でヌプタ〉状態で放送〈韓国語でパンソン〉される番組。K-POP界隈では定番で、パジャマ姿でくつろぐレアな推し〈☞9ページ〉の姿が見られる。【用例】『セブチの眠らせる気ゼロのヌッパン』

ハイタ会（かい） 【意味】ハイタッチ会の略。推し〈☞9ページ〉とハイタッチができるイベント。手を合わせるだけではなく、恋人つなぎまでしてくれるアイドルもいる。【用例】『次のハイタ会、最推しとハイタッチできる!! もう手洗えない!!』

Happy（ハッピー）**○○Day**（デイ） 【意味】○○に名前を入れて、推し〈☞9ページ〉の誕生日を祝う表現。SNSのハッシュタグとして「#Happy○○Day」のようにも使用される。【用例】『#HappyYUNA Day』

ヒョンライン 【意味】男性グループの中での年長メンバー。お兄さん〈韓国語でヒョン〉メンバーのこと。☞line（ライン）（53ページ）【用例】『ヒョンラインのビジュ爆発してて叫んだ』

ペン 【意味】〈韓国語で〉ファン。グループや特定のアイドルの名前の下に「○○ペン」とつけて使う。【用例】『ASTROのウヌペンです!』

ペンカフェ 【意味】ファン〈韓国語でペン〉が交流したり情報交換を行うサイト。公式が管理しているものとファンが管理しているものがある。【用例】『コンユさんのペンカフェ正会員になれました!』

ペンサ 【意味】サイン会。韓国語でもペンサインフェ〈=ファンサイン会〉の略として使用される。日本では考えられないほど、推し〈☞9ページ〉と距離の近い交流ができるイベント。一度は行ってみたい!【用例】『韓国のNCTのペンサ行きたい…』

ペン卒（そつ）　意味 あるアイドルやグループなどのファン〔韓国語でペン〕を辞める〔＝卒業する〕こと。用例『推しの兵役中にペン卒した』

ペンダム　意味 アイドルのファンクラブ。「ファン〔韓国語でペン〕」＋「kingdom」から。用例『ペンミ参戦したいからペンダム入会するわ』

ペンミ　意味 ファン〔韓国語でペン〕ミーティングの略。日本語でいう「ファンミ」。パフォーマンスだけでなく、ゲームやトークなど、ファンとの交流がメイン。用例『マークの誕生日に日本でペンミ……！』

マスター　📖 主人。親方。経営者。意味 そのアイドルのファンのトップであり、代表として応援活動を行ったりする人。様々なイベントを開催してくれたり、推しの写真や動画をアップしてくれたりする、ファンにとって感謝しかない存在。用例『モモの写真かわいい！マスターさん感謝!!!!』

マッコン　意味 最後〔韓国語でマジマッ〕のコンサートの略。コンサートの最終日。最終公演。⇕チョッコン　用例『ライビュ〔＝ライブビューイング〕はマッコンがいいなぁ』

マッパン　意味 カムバ〔☞47ページ〕期間の最後〔韓国語でマジマッ〕の放送〔韓国語でバンソン〕。⇕チョッパン　用例『もうマッパンなの!? 早すぎん??』

マンネ　意味 各グループの一番年下の人〔韓国語でマンネ〕。メンバーが最年少メンバーのことをマンネと可愛がる姿はファンにとっては尊い〔☞22ページ〕姿である。用例『ヒョン〔＝お兄さん〕たちに可愛がられるマンネ』

マンネライン　意味 グループの中での年少〔韓国語でマンネ〕メンバー。☞line（ライン）（53ページ）　用例『マンネラインが可愛すぎる…愛おしい』

ミューバン　意味 韓国の放送局KBSの音楽番組『Music Bank』の略。デジタル音源チャート、視聴者チャート、レコードチャート、放送回数チャートを合わせた「K-チャート」という独自のチャートで、ランキングが発表される。用例『NewJeansのミューバン出勤の私服が可愛すぎる』

モッパン 意味 配信者が食べている〈韓国語でモッタ〉様子を放送〈韓国語でバンソン〉している動画。〈配信者が美味しそうに食べている動画を見ながら自分も一緒にご飯を美味しく楽しく食べられることもモッパンのいいところである〉 用例『タリョラ〈=BTSの番組〉見ながらモッパンなんてアミ〈=BTSのファン〉と一緒じゃんか！』

ヨジャグル 意味 女性〈韓国語でヨジャ〉グループの略。 用例『最近デビューしたヨジャグルメンバー全員ビジュ担当!?』

ヨントン 意味 推し〈☞9ページ〉とビデオ〈韓国語で映像をヨンサンという〉通話〈韓国語でトンファ〉ができるイベント。倍率はえげつないが、推しと画面越しに直接会話ができる夢のような時間を過ごせる。 用例『レイのヨントン当たった！』

line（ライン） 意味 生まれた年を表す接尾語。生まれた年の西暦下二桁に接続して用いる。例えば、2002年生まれの場合は「02line」となる。早生まれの場合、「02(01) line」のようにして、学年は2001年生まれと同じであることを表すこともある。この他、「ヒョンライン」「マンネライン」のようにして、グループ内での「年長メンバー」「年少メンバー」を表すこともある。 用例『ニキ絶対05lineの子〈=2005年生まれ〉じゃないだろ』

第5章

界隈用語 2.5次元

マンガ、アニメ、ゲームの二次元の世界を三次元の俳優が再現した舞台やミュージカル作品。

イッツァカオスワールド

意味 刀ミュ（＝ミュージカル『刀剣乱舞』）のフリートーク場面でキャラクターが暴走し、ボケにボケを重ねて無法地帯となった状況。また、その状況を締める言葉。用例『イッツァカオスワールド全開過ぎて腹筋割れるwww』

討ち死に

📖戦場で敵と戦って死ぬこと。意味『刀剣乱舞』関連のチケットに落選すること。ミュージカル作品だけに使用する人も。「三百年の子守唄」のセリフが由来。用例『見事に討ち死にしました!!』

大石の照り鶏

意味 テニミュ（＝ミュージカル『テニスの王子様』）の劇中歌『大石のテリトリー』の「大石のテリトリー」という歌詞が「大石の照り鶏」に聞こえること。立海（＝学校名）が歌う「たこ焼きライス」（☞57ページ）と対になっている。☞空耳ミュージカル（56ページ）用例『打て！打て！バボれ！海鮮！セベロ！縦横無尽の牛タン吐くよ～本当はお前の名はバリーだ　大石の照り鶏』（打て守れ　返せ　攻めろ　縦横無尽の空間把握力　コートは　お前のなわばりだ　大石のテリトリー）

おはぎの宴

意味 舞台『刀剣乱舞』の初演「虚伝 燃ゆる本能寺」内の日替わりアドリブシーン。劇中、へし切長谷部（＝キャラクター名）がおはぎを頬張り過ぎてセリフが言えなくなり、山姥切国広（＝キャラクター名）が「おはぎの宴かっ!?」と突っ込むシーンのこと。用例『おはぎの宴は伝説』

凱旋公演

意味 ①地方公演での成功を収め、再び都内へ帰ってきて行われる公演。用例『凱旋公演のときのキャストのモチベーションは凄く高い』②出演キャストの地元での公演。

カテコ

意味 カーテンコールの略。演目終了後に、キャストがお辞儀をしたり手を振ったりして観客の拍手や歓声に応え、簡単にお礼の言葉を述べる。用例『千秋楽のカテコは泣ける』

キャス変

意味 キャスト変更の略。シリーズ作品の舞台やミュージカルでよく起こる。用例『あの舞台キャス変されてちょっと複雑』

ここで一句

意味 刀ミュ（＝ミュージカル『刀剣乱舞』）のカーテンコールの際、「ここで一句！」と合図をしたキャラクターや指名されたキャラクターが俳句をアドリブで詠むこと。用例『もはや刀ミュ名物「ここで一句」』

○○ステ
意味 ステージの略。舞台。○○ステの形で、どの原作の舞台化かを示す。ミュージカル作品に比べて、演技が中心となっている。☞○○ミュ（58ページ） 用例『文ステ（＝舞台『文豪ストレイドッグス』）のアドリブは毎回おもしろい』

ステアラ
意味 東京都江東区豊洲の円形劇場「IHIステージアラウンド東京」の略。世界で二番目に作られた、座席が三百六十度回転する劇場。用例『ステアラでやるのか…どんな演出になるのか楽しみ!!!』

全景映像（ぜんけいえいぞう）
意味 舞台上の全体の映像を収録したもの。DVDやBlu-rayの特典映像。用例『全景映像は舞台の全体が映るから推したちを余すところなく観れる』

双騎出陣（そうきしゅつじん）
意味 刀剣乱舞のキャラクターのうち二人で行う公演。略して「双騎」。用例『鶴丸国永と大倶利伽羅の双騎出陣はかっこよすぎた』

染ゼミ（そめゼミ）
意味 毎年セミが鳴く頃になると、俳優の染谷俊之がセミの鳴きまねを文面でTwitter（現・X）にする投稿。ファンの間では、夏の風物詩となっている。独特な表現だが、本物のセミの声を聞きながら見ると、文面に書いてある通りに聞こえる。用例『お！今年も染ゼミが鳴いたぞ!!』

空耳殺しの裕太（そらみみごろしのゆうた）
意味 テニミュ（＝ミュージカル『テニスの王子様』）において、歌唱力のあるKENN（＝俳優）が不二裕太（＝キャラクターの一人）として歌うことで、よく歌詞が聞こえ、空耳に聞こえなくなること。☞空耳ミュージカル（56ページ） 用例『空耳殺しの裕太キター！ミュージカル開演!!』

空耳ミュージカル（そらみみミュージカル）
意味 テニミュ（＝ミュージカル『テニスの王子様』）の別称。その台詞や歌が別の言葉に聞こえる（＝空耳）動画が某動画サイトにあげられて有名になったことによる。用例『空耳ミュージカルは一度聴いたら癖になる』

大好き当番

意味 刀ミュ（＝ミュージカル『刀剣乱舞』）の歌『だいすき』内にて日替わりでコールをするキャラクター。用例『大好き当番みんな個性出すぎwww』

たこ焼きライス

意味 テニミュ（＝ミュージカル『テニスの王子様』）の劇中歌『ペテン師だぁ？ 何とでも言え』の「過去や未来すら」という歌詞が「たこ焼きライス」に聞こえること。青学（＝学校名）が歌う「大石の照り鶏」（☞55ページ）と対になっている。☞空耳ミュージカル（56ページ） 用例『たこ焼きライスが ↑行ったり 来たり↓』（動画のコメント）

単騎出陣

意味 刀剣乱舞のキャラクター一人のみで行うソロ公演。略して「単騎」。用例『とうとう私の推しが単騎出陣!!!!』

断然君に恋してほしい

意味 刀ミュ（＝ミュージカル『刀剣乱舞』）の歌『断然、君に恋してる！』をまだ歌っていないキャラクターに歌ってほしいというファンの願望。用例『刀ミュにもし、へし切長谷部が顕現したら断然君に恋してほしい！！！！！』

手持ち無沙汰俳優

意味 2.5次元俳優伊万里有の愛称。カレンダー表紙でスケボーなどを持ちがちであることから、2.5次元俳優のYouTube番組『ぼくたちのあそび場』内でこの名前がついた。用例『あぁ、手持ち無沙汰俳優の伊万里有ね』

2.5次元

意味 ☞第5章扉（54ページ） 用例『2.5次元の沼は深い。もう抜け出せない』

2.5次元俳優

意味 2.5次元舞台や2.5次元ミュージカルで活躍する俳優。用例『2.5次元俳優の鈴木拡樹の演技力はヤバい』

バクステ

意味 バックステージの略。普段見ることのできない貴重な練習時の姿や、キャストたちの素の姿などが収録された、円盤（☞9ページ）の特典映像。用例『このバクステ神過ぎる!! 運営様ありがとうございます!!!!』

疲労根兵糖

意味 疲労した際に使う言葉。刀ミュ（＝ミュージカル『刀剣乱舞』）の公演『歌合』内のネタが元。「根兵糖」は原作ゲームの経験値増加アイテムで、「疲労困憊（こんぱい）」をかけた。用例『今日は疲労根兵糖です…』

誉（ほまれ）ぽん 意味「最後まで頑張ったね」や「上出来」という意味。刀ミュ〈=ミュージカル『刀剣乱舞』〉で使用される。刀剣乱舞のゲーム上でバトル勝利後、敵へのダメージ数を一番稼いだキャラクターに与えられる称号が「誉」であることから。用例『頑張った私に誉ぽん』

マチソワ 意味 マチネ〈=昼公演〉とソワレ〈=夜公演〉の両方を観劇すること。用例『先週末はマチソワしてきた！』

マチソワ間（かん） 意味 マチネとソワレの間の時間。マチソワ〈☞58ページ〉で観劇すると暇な時間になるので、近くの店で時間を潰したり、購入したグッズを見たりする。用例『マチソワ間にご飯たべて体力温存するぞ！』

mistake（ミステイク）を犯（おか）す 意味 刀ミュ〈=ミュージカル『刀剣乱舞』〉の歌『mistake』をキャラクターが歌う。サビの「君とならmistake　犯したい mistake」が由来。用例『私の推しがmistakeを犯した』

○○ミュ 意味 ミュージカルの略。○○ミュの形で、どの原作のミュージカル化であるのかを示す。舞台作品に比べて、歌が中心となっている。☞○○ステ（56ページ） 用例『2.5次元といえばテニミュ〈=ミュージカル『テニスの王子様』〉』

らぶフェス 意味 刀ミュ〈=ミュージカル『刀剣乱舞』〉の派生作品『真剣乱舞祭』の愛称。今までに登場した刀剣男士が出演するライブ公演であり、「刀剣乱舞」の「らんぶ〈=らぶ〉」と祭りを表すフェスを合わせた言葉。用例『らぶフェスは刀剣男士の絡みが最高すぎ!! 何この幸せ空間!!!!』

ランブロ 意味 ランダムブロマイドの略。ミュージカルや舞台の公式グッズの一つ。中身が見えない個包装になっており、ランダムでブロマイドが入っている。そのため、推し〈☞9ページ〉を引き当てるためや、キャラクター全種コンプリートするためについ、買いすぎてしまう。用例『ランブロ買いすぎたけど被りがないから結果オーライ!!』

第6章

二次元 【共通用語】

マンガやアニメなどの平面的な世界。また、実在する人物のことを指す「三次元」に対して、架空の登場人物やゲームなど、実在しない存在のことも指す。〔二次元を愛するオタクのことを「ニジオタ」という〕

アニオリ 意味 アニメオリジナルの略。原作にはなかったオリジナルストーリーやキャラクター。好き嫌いが分かれるため、内容によっては一種の賭けとなる。用例『何これ、アニオリ？……え、なんで？？？？？』

鬱展開（うつてんかい） 意味 視聴者や読者を陰鬱な気持ちにさせるストーリー展開。用例『バトルアニメ系は特に鬱展開になりやすい』

SS（エスエス） 意味 ショートストーリー。〈まれにサイドストーリーを指す〉 用例『おい！ Pixivに最新のSS上がっとるやないかい!!』

エンドカード 意味 アニメのエンディングや次回予告の後に映るイラスト。「来週も見てね」というメッセージが書かれていたり、本編からこぼれたワンシーンが描かれたりと自由。用例『エンドカードに登場するワンシーンが見逃せないからきっちり最後まで視聴する』

キャラデザ 意味 キャラクターデザインの略。キャラクターのデザイン。また、デザインすること。用例『今回のキャラデザ爆発してたね（褒）』

ケモナー 意味 ケモノが好きな変態オタク。ケモノとは「動物と人間の要素を併せ持つキャラクター」のことであり、動物のことではない。また、耳や尻尾、牙があること以外は人間と変わらない外見的特徴である場合は「ケモ耳」といい、「ケモノ」とは別物である点に注意が必要である。用例『彼女は屈指のケモナーだ』

作画崩壊（さくがほうかい） 意味 作画の品質が低いこと。制作サイドの予算やスケジュールの都合で納品までにクオリティを高くできない場合に起こる。用例『この作品、作画崩壊しすぎてまともな作画のときに驚くという怪奇現象が起きるんです』

作監（さっかん） 意味 作画監督の略。複数のクリエイターが描くイラストの絵柄を統一したり管理したりして、クオリティを保つ働きをする。用例『…ふぅん。今回の作監だれ？』

CV（シーブイ） 意味 Character Voice（キャラクターボイス）の略。声の出演者や声優。用例『このCVやばすぎだろ…』『CV.石川界人が暴力的だ』

声優の無駄遣い（せいゆうのむだづかい）

意味 出番が少ないモブ役などに、ベテラン声優を起用すること。用例『鬼滅の刃は声優の無駄遣い（褒め）』

テニプリっていいな

意味 マンガ『テニスの王子様』の作者許斐（このみ）剛（たけし）先生の歌のタイトル。転じて、テニプリへの気持ちが昂（たかぶ）ったときに、これからも応援し続けたいという想いを表す言葉。用例『テニプリっていいな』

中の人（なかのひと）

📖マスコットキャラクターの着ぐるみに入っている人。意味 アニメキャラクターなど二次元の対象に声を当てている声優など。用例『この人の中の人って子安武人⁉』

二次元（にじげん）

意味 ☞第6章扉（59ページ） 用例『二次元こそ至高。現実に興味はない！』

ぬるぬる動く（ぬるぬるうごく）

意味 〈CGアニメーションの動きが〉実際に存在しているように自然で滑らかな様子。用例『アクションシーンがぬるぬる動いている』

ブレス

📖呼吸。息。意味 アニメキャラの呼吸に合わせて行う声優の息継ぎ。用例『ブレスのリアリティが作品の良し悪しを左右するというのは過言だ』

MAD（マッド）

意味 セリフや音楽を編集して作成された動画。ファンが作ることが多い。MADは英語のmad〈＝馬鹿げている〉から。用例『MADはいいシーンばかり切り取ってくるから簡単に泣く』

マミる

意味 〈『魔法少女まどか☆マギカ』の巴マミが陥った状態のように〉悲惨な最期を遂げる。用例『伊藤誠は一度マミるべきだ』

無印（むじるし）

📖しるしがついていないこと。意味 シリーズ化した作品の第一作目。『ふたりはプリキュア』だと、「ふたりはプリキュア無印」→「ふたりはプリキュアMaxHeart」となる。用例『ドラゴンボール無印のピッコロさんが控えめに言って好ぅき』

目パチ（めパチ）

意味 アニメキャラクターのまばたき。用例『目パチに違和感あると話が入ってこない』

第7章

ゲーム 共通用語

コンピュータを使った遊びの総称。シューティングゲーム、アクションゲーム、アドベンチャーゲーム、パズルゲーム、シミュレーションゲーム、音楽ゲームなど、多くの種類が存在している。

RTA（アールティーエー） 意味 「Real Time Attack」の略。ゲームのプレイ時間だけでなく、ゲームをクリアするまでの日常生活にかかった時間も含まれるのが特徴的なタイムアタック〔＝クリアまでの時間の速さを競う〕プレイ。 用例 『ブレワイ〔＝「ゼルダの伝説ブレスオブザワイルド」〕RTAの最速記録バケモノで草』

青天井（あおてんじょう） 📖 ❶青空。❷果てしなく上がること。 意味 天井〔☞71ページ〕が設けられていないガチャ〔☞66ページ〕。運が悪いときは永遠に目当てのキャラクターやアイテムなどが出ず、沼る、つまり無限に課金〔☞12ページ〕することがあるため、要注意である。⇔天井 用例 『ガチャが青天井のゲームは絶対やらんよ』

当たり判定（あたりはんてい） 意味 〔アクションゲームのプログラミングで〕物体同士の接触や衝突を判定する処理。この処理が正常に行われないと、どれだけ敵を殴ってもダメージを与えられないなどの不具合が発生する。 用例 『当たり判定ガバガバすぎて話にならん』

アプデ 意味 アップデートの略。ゲームデータ〔＝システムや情報など〕を最新の状態に更新すること。 用例 『アプデの待機時間は、カップラーメンの3分を凌駕（りょうが）する』

育成（いくせい） 📖 大きく育てて立派にすること。 意味 キャラクターのレベルやランクなどを上げる行為。強くするためだったり、段階ごとに設定されているイラストを見るためだったりと、その目的はゲームやプレイヤーによって様々。 用例 『育成したい気持ちはあるけどモノが足りねぇ』

石（いし） 📖 岩石のうち、岩より小さく、砂より大きいもの。 意味 ガチャ〔☞66ページ〕を引くためのアイテム。多くのゲームでそれが石であることから。「ガチャ石」ともいう。 用例 『石をもっと配布してくれっ』

一軍（いちぐん） 📖 〔プロ野球で〕公式戦の試合に参加する選手で構成されたチーム。 意味 攻略の際、ほとんどの場合に選出されるキャラクターたち。プレイヤーのお気に入りや、強く成長したキャラクターが選ばれることが多い。 用例 『フランツくんが一軍じゃないことある?』

イベ
意味 イベントの略。「〇〇イベ」の形で、登場するキャラクターの名前や舞台となる地名、実施時期などと一緒に使われることが多い。用例『瑞希イベ来るから石貯めないと!』

芋る(いもる)
📖「ビビる」「怖気(おじけ)づく」を意味する若者言葉。意味 オンラインゲームなどに出没する、怖気づいているプレイヤーの挙動の蔑称。同じ場所で固まって動かなかったり、目立った動きはせずに潜んでいたりする様子を馬鹿にしていう。用例『なんか芋ってるやつがおるなぁ?』

色違い(いろちがい)
📖色が違うこと。意味〈格闘ゲームなどで〉複数のプレイヤーが同じキャラクターを選択した場合、各々を見分けるためにキャラクターのカラーを変えること。原色で変化したり、金銀銅で変化したりと様々。通称、2P〈=プレイヤー〉カラー。用例『色違いのカービィが全色揃(そろ)うとウキウキする』

鬱ゲー(うつゲー)
意味 作中で登場人物が精神崩壊したり、酷い死に方をしたり、仲間同士で殺し合ったりといった、プレイヤーの精神面をえぐるような救いのない展開がされるゲーム。プレイ中、あるいはプレイ後に重苦しい雰囲気が残る、後味の悪いストーリーであることが多い。用例『なんか、鬱ゲーやりたい気分だな~』

裏取り(うらどり)
📖情報源を調べて確かめること。うらとり。意味 相手に分からないように、こっそり背後を取り、相手を出し抜く行為。用例『とりあえず裏取りしてくる』

運ゲー(うんゲー)
意味 成功するかどうかが運によって決まる、またはそう感じられるゲーム。用例『敵の強さ半端なくてまじ運ゲーすぎ』

HP(エイチピー)
意味 ヒットポイント(hit points)の略。体力ポイントのことで、攻撃を受けると減っていき、無くなるとキャラクターの操作が終了したり負けたりする。用例『HPあと1じゃん!』

エイム
意味 FPS〈=一人称視点で進めるシューティングゲーム〉などで、照準を合わせる動作。用例『エイムブレブレなんだよ下手糞』

エロゲ
意味 アダルトゲーム。内容には性的な表現が含まれる。用例『エロゲは皆巨乳でつまらないんで、露出少なめなお姉さんください』

エンカ
意味 エンカウントの略。敵キャラクターなどに遭遇すること。用例『野生の色違いポケモンとエンカした！』

エンジョイ勢（ぜい）
意味 勝ち負けやスコア争いなどよりも、純粋にゲームを楽しむことを大切にするプレイヤーの総称。無意識にガチっている人もいる。⇕ガチ勢 用例『「エンジョイ勢だから、気張らなくて大丈夫ですよ」はトラップの場合があるから気を付けて』

オーバーキル
📖 核兵器などを使った過剰殺傷。意味 圧倒的な力で相手を叩きのめすこと。必要以上に攻撃を行うこと。用例『ポッポにはかいこうせんはオーバーキルすぎw』

置き撃ち（おきうち）
意味 相手が来そうなところに照準を合わせておき、来た瞬間に撃つこと。待ち伏せと併用される。用例『置き撃ちがうまい人は天から授かる才能の全てをそれに全振りしてる。そうじゃなきゃ説明できない』

音ゲー（おと）
意味 音楽ゲーム・リズムゲーム。音楽に合わせてプレイヤーが画面を叩いたり擦（こす）ったりする。用例『音ゲーやるから、スマホ画面の保護フィルムはサラサラのヤツにしてます』

大人の事情（おとなのじじょう）
📖 子どもには本当のことを言いにくい事情。意味 説明しにくい事象や、説明が長くなることを、一言で上手く誤魔化せる魔法の言葉。作品の自主規制があった場合などに用いられることが多い。用例『大人の事情でここから先はモザイクです』

覚えゲー（おぼえ）
意味 ゲームに現れる規則性や攻略方法を覚え、その通りにプレイすることで簡単に進めることができるゲーム。用例『覚えゲーだと言われてるけど、一向に覚えられない』

回線落ち（かいせんおち）
意味 通信や接続が何らかの理由で切断されること。用例『味方が回線落ちしたせいで一気に負け始める』

格ゲー（かく）
意味 格闘ゲームの略。キャラクターを操って他プレイヤーなどと対戦する。

用例『格ゲーといえばストリートファイター！』

ガチャ　意味 ゲーム内で使用できるアイテムやキャラクターを手に入れるためのシステム。カプセルトイと同様に、出現率にバラつきがあるため、希望する結果を得るためには、運と資金が必要である。気軽に行うが、回すために必要な物がいつだって足りない。「ガシャ」ともいう。用例『ガチャ回すときは今までとこれからのいつよりも集中する』

ガチャ石（いし）　意味 ☞石（63ページ）用例『ガチャ石足りないから課金するわ』

ガチャ禁（きん）　意味 いつか欲しいキャラクターが実装（☞69ページ）されたときのために、ガチャ（☞66ページ）を引かずに石（☞63ページ）を貯めること。ガチャを引きたいという欲望にかられて失敗してしまう欲深いプレイヤーも多い。用例『半年のガチャ禁から今、解放される……！』

環境（かんきょう）　📖人間や生物を取り巻く自然界。意味 強くて使いやすいため、新たに多くの人が使うようになった武器や技。また、その組み合わせの流行り。用例『環境武器が強すぎて泣きそう』

カンスト　意味 和製英語「カウンターストップ」の略。レベルやステータス値、アイテム所持数などが限界値に達し、それ以上カウントできない状態。ゲーム以外で使用されることもある。用例『カンスト目標にプレイしまくり！』

完凸（かんとつ）　意味 全てのレベルが上限を超えている、完全限界突破状態。限界突破の回数がカンスト（☞66ページ）した状態。用例『完凸って、課金者がやるものでしょ？』

決め撃ち（きめうち）　📖特定のものに狙いを決めて打つこと。意味 敵の位置を予想してエイム（☞64ページ）を合わせて撃つこと。「予想撃ち」とも。用例『インクの音がしたから決め撃ちしたら狩られた』

キャラゲー　意味 キャラクターゲームの略。漫画や映画などに登場したキャラクターを使ったゲーム。用例『アークナイツはキャラゲー』

キャラコン　意味 キャラクターコントロールの略。歩いたり跳ねたり移動したり回ったりなど、キャラクターを動かす動作全般。**用例**『キャラコンうますぎて一確取れてるのなんなん（褒）』

キャリー

意味 自分の活躍でチームを勝たせること。実力の低い味方の分まで働き、勝利に導くことだが、自慢したり嫌味を言ったりすると嫌われる。**用例**『「キャリーしてやった」なんて、口が裂けても言ってはいけない』

クソゲー

意味 クソなゲームの略。クリアが困難であったり、粗末な造りだったりする、クオリティの低いゲーム。**用例**『クソゲー詐欺広告まじうぜー』

黒いゲーフリ

意味 ゲームメーカー・ゲームフリークが手掛けたゲーム作品内の随所に散りばめられた、ブラックユーモアの総称。社会風刺やブラックジョーク、ホラー要素、下ネタなど、その内容は多岐にわたる。特に『ポケモン』シリーズには、これらの要素が多く見られる。同シリーズの例、きんのたまおじさん（＝換金アイテム「きんのたま」をくれる発言が意味深なおじさん）、BW（＝ブラック・ホワイト）・BW2の「Nの部屋」、ORAS（＝オメガルビー・アルファサファイア）の「シーキンセツ」（＝地名）。**用例**『Nの部屋は黒いゲーフリのブラック要素が最大限煮詰まったみたいなとこある。怖すぎ』

黒い任天堂

意味 任天堂が販売するゲーム作品内の随所に散りばめられたブラックユーモアの総称。社会風刺やブラックジョーク、ホラー要素、下ネタなど、その内容は多岐にわたる。『ポケモン』シリーズを手掛けるゲームフリーク（☞黒いゲーフリ（67ページ））や、『ファイアーエムブレム』シリーズを手掛けるインテリジェントシステムズなど制作協力企業が頑張ってくれているおかげで、オタクたちは「黒い任天堂」を楽しむことができているのである（感謝）。代表作品は『ゼルダの伝説』『どうぶつの森』『ポケモン』『ファイアーエムブレム』。**用例**『ホラー描写や鬱展開の描き方うますぎ！　さすが黒い任天堂！』

○○ゲー

意味 ゲームの略。○○の（な）ゲーム。☞鬱ゲー（64ページ）、運ゲー（64ページ）、音ゲー（65ページ）、覚えゲー（65ページ）、格ゲー（65ページ）、キャラゲー（66ページ）、クソゲー（67ページ）、死にゲー（69ページ）、ヌルゲー（72ページ）、無理ゲー（74ページ）、レゲー（76ページ）

用例『音ゲープレイヤーの動体視力どうなってんだ』

ゲーム 意味 ☞第7章扉（62ページ） 用例『昨日ゲームしてたら知らん間に朝四時になっててそっからの記憶全然ない』『ゲームに課金したせいで今月金なくて草』

限定（げんてい） 📖一定の範囲や数量に限ること。意味 期間限定で登場するキャラクターやアイテム。また、それらが入手できるイベント。その期間を逃すと入手が困難になる。気前のいい運営だと復刻してくれる場合がある。用例『限定瑞希ちゃんが出て来ない！ 天井したのに!!』

恒常（こうじょう） 📖一定していて変化しないこと。意味 常に入手するチャンスがあるキャラクターやアイテム。心強いが、だからといって簡単には自分のものにできない。用例『恒常の瑞希ちゃんも安定に出て来ない』

攻速（こうそく） 意味 攻撃速度の略。キャラクターが攻撃を行う速度。モーションの速度をいう場合や、一秒おきに繰り出せる攻撃の回数をいう場合など、ゲームによって細かい定義は異なる。用例『鎧着ると攻速下がるからやめときな』

索敵（さくてき） 📖敵軍の位置や状況を探ること。意味 ゲーム内で敵を見つけること。用例『索敵に適した武器を担いで往く』

サ終（さしゅう） 意味 サービス終了の略。オンラインゲームやソシャゲ（☞70ページ）において、サービスの提供を打ち切り、以降の配信・運営が行われなくなること。ユーザーの減少（＝人気の低迷）により起こり、愛していたゲームを二度とやれなくなってしまう。用例『サ終する前に家庭用ゲーム機のソフト販売して！ 推しを拝めなくなる!!!!』

残機（ざんき） 意味 キャラクターの残数。プレイヤーがあとどれだけミスしてもいいかの指標。用例『残機が突然大幅減少した』

参戦（さんせん） 📖❶戦争に参加すること。❷競技会に出場すること。意味 〈あるキャラクターが〉

元の作品以外のゲームのキャラクターとして登場すること。用例『スマブラに遂にソラが参戦したぞ!やったぜ!』

実装（じっそう） 📖 ある機能や技術などを、設計に基づいて開発し、組み込むこと。意味 システムやルール、衣装、キャラクターが装備されること。用例『水着衣装が実装されるらしい』

死にゲー（しにげー） 意味 難易度が高過ぎて、プレイヤーや主人公が死にやすい、あるいはゲームオーバーしやすいゲーム。用例『魔女の家は死にゲー』

自爆（じばく） 📖 敵に突入して破壊するなどして、自ら爆発を起こすこと。意味 ①自分の行為でゲームオーバーになること。自業自得。用例『自爆してやがる』②味方を助けるために犠牲となること。

縛りプレイ（しばりぷれい） 意味 ゲームをする際に、既存のルールを遵守しつつ、プレイヤーが独自に設けた追加ルールを守ってプレイすること。変態プレイ。用例『ここまで来たら縛りプレイしかないね』

周回（しゅうかい） 意味 同じステージなどを何度も攻略すること。用例『よろしくな、周回の常連、エビ』

勝利条件（しょうりじょうけん） 意味 クリアとなる条件。用例『勝利条件がターン経過のマップまじで苦手なんだよなぁ。防衛戦向いてないわ』

初見殺し（しょけんごろし） 意味 予備知識を持たずに突っ込むと、初遭遇時に必ず引っかかる難所・攻撃・罠。開発者によって設定されたプレイヤーへの洗礼。用例『初見殺しは忘れた頃にやってくる』

初心者狩り（しょしんしゃがり） 意味 対戦型オンラインゲームで、初心者プレイヤーを攻撃しまくり、倒しまくること。用例『中堅プレイヤーワイ、初心者狩りして楽しんでるダサいおじさん見つける』

スキル 📖 技能。意味 キャラクターが最初から所持している、あるいは、レベルアップや職業マスター時などに習得し、戦闘時などに特殊な効果を発動する能力。用例『スキルは効果的に組み合わせよう』

切断 📖断ち切ること。［意味］オンライン対戦中にインターネット接続を故意に切って、強制的にゲームを離脱すること。味方が一人いなくなるだけで非常に不利になるため、絶対にわざとやってはいけない。［用例］『切断されまくって一対四なんだが』

ソシャゲ ［意味］ソーシャルゲームの略。SNS上で配信されているゲーム。単に、スマートフォン向けゲームアプリを指すこともある。［用例］『ソシャゲが面白過ぎて今日も夜更かし』

台パン ［意味］相手に負けたことが悔しくて机などを叩く行為。ダサいしうるさいし嫌われるので、やらないようにするのが吉。［用例］『台パン不可避』

タゲ取り ［意味］意図的にターゲットになること。ヘイト〈☞74ページ〉を稼ぎ、敵の攻撃を自分に向ける。これを行うことにより、メインアタッカーや補助役が安全に行動でき、スムーズに敵を殲滅できる。タンク〈☞70ページ〉やデコイ〈☞71ページ〉の役割。［用例］『タゲ取りは任せろ』

タワーディフェンス ［意味］ゲームジャンルの一種。戦況が刻一刻と変化する中、拠点に向かってくる敵を倒し防衛する戦略ゲーム。略称は「TD」。［用例］『タワーディフェンスゲームといえば、アークナイツとかにゃんこ大戦争とかかな』

タンク 📖戦車。［意味］味方の盾となり、常に敵の攻撃を耐え続ける役割。戦場に居座ることが前提であるため、耐久力あるいは回避率が高く生存力のあるキャラクターが選ばれる。［用例］『次の周回もタンク役任せていい?』

チート 📖だます。あざむく。［意味］①ツールを使った内部コードの書き換えなどの非正規な手段を使うこと。またそれによって、自分に有利になるようにゲームを進行させること。〈そのような行動をとる人を「チーター」という〉②非正規な手段を使っていると疑われるほど高度な技術を持ち、誰も敵わないほど上手いプレイヤーや、そのような技術を指した表現。［用例］『チートしてる人って、どういう職に就いてるの??』

通報（つうほう） 📖 情報を知らせ伝えること。 意味 運営が禁止している行為を目撃した他プレイヤーが、運営に報告すること。また、そのシステム。 用例『通報しときますね』

TAS（ティーエーエス） 意味「Tool Assisted Speedrun」の略。高速でゲームを進めるためにエミュレータ〈＝ゲーム機の動作をパソコン上で模倣するソフトウエア〉などのツールを使用して行うタイムアタック〈＝クリアまでの時間の速さを競う〉プレイ。 用例『FE〈＝ファイアーエムブレム〉のTAS恒例、謎のくねくね儀式！』

TOD（ティーオーディー） 意味「Time Over Death」の略。時間制限のある対戦において不利な状態のまま時間切れとなり、判定負けすること。敗北となる判定はゲームによって異なる。ゲームによっては、相手の時間切れによる判定負けを故意に狙ったとみられる、明らかな遅延行為を禁止するルールが設けられていることもある。 用例『TOD狙ってくるクソ野郎は全員公式にシバかれちまえ！』

デコイ 📖 鴨猟などで囮（おとり）に使う鳥の模型。広く、敵をおびき寄せ、欺くための囮にもいう。 意味 相手のターゲットを自分に集め、強力な攻撃が味方に当たらないように囮となるアイテムやキャラクター。 用例『うわあああああ！！！！デコイ出すタイミング遅すぎて壊滅したああ！！』

デバフ 意味 攻撃力や防御力などを不利な状態にし、相手の能力を低下させること。⇕バフ 用例『なんやこいつ固ってぇな。デバフかけまくったろ』

天井（てんじょう） 📖 部屋の上部に張った板。 意味 ガチャ〈☞66ページ〉に設けられた対象を出すために必要な回数の最低保証。設定された上限回数までに保証対象が出なかったとき、確実に手に入るというシステム。⇕青天井 用例『天井はあたいの専売特許』

ドーピング 📖 スポーツ選手が、禁止されている薬物などを使用して自身の運動能力を高めること。 意味 ある特定のアイテム〈＝ドーピングアイテム〉を使用し、キャラクターの能力を上昇させること。 用例『野生戦で努力値振るのめんどいからドーピングするか』

特殊イベ（とくしゅイベ） 意味 特殊な条件を満たしたときに発生するイベント。 用例『特殊イベ起きたわ!!!!』

凸（とつ） 📖 ❶真ん中が突き出た形状。❷突撃の俗称。 意味 限界突（＝凸）破の略。キャラクターや武器などに本来設定されていたステータス上限やレアリティ〔＝希少性〕などを上げ、通常とは異なる強化を施すこと。 用例『サイレンススズカのサポカ〔＝サポートカード〕4凸まで行った！』

ドロップ 意味 敵を倒したときに、敵がアイテムを落とすこと。また戦闘に勝利した後に、アイテムが手に入ること。これらのアイテムは、拾って貯めたり、使用したりすることができる。 用例『敵倒したら、レアアイテムドロップした！』

舐めプ（なめプ） 意味 舐めたプレイの略。手加減したプレイ。 用例『この舐めプ野郎がッ!!!!』

二軍（にぐん） 📖〔プロ野球で〕一軍の控えとして構成されたチーム。 意味 攻略の際に、一軍〔☞63ページ〕のキャラクターを何らかの理由で使用できない、あるいは使用しづらい場合に選出されるキャラクターたち。 用例『二軍メンバーも好きなユニット多いし、なんとか使ってあげられんかな』

二軍落ち（にぐんおち） 📖 一軍の選手が二軍になること。 意味 一軍のキャラクターだったが思ったより強くならなかったり、新規加入したキャラクターに役割を取られたり、他の二軍だったキャラクターがよりよく成長したりなどの理由で、主戦力から控えになってしまうこと。 用例『ゴメンよ、リリーナ。君は速さヘタレすぎて二軍落ちだ…』

ヌルゲー 意味 ぬるいゲームの略。難易度がとても低く、クリアが容易なゲーム。 用例『ノーマルモードはヌルゲー』

ネカマ 意味 ネットオカマの略。現実では男性であるにもかかわらず、ネット上で女性に成りすます人やアカウントのこと。〔ゲーム界隈以外でも、オンライン上のやりとりで使われることも多い〕 用例『あの人ネカマでしょ？』

ネトゲ廃人（ネトゲはいじん） 意味 オンラインゲームに没頭し過ぎて日常生活を送れなくな

った人。用例『うちの弟、ネトゲ廃人なんよ』

野良（のら）

📖野原。田畑。意味 インターネット対戦において、交流関係にあるフレンド等と「部屋」を作ってプレイするのではなく、知らない人とその場限りで協力しゲームをプレイすること。また、そのようにプレイする人。良くも悪くも一期一会であるため、遊ぶことに慣れすぎて、フレンドとやるの緊張する…』

廃課金（はいかきん）

意味 生活に支障が出るほどの大金をソシャゲ（☞70ページ）につぎ込む人。「廃人」＋「課金」から。用例『廃課金勢のおじさんたちがきっと経済を大きく回している。と信じてる』

爆死（ばくし）

📖爆撃・爆発によって死ぬこと。意味 ガチャ（☞66ページ）への課金（☞12ページ）額がとてつもないのに、満足のいく結果を出せないこと。用例『爆死なんて日常茶飯事やけん』

バニラ

📖ラン科の常緑蔓草。未熟の果実から甘い香りの食品用香料を取る。意味 PCゲームにおいて、アップデートなどの機能拡張が行われていないオリジナルな状態。用例『俺のデータ、バニラのままだわ』

バフ

📖動物のバッファローに由来する語で、革砥（かわと）で金属や靴を磨くという意味から、たくましいなどの意味が派生した。意味 自分や味方のキャラクターの能力を強化すること。⇔デバフ 用例『バフ盛り盛りガブリアス爆誕！』

引き撃ち（ひきうち）

意味 敵に対して後退しながら撃つこと。基本的に相手より射程が長くないと意味がない。用例『ハイドラ相手に引き撃ちしたら単純計算でも負け確』

必中（ひっちゅう）

📖必ず命中すること。意味 対象の回避率、素早さなどに関係なく必ず当たること。また、そのような攻撃。用例『必中効果持ってるヤツ敵にいると困る』

ピヨる

意味 対戦ゲームなどにおいて、一方的に攻撃を受けたキャラクターが一時的に行動不能になる。アニメなどで、頭をぶつけたときに頭の周りをヒヨコがピヨピヨ飛んでいる様子から。用例『ピットくんがピヨってる！』

物欲センサー（ぶつよくセンサー） 意味 プレイヤーの物欲を察知し、目当てのアイテムやキャラクターの出現率を下げるとされる、架空のセンサー。用例『物欲センサー働いちゃったから出会えないのかな…』

ヘイト 📖憎しみ。嫌悪。意味 敵からの狙われやすさ。値が高いほど敵から狙われやすい。これを集める囮（おとり）役を「タンク〔☞70ジペー〕」「デコイ〔☞71ジペー〕」などという。用例『味方氏！ 俺がヘイト稼いでる間に頼んだ！』

偏差撃ち（へんさうち） 意味 移動している敵に対して、移動先を狙って撃つこと。偏差射撃とも。用例『偏差撃ち上手い人は、普通に対面しても強い気がするから誰か統計を取ってほしい』

マルチ 📖複数の。多数の。意味 マルチプレイの略。インターネット経由で繋がったプレイヤーとスコアを競う。用例『マルチで周回する』

無課金（むかきん） 意味 ①課金〔☞12ジペー〕をしないこと。また、その人。決して課金したくない訳ではないので、廃課金〔☞73ジペー〕勢を冷たい目で見ながらも、運営を生かしてくれてありがとうと思っている。用例『私は無課金ドクターだ』 ②「無理のない課金」の意。無理のない程度に課金していること。また、その人。

無双（むそう） 📖並ぶものがないほど優れていること。意味 ①特定の人・集団が他の勢力を圧倒する様子。用例『無双状態は20秒で終わった』 ②ゲームメーカー・コーエーテクモゲームスが開発するゲーム作品シリーズ。記念すべき第一作目は1997年2月28日発売の『三國無双』。

無凸（むとつ） 意味 キャラクターや武器などが、一度も凸〔☞72ジペー〕を行っていない素の状態であること。用例『この子は無凸でも十分強いよ』

無理ゲー（むりゲー） 意味 「クリアすることが無理なゲーム」の略。ゲームの難易度が高く、クリアが果てしなく困難なゲーム。用例『これは無理ゲーですわ』

メンテ 📖メンテナンスの略。維持。保守。意味 オンラインゲームやソシャゲ〔☞70ジペー〕で使用されているサーバの整備。定期的にアップデート込みで行われる場合がほとんどだが、不具合が生じた際に緊急で行われることもある。これが行われている間はゲームができなくなるが、多くの場合、終了後にお詫びのアイテムを受け取れる。☞詫び石（76ジペー）用例『メンテ入ったからきっとあいつを弱体化してくれるよね』

やりこみ要素

意味 ストーリーやステージクリアには関係ないものの、達成感を得るために追求できる余地。エンドコンテンツ。用例『やりこみ要素多すぎてやりこめない』

ラグ

📖 タイムラグの略。時間のずれ。意味 命令してからコンピュータ上で反映されるまでに時間がかかること。オンラインゲームで発生すると結果に悪影響が出る。〈ラグが出る様子を「ラグい」という〉用例『ラグいせいで弾が当たらないのか、ただ下手糞なだけなのか』

ランクマ

意味 ランクマッチの略。順位〈＝ランク〉を競い合う対戦システム。用例『来シーズンのランクマはエースバーン出禁か～。パスだな！』

乱数調整

意味 コンピューターゲームにおいて、ランダムな数値によって構成されている箇所を、ツールなどを用いて自由に操ること。TAS〈☞71ジペー〉で用いられる常套手段である。用例『レイドは乱数調整できて助かる』

リジェネ

意味 一定間隔で持続的に少量ずつHP〈☞64ジペー〉が回復する、バフ〈☞73ジペー〉効果。語源は英語「regeneration（再生、復活）」。用例『リジェネがあるのとないのとでは生存率ぜんぜん違うよ』

リセット

📖 初期値に戻すこと。意味 ゲーム機の電源を落とすなどして、前回のセーブ地点から現在までの進捗をなかったことにすること。ゲームをやり直すこと。用例『リセットしすぎて、もう何回同じような展開見たか…』

リセマラ

意味 リセットマラソンの略。ゲームを開始してから、最初に行えるガチャ結果などが自分の思い通りになるまで、何度もゲームを最初からやり直す行為。用例『リセマラ終わったんで、ゲーム始めます』

理論値（りろんち）

📖理論上出せる値。意味 最高値。音ゲー（☞65ページ）であれば、すべてのノーツ（☞196ページ）を「Excellent」で取った最終スコア。RTA（☞63ページ）であれば、ソフトを使って検証した最も早いクリアタイム。用例『理論値で編成組めるってことはつまり廃課金者』

レイド

意味 レイドバトルの略。複数人のプレイヤーと協力して強いボス（＝レイドボス）を倒す、というのがコンセプトのマルチプレイバトル。ただし、ソロプレイでも参加できる場合が多く、一人で戦うのか、NPC（＝ノンプレイヤーキャラクター）が参戦してくるのかはゲームによって異なる。見事レイドボスを撃破すると、豪華な報酬をもらえることが多い。用例『最近マルチレイド潜るのハマってるんだよな』

レゲー

意味 レトロゲームの略。ファミコンやメガドライブなど1990年代初頭に流行していたゲームおよびゲームソフト。用例『レゲーオタクはファミコンソフト触っただけでゲームタイトルわかるんだよ（）』

ローグライク

意味 プレイするたびに異なるマップが自動生成される、ランダム性の高いゲーム。「ローグ」（＝1980年発売のゲーム）のような（＝like）ゲームから。用例『ローグライクは運ゲー』

詫び石（わびいし）

意味 ソシャゲ（☞70ページ）などでメンテ（☞74ページ）が行われたあと、作業中にゲームを遊ぶことができなかったお詫びに運営から贈られるアイテムの総称。石（☞63ページ）が配られる場合が多いことから。用例『詫び石のおかげで推しをお迎えできました』

1UP（ワンアップ）

意味 残機（☞68ページ）の数が1増えること。『スーパーマリオブラザーズ』のマリオなどに見られる。用例『うわ、マリオあと一人しかおらん！ 1UPキノコくれ!!!!!』

第8章

界隈用語

アークナイツ

2019年5月1日に中国でリリースされた、ゲームメーカーHypergryph開発のスマートフォン向けゲームアプリ、および関連のメディアミックス作品群のこと。日本では2020年1月16日にYostar運営の下、リリースされた。ジャンルはタワーディフェンス（☞70ページ）。

不治の感染症、差別、争い、未知の敵……研究者であり、指揮官でもある「あなた」は、それらの事象や、様々な脅威に日々翻弄される人々と、どのように向き合っていくのだろうか？

アークナイツ 意味 ☞第8章扉(77ページ) 用例『アークナイツやろうぜ中島!』

アップルパイ 📖砂糖煮にしたリンゴをパイ生地で包んで焼いた菓子。意味 ①エクシア(=キャラクターの一人)のスキル発動ボイスの一つ。②エクシア自身。用例『公開求人でアップルパイ来た!』

異格(いかく) 意味 新たな名前、レアリティ(=希少性)、職種・職分で実装された、既出オペレーター。「漢字二文字+コードネーム」という名前で実装されることが多いが、この規則から外れる「キリンRヤトウ(=モンハンコラボイベント『紅炎遣らう落葉』で実装されたキャラクター)」「レウスSノイルホーン(=モンハンコラボイベント『紅炎遣らう落葉』で実装されたキャラクター)」も異格である。用例『シャイニングも異格で来ないかな』

石割り(いしわり) 意味 純正源石を使用して理性(☞101ページ)を回復するための行動。無課金では手に入る石の数に限りがあるため、この用途で大量に使用することは推奨しない。コーデ(☞85ページ)を買ったりガチャ(☞66ページ)に使ったりしよう。用例『石割りしすぎてコーデ買えんくなった…終わった〜…』

岩(いわ) 📖表面がゴツゴツした大きな岩石。意味 育成素材「源岩」シリーズの総称。1-7(=ステージナンバー1章の7)で掘るのが一番理性効率(☞102ページ)がいい(2023年9月現在)。用例『ドッソレス期間の岩掘りは1分もかからなくて周回が楽だったな…』

ウィークリー 📖毎週。意味 ウィークリーミッションの略。毎週月曜日の朝四時に更新される。用例『え、うそやろ……まだ火曜日…? ウィークリーもう終わっちゃったんですけど…』

ウニ 📖黒い棘(とげ)が生えた棘皮(きょくひ)動物。意味 ①キャラクターの一人、ソーンズの愛称。モチーフとなった生物がウニの一種、ガンガゼであるという説があることから。用例『やっぱり相変わらずウニつよい』 ②育成素材「RMA70-12」「RMA70-24」

のこと。トゲトゲとした見た目から。☞トゲトゲ（95ページ）

海（うみ）

📖 地球のおよそ七割を占める塩水。面積は、三億六千万平方キロメートルに及ぶ。**意味** イベリア（＝ゲーム内の国家）の外に広がる海。海底にはかつて繁栄していたエーギル（☞79ページ）という都市があり、すべてのエーギル（＝種族）のルーツとなっている。「海の怪物」と呼ばれる存在が牛耳っており、イベリア関連のイベントでは彼らと戦うことになる。厄介な敵しかいないため、ドクター（＝プレイヤー）たちからは毛嫌いされている。2023年9月現在、まだ断片的な情報しか出回っていないため「ヤバい生物がうじゃうじゃいるヤベーところ」くらいの認識でよし。**用例**『海のあとに海やって、また海!? 気が狂いそう…新人ドクターさんたちも頑張ってね……』

エーギル

📖 北欧神話に登場する海の神。**意味** ①ゲーム内に登場する先民（エーシェンツ）と呼ばれる種族の一つ。海洋生物がモチーフとなっている。彼らの祖先はかつて、イベリア（＝ゲーム内の国家）の外に広がる海（☞79ページ）の底にある都市エーギルで暮らしていたという。**用例**『「大いなる静謐（せいひつ）」のフレーバーテキストに書かれている「エーギルは知っている」ってどういうこと?』 ②海底都市エーギル。海の底に存在したが、「海の怪物」の脅威にさらされ、住民のほとんどは陸に上がった。

S1（エスいち）

意味 スキル1。星3以上のオペレーターが最初から取得している。**用例**『S1からS3まで捨てスキルがないシルバーアッシュ最強！』

S3（エスさん）

意味 スキル3。星6オペレーターが昇進2（☞87ページ）になった際に取得する。高範囲、高火力を誇る決戦スキルであることが多い。**用例**『S3がメインスキルになるソーンズとかスルトとかは、あまり戦力がそろっていないうちは育てないほうがいいよ』

S2（エスに）

意味 スキル2。星3以上のオペレーターが昇進1（☞87ページ）になったときに取得する。**用例**『S2メインでコスト11で配置できるマウンテンはマジでコスパ最強』

エピソード

📖 ❶物語の本筋の間に挟む小話。挿話。❷ある人にまつわる、ち

オタク共通
三次元共通
日本の男性アイドル
K-POP
2.5次元
二次元共通
ゲーム共通
アークナイツ
スプラトゥーン
ファイアーエムブレム
プロセカ
ポケモン
原神
BL

よっとした話。逸話。 意味 メインストーリーにつながる、特に重要なストーリー。メインストーリーでは少ししか触れられなかった謎の答え合わせや、伏線の回収などを行う内容になっている。2023年9月現在公開されているものは『闇夜に生きる』、『遺塵の道を』、『潮汐の下』、『狂人号』の四本。 用例 『潮汐と狂人号がエピソードってことは、いつかロドスVS海で大戦争したりするんです？』

M1（エムいち） 意味 特化（☞95ページ）1の状態のスキル。 用例 『マドロックS2はM1が最低ラインかな。必要SPが5から4になるし』

M3（エムさん） 意味 特化（☞95ページ）3の状態のスキル。 用例 『主戦力の星6なら主力スキルM3まで持っていっておいたほうがいいよ！』

M2（エムに） 意味 特化（☞95ページ）2の状態のスキル。 用例 『エイヤS3M3…？ うちの子まだM2だけど大丈夫かな…』

オウンゴール 📖（サッカーなどで）自陣にゴールを入れ、失点すること。 意味 味方の強制移動能力により、敵が味方拠点に入ってしまうこと。 用例 『ファントム仲間にしたばかりの頃はよくS3でオウンゴールしてたわ…』

お手玉（おてだま） 📖 小さな布の袋に小豆やビーズなどを入れたもの。投げ上げては受けて遊ぶ。 意味 味方の強制移動能力を利用して、敵を倒さずに遅延させる（＝敵の出現を遅らせる）こと。特に、自陣の態勢を整えたいときなどに、次の敵を出現させるトリガーとなっている敵に対して行う。「ジャグリング」とも。 用例 『なんで強制移動入れてるのかと思ったら、ここのタイミングでお手玉するためか～（攻略動画で答え合わせ中）』

○○おりゅ？ 意味 ○○の中に、高レアかつ人気の高いオペレーターの名前を入れ、所持しているかを他ドクター（＝プレイヤー）に聞くときに使用する煽（あお）り構文。この煽りを受け、挙げられたオペレーターを持ってない人は無事発狂する。 用例 『スズランおりゅ？w』

回復盾（かいふくたて） 意味 重装・庇護（ひご）衛士に属するオペレーター。例、「サリア」「ニアール」「スポット」。 用例 『回復盾はサリアが最強すぎる』

抱える（かかえる） 腕で取り囲むようにして支え持つ。【意味】ブロックする。【用例】『ホシグマ姐さんで抱えてたら敵さんが勝手におなくなりになっちゃった』

カジキ 剣状に延びた上顎を持つ海魚。【意味】キャラクターの一人、グレイディーアの愛称。モチーフとなった動物がカジキであること、エピソード『潮汐の下』にてスペクター〈=キャラクターの一人〉が彼女に対して「あら、どうしたの？カジキ。」と発言したことが由来。【用例】『カジキの毒舌お嬢様言葉で一生罵られたい人生だった』

観光客の女性C（かんこうきゃくのじょせいシー） 【意味】サイドストーリー『青く燃ゆる心』に登場した、既視感のあるモブキャラクター。のちに開催されたサイドストーリー『ドッソレスホリデー』にて、水着姿のチェン〈=キャラクターの一人〉であることが判明した。「観光客C」とも。【用例】『観光客の女性Cって、どう見てもチェンじゃん』

感染者（かんせんしゃ） 病原体が体内に侵入して、病気がうつった人。【意味】鉱石病〈=ゲーム内の不治の病〉患者。作中では差別的な意味合いを持って使われることが多い。彼らの遺体は適切な処理を行わないと、新たな感染源となってしまう。【用例】『もういっそ全員で感染者になろうぜ』

危機契約（ききけいやく） 【意味】エンドコンテンツ〈☞やりこみ要素（75ページ）〉の一つで、理性〈☞101ページ〉を消費することなく、難易度を自分で調節しながら何度でも試行錯誤ができるイベント。タワーディフェンス〈☞70ページ〉の基礎知識に加え、高難易度に挑む育成成果や応用力が試される。ちなみに、最高難易度に独自の縛りをつけてクリアする変態ドクター〈=プレイヤー〉も一定数存在する。従来の方式での配信は#12で終了した。【用例】『また危機契約の時が来てしまったか……』

基地（きち） 各地を行動する部隊や探検家などの拠点。【意味】ロドス・アイランド号の愛称。参加する作戦がないオペレーターが内勤し、作戦地から持ち帰った記録動画をもとに作戦記録〈☞85ページ〉を製造したり、貿易を行ったり、様々な取り組みが行われている。システム上には登場しないが、甲

オタク共通
三次元共通
日本の男性アイドル
K-POP
2.5次元
二次元共通
ゲーム共通
アークナイツ
スプラトゥーン
ファイアーエムブレム
プロセカ
ポケモン
原神
BL

板で作物を育てたり、艦内に療養庭園や温室、防音室などの施設があることがオペレーターたちのボイスやプロファイルから確認できる。**用例**『基地全開放して思ったことは、「訓練室もっとほしい」です』

逆理演算（ぎゃくりえんざん）

意味 ある特定の条件〈=大半の場合は昇進2〈☞87ページ〉レベル1〉を満たすと解放される、そのオペレーターの能力を理解するためのチュートリアルのようなもの。解放された時点の能力でクリアできる難易度に設定されており、クリアすると石〈☞63ページ〉である合成玉（オランダム）200個が報酬として手に入る。**用例**『イーサンの逆理演算が運ゲーすぎて無理！』

旧約（きゅうやく）

意味 危機契約〈☞81ページ〉の前半一週間。この期間に報酬のノルマを達成すると、「加工勲章」〈=条件を満たすと加工される勲章〉が得られる。⇔新約 **用例**『旧約の攻略動画はまだか？』

強撃スキル（きょうげきスキル）

意味 攻撃回復、自動発動のスキル。スキル発動に必要なＳＰ〈=スキルポイント〉も低く、発動時に攻撃力が大幅に上昇するシンプルなスキル。**用例**『置くだけ周回するときの強撃スキルマジ神』

局部壊死（きょくぶえし）

意味 メインストーリー6章のタイトル。「部分的な死」という意味なのだが、局部=男性の大事な場所、と解釈してしまった日本人からはネタ的な扱いを受けている。**用例**『局部壊死って初めて見たとき目を疑ったけど、私の脳みそが腐ってただけか…』

虚無期間（きょむきかん）

意味 イベントが終了し、次のイベントまでの何もない期間。ないと忙しく感じるが、あったらあったで暇に感じる。**用例**『たまには虚無期間をくれー！』

キルゾーン

📖死者が多く出る戦場の地帯。**意味** オペレーターの攻撃範囲。あるいは、敵を倒すために準備した場所。敵が多く集まる場所ほど、多くの味方を配置することになる。**用例**『キルゾーン形成の基本は横殴り！』

記録復元（きろくふくげん）

意味 復刻〈☞97ページ〉入りしたイベントまで終えて恒常されたオペレーターやアイコンなどを、過去に手に入れることができなかったドクター〈=プレイヤー〉向けに再配布するシステム。用例『6日後に記録復元来てるから、新イベも6日後だな』

銀灰（ぎんはい）

📖シルバーアッシュの大陸版表記。意味 キャラクターの一人、シルバー〈=銀〉アッシュ〈=灰〉の愛称。用例『シルバーアッシュって名前長いから銀灰って言っちゃうよね』

食いしばり（くいしばり）

意味 敵から致命的なダメージを受けたとき、撤退せずにしばらくその場に留まったり、最大HP〈☞64ページ〉を減少させた状態で復活したりすること。用例『ホルン隊長に食いしばりあるのわすれてた！』

クローラー

意味 エピソード『潮汐の下』から登場した海〈☞79ページ〉の怪物。全ドクター〈=プレイヤー〉の敵。敵情報には「攻撃しない」と書かれているにもかかわらず、一定ダメージを負うごとに凄まじい火力の「術ダメージ」と「神経ダメージ」を与えてくる。用例『クローラー増える契約考えたの誰!?』

グロ版（グロばん）

意味 ゲームのグローバル版の略。中国以外のゲーム会社が運営しており、イベントなどが大陸版から半年ほど遅れて実装される。用例『グロ版と大陸版は半年～8ヶ月くらい時差があるよ！』

群攻（ぐんこう）

意味 複数体の敵を同時に攻撃できるオペレーター、あるいは、スキル。用例『群攻前衛はブレイズが一番使いやすいね。うちにいないけど()』

決戦スキル（けっせんスキル）

意味 強敵との戦闘に特化した強力な攻撃スキル。凄まじい火力が出る代わりに防御力が大幅に下がったり〈例、真銀斬〈☞89ページ〉〉、スリップダメージを受け続けたり〈例、ラグナロク〈☞101ページ〉〉とデメリットが生じるものも多い。用例『決戦スキルといえば…真銀斬！ ラグナロク！』

ケルシー構文（ケルシーこうぶん）

意味 ロドスの医療部統括であるケルシー〈=キャラクターの一人〉が話す、かなり迂遠（うえん）で特徴的な会話文。長い。用例『ケルシー構文誰か翻訳して～』

剣聖（けんせい）

📖凄腕の剣士。〈ファンタジー創作物に登場する職業の一つ〉 意味 キャラクターの

オタク共通
三次元共通
日本の男性アイドル
K-POP
2.5次元
二次元共通
ゲーム共通
アークナイツ
スプラトゥーン
ファイアーエムブレム
プロセカ
ポケモン
原神
BL

一人、メランサの愛称。低レアリティ〈=希少性〉でありながら、昇進1〈☞87ページ〉レベル55で同レベル帯の星6オペレーターよりも高いステータスを持ち、わかりやすく強いことから。よほどの高難易度ステージでもなければ、彼女と同じ職のオペレーターをわざわざ他に用意する必要はないくらい優秀である。用例『剣聖いたらイベントはこなせる。エンドコンテンツやるならスカジ育てろ』

源石錐（げんせきすい）

意味 統合戦略〈☞94ページ〉中に使用する通貨。「怪しい旅商人」マスで商人のキヤノットからアイテム「秘宝」を購入したり、一部の「秘宝」の効果を発動させたりするために必要になる。用例『源石錐120で杯は勝ち確ですわ』

公開求人（こうかいきゅうじん）

意味 求人票〈=任務クリア後などに手に入るアイテム〉と龍門幣（ロンメンへい）〈☞103ページ〉さえあればいくらでも回すことができる無料ガチャ〈☞66ページ〉。最高レアリティ〈=希少性〉である星6のオペレーターも入手可能。用例『いけね！ 公開求人回すの忘れてた！』

高級〇〇（こうきゅう）

意味 特定の低レアオペレーターと同じ職種・職分のオペレーターであり、それと似た性能を持ちながらも高レアリティ〈=希少性〉相当の風格を併せ持つ高レアオペレーター。〇〇にキャラクターの名前を入れて使用する。代表的なオペレーターは、高級メランサ〈=メランサという低レアオペレーターの高級版〉ことスカジ〈=キャラクター〉。⇔ジェネリック〇〇 用例『ワイ「なんか公開求人でスカジって子出た」友「高級メランサじゃん。良かったね」』

高速再配置（こうそくさいはいち）

意味 再配置時間が短いオペレーター。通常の再配置時間は70秒だが、高速再配置はだいたい20秒前後である。彼らだけで構成した編成でマップを攻略する縛りプレイヤーも一定数存在する。用例『高速再配置と言えばやはりグラベルちゃん……！』

高速周回（こうそくしゅうかい）

意味 素材集めのために、攻略済みのステージを、迅速に、かつ繰り返しクリアすること。一度でも自力でクリアすれば理性〈☞101ページ〉の許す限り自動で何度も攻略できるものの、プレイするたびに同じ画面を眺めて待つことになる。その待ち時間をより短縮するために行われる手法である。しかし、そのためには決戦スキルを持ったオペレーターを複数人育成し、タワーオフェンス（☞91ページ）を行う必要があるため初心者にはまず無理。用例『高速周回できないステージきついな～』

……興奮してきたな。

意味 サイドストーリー『吾れ先導者たらん』にて、モブキャラクターが発したセリフ。興奮したドクターが発する。用例『ファントムがあと一人で完凸だと……？……興奮してきたな。』

こーこーだーよ～

意味 ①クルース（＝キャラクターの一人）がスキル（☞69ページ）発動時に発するボイスの一つ。用例『もうダメだ…クルースのせいで「こーこーだーよ～」が頭から離れない…』②クルース自身。

コーデ

意味 コーディネイトの略。イベントとともに実装されるオペレーターたちの衣装。大半の場合は純正源石を消費して購入するが、スタンプラリーやイベント報酬として配布されることもある。配布の場合はいつ復刻（☞97ページ）されるかわからないので、取り逃がし注意である。「スキン」とも。用例『シルバーアッシュのコーデは夏と冬どっち派？』

国土おじさん

意味 エピソード『遺塵の道を』に登場したボスキャラクター「皇帝の利刃」の愛称。HP（☞64ページ）が一定量減るごとに「国土」というクリア難易度を高めるマップギミックをばらまいてくる非常に厄介なボスである。イベントストーリー中の言動がユニークなので、何かとネタにされている。用例『国土おじさんめんどくせぇ～！』

作戦記録

意味 オペレーターのレベルを上げるときに使用するアイテム。作戦中に撮った動画を編集し、見た人が心的ショックを受けないようにしてあるらしい。龍門幣（☞103ページ）や素材（☞91ページ）と比べると、まだ潤沢に保たれやすい。用例『作戦記録はあるけど龍門幣が足りん!!』

差し込み

📖中にものを差し入れること。

意味 混戦状態になった戦線や、戦

線を崩しかねない厄介な敵に対して一時的に近接オペレーターを配置し、戦線を維持すること。メランサなどの火力の高いオペレーターや、グラベルやレッドなどの高速再配置のオペレーターが担当する。**用例**『ファントムは差し込み火力として超優秀だから全人類が使え』

サメ

📖サメ目の軟骨魚。鰓（えら）が体の側面にある。**意味** キャラクターの一人、スペクターの愛称。モチーフとなった動物がサメであること、エピソード『潮汐の下』にてグレイディーア（＝キャラクターの一人）が彼女に対して「戻ってきなさい、サメ！」と発言したことが由来。**用例**『サメちゃん好きすぎて、いっそシーボーンになってサメちゃんに始末されたいまである（真顔）』

GG（ジージー）ちゃん

意味 ゴールデングロー（＝キャラクターの一人）の愛称。彼女はその垂れ耳から一見、ペッロー（＝犬）に見えるが、モチーフはスコティッシュフォールドという猫といわれており、フェリーン（＝猫）なので注意。**用例**『GGちゃん可愛いね』

ジェネリック〇〇

意味 特定の高レアオペレーターと同じ職種・職分のオペレーターであり、レアリティ（＝希少性）は低いが、高レアに引けを取らない性能を持つオペレーター。〇〇にキャラクターの名前を入れて使用する。代表的なオペレーターは、ジェネリックスカジ（スカジという高レアオペレーターの低レア版）ことメランサ（＝キャラクター）。⇔高級〇〇 **用例**『ワイ「メランサの強みってなに？」友「ジェネリックスカジってところ？」』

シャーマン

📖神や霊魂と直接交流する呪術師。**意味** サイドストーリー『ウォルモンドの薄暮』で初登場した敵キャラクター、冬霊シャーマン・上級冬霊シャーマンの愛称。スリップダメージを負いながら自陣側に特攻し、撃破時に爆発して大ダメージを与えてくる非常に厄介な雑魚敵。**用例**『そろそろウォルモンドに挑戦する？　そうか、シャーマンには気をつけろよ』

就活失敗（しゅうかつしっぱい）おじさん

意味 サイドストーリー『孤島激震』に登

場したボスキャラクター、ジェッセルトン・ウィリアムズの愛称。かつてライン生命（☞101ページ）の求人に応募したものの、面接官を務めたサリア（＝キャラクターの一人）に「現状に満足し、やり抜く意思がない」「器が小さい」という理由で選考から落とされ、殺し屋の道を進むこととなった。なお、後に開催されたライン生命関連イベント『翠玉の夢』のストーリーを読んだドクター（＝プレイヤー）からは、「（ライン生命がヤバすぎるので）彼は面接に落ちて良かった」と言われた。☞等速直線運動おじさん（94ページ） 用例『就活失敗おじさん出た！不採用!!!』

12階（じゅうにかい）

📖地上から12番目の階層。 意味 12F（トウエルヴ・エフ）（＝キャラクターの一人）の通称。 用例『ここの術師は12階で十分だよ』

宿舎に飾れば、雰囲気を良くする（しゅくしゃにかざれば、ふんいきをよくする）

意味 宿舎に飾るインテリアの説明文の末文にほぼ必ず書かれているフレーバーテキスト（＝ゲーム性に影響しない文章）。ダンボールなど、明らかに雰囲気をよくする効果がなさそうなものの説明文にも書かれている。 用例『ダンボールで作られた腰掛け。座るとボール紙がきしむ音がする。宿舎に飾れば、雰囲気を良くする』

召喚物（しょうかんぶつ）

意味 オペレーターが戦場に配置されているとき、そのオペレーターの道具や能力として追加で戦場に配置できるもの。先鋒・戦術家と補助・召喚士に属するオペレーターは全員がこの能力を有している。 用例『召喚物出せる＝手数が多い。それはつまり強いってことよ』

昇進1（しょうしんいち）

意味 昇進状態の1段階目。ステータス上限が上がり、配置に必要な「コスト」が増える。星3のオペレーターはここが成長限界になる。 用例『グムちゃんは昇進1で十分』

昇進2（しょうしんに）

意味 昇進状態の2段階目。膨大な物資と引き換えに、更にステータス上限を上げ、特化（☞95ページ）を行うことができるようになる。また、一部の職分に属するオペレーターは配置に必要な「コスト」が更に増加する。星4〜6のオペレーターはここが成長限界になる。 用例『星6を昇進2にするためのコストがあまりにも重すぎる…』

少人数周回（しょうにんずうしゅうかい）

意味 新規オペレーターや育成途中のオペレーターの信頼度を上げるために、攻略に必要な主戦力オペレーターを最低限まで減らして周回（☞69ページ）を組むこと。用例『少人数周回組んだから信頼度稼ぎたい放題やで！』

招聘券（しょうへいけん）

意味 定められている範囲で任意のオペレーターを一人スカウトできるアイテム。周年イベントのたびに配布される星5招聘券、周年イベントのたびに購買部に並ぶ有償の星6招聘券がある。用例『星6招聘券で誰を呼ぼうかな』

職種（しょくしゅ）

📖仕事の種類。意味 オペレーターが属する、ロドス（☞102ページ）の外勤任務における役割。先鋒、前衛、重装、狙撃、術師、医療、補助、特殊の八つが存在する。用例『サンタラが実装されるなら職種はなにになるんだろう』

汁おじ（しるおじ）

意味 キャラクターの一人、シルバーアッシュの愛称。「シルバーアッシュおじさん」の略であり、「汁」は当て字。立ち絵（＝公式から発表されている立ったキャラクターの全身イラスト）からはおじさんのようにはとても思えないが、彼にまつわるイベント『風雪一過』の描写から、少なくとも30代の、おじさんと呼んでも差し支えなさそうな年齢であることが判明している。用例『やっぱ、広範囲をステルス看破できて、味方の再配置時間短縮できる汁おじが最強なんよ』

白国土おじさん（しろこくどおじさん）

意味 サイドストーリー『吾れ先導者たらん』に登場したボスキャラクター、「殉教者」アンドアインの愛称。HP（☞64ページ）が一定量減ると「苦難に光を」というスキルを発動して、地形効果を展開する。そのエフェクトや性能が国土おじさん（☞85ページ）の黒色の「国土」に類似しているものの、色が白であることからこう呼ばれている。「白土おじさん」とも。用例『白国土おじさんは白土展開すると回避してくるから、確定ダメ持ち必須だわ』

進化の本質くん（しんかのほんしつくん）

意味 コラボイベント『オペレーション オリジニウムダスト』に登場したボスである研究者、レヴィ・クリチコの成れの果て。「変異腫瘍」「変異悪性腫瘍」という敵キャラクターを数秒毎に召喚してくる厄介な敵。他にも、感染生物を利用して変異サンドビーストを造り出したり、感染者のゾンビを造ったりとやりたい放題やらかして、テラの世界でバイオハザードを起こしたマッドサイエンティストである。その凶悪なボス性能から、ドクター（＝プレイヤー）たちからはとことん嫌われている。「本質くん」とも。用例『やはり、どのボスも進化の本質くんのヤバさには敵わないんですよ』

真銀斬（しんぎんざん）

意味 ①キャラクターの一人、シルバーアッシュが所持するスキル（☞69ページ）の一つ。全てを解決する（☞19ページ）。用例『真銀斬特化3は義務教育やぞ！』 ②シルバーアッシュ自身。

真のドクター神拳（しんのドクターしんけん）

意味 統合戦略#2『ファントムと緋き貴石』にて発見された技のような現象。敵が拠点に侵入した際に効果が発動するアイテム「秘宝」や、それに関連した「秘宝」を取得することで、敵が拠点に侵入したときにステージ全体の敵にダメージやスタン（＝状態異常の一つ）状態、継続ダメージなどを与える。拠点に侵入した敵にダメージを与え続けられるため、条件が揃えば、耐久値が許す限り、そもそもオペレーターを配置する必要さえない。合理的な戦略なのだが、発動時のエフェクトがあまりに派手で、シュールささえ感じられることなどから、プレイヤーの間ではもっぱらネタとして扱われている。☞ドクター神拳（95ページ） 用例『真のドクター神拳のエフェクト面白すぎでしょw』

新約（しんやく）

意味 危機契約（☞81ページ）の後半一週間。新たな契約が追加され、その分の報酬を獲得できる。⇔旧約 用例『新約の攻略動画はまだか？（デジャヴ）』

水没おじさん（すいぼつおじさん）

意味 サイドストーリー『ドッソレスホリデー』に登場したボスキャラクター、パンチョ・サラスの愛称。テキーラとラ・プルマ義兄妹の父でもある。彼が初登場したステージでは、彼自身を含めて十一人と少数精鋭で来たかのように思われたが、オペレーター四人に43秒でクリアされてしまい、しかも、船乗りでありながら水中に落とされて撃沈するなどあまりにも弱過

オタク共通
三次元共通
日本の男性アイドル
K-POP
2.5次元
二次元共通
ゲーム共通
アークナイツ
スプラトゥーン
ファイアーエムブレム
プロセカ
ポケモン
原神
BL

ぎることを揶揄（やゆ）してつけられた。 用例『水没おじさん弱すぎw』

素ぺクター（す）

意味 記憶を取り戻し、正気に戻ったスペクター〈=キャラクターの一人〉。☞サメ（86ページ） 用例『素ぺクターがスペクターの異格になると思ってたら本当にそうだった』

潜在（せんざい）

📖内に潜むこと。隠れて存在すること。 意味 オペレーターの隠された能力。これを解放することを「潜在能力強化」といい、他ゲームにおける凸〈☞72ページ〉にあたる。完凸〈☞66ページ〉までに必要な同名オペレーターは六人であり、星2〜4であれば簡単に凸を進めることが可能。 用例『バグパイプは潜在5まで行ったらもう完璧なんよ』

全盛り（ぜんもり）

意味 危機契約〈☞81ページ〉において、取得できる契約をすべて選ぶこと。また、その状態。 用例『全盛りな上に先鋒縛りはド変態にも程がある（褒め言葉）』

戦友（せんゆう）

📖戦場でともに戦闘に参加する仲間。 意味 他のゲームにおけるフレンド機能。攻略時にお世話になった相手に戦友申請を送って承認してもらったり、SNSで知り合ったドクター〈=プレイヤー〉を募ったりすることで協力関係を結ぶ。戦友になると、基地訪問でFP〈=フレンドポイント〉を回収したり、戦友ドクターが設定しているサポートオペレーターを借りることができる。上限は50名。 用例『危機契約が近いので戦友募集します！』

戦友サポート（せんゆう）

意味 ドクター〈=プレイヤー〉たちが設定しているサポート用のオペレーター。そのドクターの推し〈☞9ページ〉や、本当に攻略に詰まったときに有用なオペレーターなど、設定されているオペレーターは多種多様である。最大三名まで設定できる。 用例『戦友サポート見れば、そのドクターの推しがだいたいわかる』

戦友ドクター（せんゆう）

意味 戦友〈☞90ページ〉になったドクター〈=プレイヤー〉。基地訪問、「手がかり」の受け渡し、高難易度マップからエンドコンテンツ〈☞やりこみ要素（75ページ）〉の攻略まで何かとお世話になる相手。 用例『戦友ドクターの皆様には危機契約のたびにお世話になって…』

素材（そざい） 📖元になる材料。意味 オペレーターの昇進やスキルランクの上昇などに使用されるアイテム。通常はステージの周回（☞69ページ）で手に入れる。初心者や無課金、微課金勢にとっては常に枯渇しているもの。用例『素材が足りん！！！！！』

耐久値（たいきゅうち） 意味 拠点に通していい敵の数。他のゲームでいう残機（☞68ページ）に類似するシステムで、0になると作戦失敗になる。多くの場合は3に設定されており、2体までなら敵を通してもいいという計算である。強襲作戦では1になるため、1体通した段階で失敗になってしまう。用例『ネズミで耐久値増えまくったから全員通しても良さそうだな』

大陸版（たいりくばん） 意味 中国版。用例『大陸版情報流すときはネタバレ配慮もしようね』

鷹（たか） 📖タカ目に属する小型・中型の猛禽（もうきん）類。意味 中国系ゲーム会社「Hypergryph（中国名：上海鷹角网络科技有限公司）」の愛称。『アークナイツ』を開発し、大陸版の配信・運営を行っている。本拠地は中国・上海。会社名に「鷹」と入っていることから。用例『鷹が容赦なく俺たちドクターを沼らせてくる…』

高台ナイツ（たかだい） 意味 地上にオペレーターを置かず、高台だけでマップを攻略する縛りプレイ（☞69ページ）の一つ。ステルス・迷彩状態の敵を通常攻撃で攻撃できないなどの欠点があり、難易度は高い。用例『高台ナイツは変態の所業やろ』

だぶち 意味 キャラクターの一人、W（ダブリュー）の愛称。決して、某ハンバーガー店のメニューのことではない。用例『だぶち欲しいから次の限定に向けてガチャ禁するわ』

タルちゃん 意味 ゲームに登場する組織「レユニオン・ムーヴメント」のリーダー、タルラの幼少期の愛称。作中でフミヅキという女性から聞くことができる。用例『タルちゃんプレイアブル化してくれんかな』

タワーオフェンス 意味 敵拠点前で出待ちし、圧倒的な火力でねじ伏せる戦法。戦力がある程度整っていないと厳しい場合が多い。また、脳筋のごり押しプレイであることが大半であり、ドクター（＝プレイヤー）の知能も低下する。素直にタワーディフェンス（☞70ページ）をやろう。「出待ちナイツ」とも。用例『これはタワーオフエンスですわ（廃課金ドクターの脳筋プレイを見ながら）』

チェンボム

意味 キャラクターの一人、チェン（＝前衛）のS2（☞79ページ）を配置後すぐに発動し、殲滅対象が倒れると同時に撤退させること。「チェン」＋「ボム」。このスキルは特化（☞95ページ）3まで行うことで、配置後すぐ発動でき、凄まじい火力を瞬間的に叩き出す。高速周回（☞84ページ）御用達のスキルである。用例『チェンボム用意できたのに、ドッソレス終わっちゃった…』

蓄音機（ちくおんき）

📖レコードの溝に針先を接触させ、録音した音声を再生する機械。（1877年にエジソンが発明） 意味 サイドストーリー『ウォルモンドの薄暮』に登場したステージギミック。占拠した側の味方となり、味方のHP（☞64ページ）を回復しながら敵側にダメージを与える。占拠するには、味方を隣接マスにおいてエネルギーをチャージする必要がある。敵の妨害や冬霊シャーマン・上級冬霊シャーマンの自爆を受けると占拠状態が敵側に移ってしまう。用例『待て待て、蓄音機の近くで爆発するなぁぁぁぁぁぁぁあああああ……』

直線教（ちょくせんきょう）

意味 直線ナイツ（☞92ページ）愛好者たちの総称で、彼らのヤバさを強調した言い方。常日頃から、対象オペレーターたちの攻撃範囲を活かせる地形を無意識に探してしまう症状を患っている。中には1、2マスしかないのに直線だと錯覚してしまう者もいるようだ。直線ナイツができるキャラクターといえば、かつてはイフリータくらいだったが、最近はシュヴァルツ、ウィーディー、ファートゥースとオペレーターが増えており、それに伴って「信者」も増加傾向にある。用例『直線ナイツ楽しいな。…直線教にでも入るか』

直線ナイツ（ちょくせんナイツ）

意味 通常時、あるいはスキル（☞69ページ）発動時に攻撃範囲が直線になるオペレーターだけを使用してステージを攻略する方法。用例『直線ナイツはハマると楽しいよ』

都合のいい女（つごうのいいおんな）
意味 グラベル（＝女性キャラクターの一人）の愛称。高速再配置（☞84ページ）の代表格とも呼べる彼女の業務は、爆弾のデコイ（☞71ページ）や術師の足止め、雑魚敵の始末、押し寄せた敵の大群の一時的なブロックなど多岐にわたる。編成に組み込んでおけば、一人で様々な役割を短時間で何度もこなし、万が一のときにも安心できる。「役にしか立たない女」とも。用例『何でもこなせるグラベルちゃんマジ都合のいい女』

定期テスト（ていきテスト）
📖学期末や学年末などに行われる考査。意味 危機契約（☞81ページ）の愛称。ドクター（＝プレイヤー）たちの実力が試されることから。用例『定期テストがやってきたぞー！』

デイリー
📖毎日の。日刊の。意味 デイリーミッションの略。毎朝四時に更新される。用例『デイリーは寝起き10分で完了する』

鉄（てつ）
📖元素番号26の金属元素。Fe。意味 育成素材「異鉄」シリーズ。育成（☞63ページ）素材（☞91ページ）なので当然、枯渇しがち。用例『鉄の効率がいいイベはいつ？』

出待ちナイツ（でまちナイツ）
意味 ☞タワーオフェンス（☞91ページ） 用例『出待ちナイツで草』

テラ
📖大地。〈ラテン語terra〉 意味『アークナイツ』作中の舞台となる大陸。各地では鉱石病（＝ゲーム内の不治の病）が原因で争いが勃発し、南には怪物の潜む海（☞79ページ）、北には未踏の地が存在し、空に浮かぶ星々は不規則な動きをしているようだ。用例『テラ、いろんなこと起きすぎじゃない？』

電池（でんち）
📖化学反応によって電流を発生させる装置。意味 ①リスカム（＝キャラクターの一人）の愛称。②リスカムの素質を利用して、隣接オペレーターのSP（＝スキルポイント）を回復すること。用例『リスカム電池で無限真銀斬気持ちぃ～』

砥石（といし）
📖刃物を研ぐのに使う石。意味 育成（☞63ページ）素材（☞91ページ）に必要な「砥石」「上級砥石」。用例『砥石が妖怪1足りない』

唐辛子（とうがらし） 📖ナス科トウガラシ属の果実（から作る辛味のある香辛料）。【意味】サイドストーリー『ニアーライト』に登場したボスキャラクター、「血騎士」ディカイオポリスが第二形態に移行するクールタイム中に湧き出るアーツ創造物（＝敵キャラクター）。正式名称「ブラッディブレード」。見た目があまりにも唐辛子過ぎたためにつけられた。【用例】『唐辛子の攻撃が地味に痛すぎる!!』

統合戦略（とうごうせんりゃく） 【意味】エンドコンテンツ（☞やりこみ要素（75ページ））の一つで、ローグライク（☞76ページ）形式で進行するイベント。過去に#1『ケオベの茸狩迷界』、#2『ファントムと緋き貴石』、#3『ミヅキと紺碧の樹』が開催されている（2023年9月現在）。#2以降は常設化しているため、今から始めるドクター（＝プレイヤー）も参加することができる。参加しろ。【用例】『統合戦略#1復刻しねーかなー?』

投資マラソン（とうしマラソン） 【意味】統合戦略#2（☞94ページ）で、「怪しい旅商人」マスで投資（＝源石錐（84ページ）を貯めること）だけをこなして攻略終了を選ぶ、という動作を繰り返すこと。投資できる源石錐の数は攻略ごとに異なり、一個しか投資できないこともあれば10個以上投資できるときもある。投資額が一定数を超えると解放されるコンテンツがあるため、そのために行われることが多い。【用例】『投資マラソン終わったから早速古城攻略を開始しよう。待ってろ、ファントム!』

等速直線運動おじさん（とうそくちょくせんうんどうおじさん） 【意味】サイドストーリー『孤島激震』に登場したボスキャラクター、ジェッセルトン・ウィリアムズのこと。ステージ徘徊（はいかい）中の彼に、ある特定の動作をすると、横方向にスーっと移動してステージの外に消えてしまうバグを揶揄（やゆ）したものである。バグは修正済み。☞就活失敗（しゅうかつしっぱい）おじさん（86ページ） 【用例】『等速直線運動おじさんのバグ、ついに直っちゃったらしいよ』

ドクター 📖❶博士。❷医者。【意味】ゲームの主人公。また、それを操作するゲームプレイヤー。主人公は、ヒロイン・アーミヤの師であり、ロドス（☞102ページ）の作戦部門を統括する指揮官を務める。作中では、コールドスリープから目覚め、記憶喪失となっているが、かつては天災や鉱石病（＝ゲーム内の不治の病）における神経学の第一人者だったようだ。医療部門統括のケルシー（＝キャラクターの一人）によれば、かつては口の中でインスタント麺を作ることが特技だったようである。**用例**『アニメのドクター、甲斐田ゆきさんだって！！！！！』

ドクター神拳（しんけん）

意味 倒しきれない敵をあえて味方拠点に到達させ、戦線を維持する戦術。そこで指揮を執っているであろうドクター（☞94ページ）に敵を倒してもらおう、というネタ的発想から。敵は1体も拠点に入れないのがタワーディフェンス（☞70ページ）の基本だが、危機契約（☞81ページ）や統合戦略（☞94ページ）などのエンドコンテンツ（☞やりこみ要素（75ページ））にて、戦線の維持のために行われる。ネタ扱いされてはいるが、敵の殲滅を目指さずステージをクリアするための、れっきとした戦術。「ドクターパンチ」とも。統合戦略#2では「真のドクター神拳」（☞89ページ）なるものが発見された。**用例**『マドロックの巨像はドクター神拳で殺るか……』

トゲトゲ

意味 育成素材（☞91ページ）「RMA70-12」「RMA70-24」。トゲトゲとした見た目をしているため。☞ウニ②（78ページ） **用例**『ブローカS2の特化2にはトゲトゲがいるのか…』

特化（とっか）

📖 特別なものにすること。**意味** スキルレベルをさらに上昇させること。通常はスキルレベル7がMAXで、すべてのレベルを同時に上昇させることが可能だが、特化1以降は一つ一つのレベルを上げることになる。また、特化には時間を要し、特化1で8時間、特化2に16時間、特化3に24時間かかる。**用例**『特化も趣味みたいなもんだから、絶対やらないといけないわけじゃないよ』

夏イベ（なつイベ）

意味 大陸版（☞91ページ）で夏に開催されるイベント。オペレーターたちが水着で登場したり、水着コーデ（☞85ページ）が実装されたりすることから「水着イベ」とも。グロ版（☞83ページ）では実施時期が大陸版よりも半年ほど遅れるため、1～2月の真冬に開催されるのが習わしである。**用例**『今年も夏イベの季節（冬）がやってきたね～』

ネズミ 📖 齧歯目（げっしもく）に属する哺乳類。【意味】統合戦略#2（☞94ページ）で「幕間の余興」のマスを選ぶとランダムで選ばれるイベント「不運な泥棒たち」の愛称。「希望」（＝オペレーター招集に必要な要素）がなくなるまで、「秘宝」（＝アイテム）か耐久値（☞91ページ）か源石錐（☞84ページ）を手に入れることができる。余興屈指の当たりイベントである。挿入される一枚絵に描かれた泥棒たちの姿がザラック（＝ネズミ）であることが由来。【用例】『ネズミがいい…ネズミにして…ネズミなら勝ｔよっしゃあああ！！！』

ノイヤト 【意味】キャラクターのノイルホーンとヤトウの異性カップリング。プロファイルやストーリーなど、至る所で二人が恋仲かそれに近しい関係であることが示唆されている。しかし、公式から明言されているわけではないため、（まだ）非公式カプなのである。【用例】『ノイヤト尊すぎて昇天した』

背水（はいすい） 📖 水を背にした状態。背水の陣。【意味】耐久値が1であり、どんな敵であっても拠点に通すことは許されない状態。危機契約（☞81ページ）で取ることができる「契約名」にも採用されている。【用例】『背水はいつもやってるみたいなもんだから、一番取りやすい契約だよね』

バグニンカ 【意味】二人のキャラクター、テンニンカとバグパイプの愛称。バグパイプの素質により、テンニンカによる「コスト」（＝オペレーター配置に必要な要素）回収の初速が早まるというシナジー効果から、高難易度マップの攻略時にこの二人の採用率が高い。【用例】『うちにはバグパイプいないからバグニンカできませんけどね？』

箱（はこ）イベ 【意味】メインストーリーに新しいストーリーが追加された際に開催される「物質（＝アイテム）回収イベント」。特定のステージを攻略した報酬として、物質が入った箱を獲得できることがある。【用例】『箱イベみんなどこ周回してる？』

パッさん 【意味】キャラクターの一人、パッセンジャーの愛称。【用例】『パッさん持ってる人いいな～』

バ美肉おじさん

意味 メインストーリー8章までの黒幕的存在、コシチェイ。作中でタルラ〈=女性キャラクター〉の体を乗っ取り、感染者〈☞81ページ〉が主体の戦争を引き起こしたことから。「バ美肉」とはインターネットスラング「バーチャル美少女受肉」の略で、バーチャルの世界で美少女の姿となって〈=受肉して〉活動すること。しかし、そのコシチェイも、実は「不死の黒蛇」という邪神的存在に乗っ取られている。用例『バ美肉おじさんまーた女の人に転生(?)したのかよ』

氷神

意味 ノーシス〈=キャラクターの一人〉の愛称。氷結系アーツの使い手であり、普段のステージ攻略においても十分強いのだが、統合戦略〈☞94ページ〉で攻速〈☞68ページ〉が上がる「秘宝」〈=アイテム〉を取得することによって、敵を凍らせ続けるという悪魔の所業をこなすようになる。強い。用例『ローグライクの氷神さま強すぎワロタ』

復刻

📖原本どおりに再製すること。意味 ①過去に行われたイベントが再び開催されること。復刻期間終了後は、アイテムドロップ〈☞72ページ〉率が低下した状態で常駐化する。用例『ドッソレスホリデー復刻きちゃぁ！』②過去に実装された限定〈☞68ページ〉オペレーターが、限定ガチャ〈☞66ページ〉に再登場すること。排出率は大幅に低下している。

ブラックロドス

意味 キャラクターのアーミヤの放置ボイス「ドクター、まだ休んじゃだめですよ。」に由来する呼称。実際、ロドスの3トップであるアーミヤ、ドクター、ケルシー〈☞94ページ〉は、終わっていない仕事がたくさんありますから、常人ではさばき切れない量の仕事をこなしているらしい様子が描写されている。また、その様子について言及してくるオペレーターも複数存在する。プレイヤーの間では、ストーリー中のロドスの描写の他、基地に配属したオペレーターが疲労状態になったときなどにも使用される。用例『あ〜、また疲労状態にしちゃった。ブラックロドスでゴメンな』

ブロック

📖〈スポーツで〉相手の攻撃を防いだり妨害したりすること。意味 味方オペレーターで敵を受け止めること。これを行うことにより、敵に安定した攻撃を当てたり、味方拠点に敵が到達するのを防いだりできる。職分によって止められる敵の数が異なる。〔ブロックしきれずに敵が通ってしまうことを「ブロック漏れ」という〕 用例『ここをクーリエにするとブロック漏れしちゃうし、スカベンジャーだと倒されちゃうんだよな～』

弊ロドス(へい) 意味 自分の端末で管理しているデータにおけるロドス〔☞102ページ〕。他のドクター〔＝プレイヤー〕と会話したり、SNS上に自身のデータにおけるロドスの状況を語る際に使用される。用例『弊ロドスには残念なことにGGちゃんいないんスよ～』

ぺぇぷ 意味 キャラクターの一人、バグパイプの愛称。彼女の特徴的な話し方に由来する。用例『ぺぇぷ入れときゃ序盤はなんとかなる』

ペンギン急便(きゅうびん) 意味 ①作中に登場する組織。炎国(えんごく)・龍門(ロンメン)に拠点を置き、物流を専門とするトランスポーターの組織だが、とてもそうは思えないほどの戦闘力を有している。ロドスとは協力関係にあり、所属トランスポーターたちがロドスのオペレーターとしても登録されている。用例『ペンギン急便のメンバーみんな強いね～』 ②プレイヤー有志たちによって開設・運営されているサイト。育成素材を集めるために周回〔☞69ページ〕をするとき、どのステージが一番効率が良いかなどの情報をまとめてくれている。用例『ペンギン急便のおかげで、どこ周回すればいいのかすぐわかるの助かる』

編成(へんせい) 📖まとまりのある全体に組織化すること。意味 戦友〔☞90ページ〕枠1名を含む、最大13名のオペレーターによるチーム。最大で四つまで保存しておくことができる。用例『高レア編成に紛れ込むテンニンカ大将軍』

崩壊(ほうかい) 📖崩れて壊れること。意味 ①敵の攻撃により、戦線が崩れてしまうこと。立て直しは非常に困難であり、攻略を一からやり直す必要がある。用例『毎回同じところで崩壊するし、そろそろ配置変えてみるなどするか…』 ②自動周回〔☞69ページ〕中に予期せぬエラーが起き、本来倒されているべき敵が生存していたり、オペレーターの配置やスキル〔☞69ページ〕発動のタイミングがズレたりして陣形が崩壊してしまうこと。用例『なんで自動周回崩壊してるんですか?????』

保全駐在(ほぜんちゅうざい)

意味 エンドコンテンツ(☞やりこみ要素(75ページ))の一つ。常設のコンテンツであり、モジュール(☞100ページ)の解放に必要な育成素材を回収することができる。1~8までのエリアを順に攻略していくシステムになっているが、難易度が高いため、戦力が整っていないと完全踏破は困難。途中で離脱しても、その分の報酬は手に入るため、無理せず地道に稼ごう。 用例『保全駐在の新ステムズすぎ!!!』

ボブおじ

意味 サイドストーリー『騎兵と狩人』に登場したボスキャラクター、ビッグボブの愛称。大柄な男性で、樹木伐採用のチェーンソーを得物としている。同ストーリー内に登場したオペレーター、グラニに「ボブおじさん」と呼ばれていたことが由来。彼はゲームに登場する組織「レユニオン・ムーブメント」の幹部の一人だったが、思想の違いから部下を連れて離反し、賞金稼ぎとして生活していた。ストーリークリア後、ゲーム中に閲覧できるようになる各種情報によれば、現在は酒を造って生活しているようだ。 用例『ボブおじ今はどこでなにしてんのかな…』

まどち

意味 キャラクターの一人、マドロックの愛称。 用例『まどち入れときゃ勝手に1レーン封鎖してくれる』

ママ

📖お母さん。 意味 性別を問わず、どこかママみを感じる母性的で面倒見のいいオペレーターたちの愛称。「〇〇ママ」と呼ばれる。対象オペレーターは「ヴィグナ」「マッターホルン」など。 用例『ヴィグナママは低レアの中でもかなりおすすめだよ』

マママ

意味 キャラクターの一人、マッターホルンの愛称。マッターホルンママの略であり、プレイヤー間でつけられた。 用例『マママの料理メッチャ食べてみたい』

未昇進(みしょうしん)

意味 一度も昇進していない状態。 用例『ウンくん? 未昇進ですけど…』

無理おじ(むりおじ)

意味 キャラクターの一人、ムリナールの愛称。ムリナールおじさんの略であり、彼がイベントストーリー中に社畜のような言動を何度も見せていたことから「無理」と変換されたと思われる。プレイヤーたちから「汁おじ」(☞88

ページ〕の通称で愛されるシルバーアッシュとは違い、二人の姪（めい）がいる正真正銘のおじさんである。**用例**『無理おじ強っよ！』

メインストーリー

意味 実装と同時に常設化されるストーリー。ロドス〔☞102ページ〕の動向に直接関わる内容が展開される。**用例**『メインストーリーの話重すぎね？』

無問題（モウマンタイ）

📖〔中国語で〕問題ない。**意味** チェン〔＝前衛のキャラクターの一人〕が編成時ボイスで喋（しゃべ）る言葉。問題ないことを言う場合に、ドクター〔＝プレイヤー〕の使用率高め。**用例**『友「異格テキサスの準備はおk?」ワイ「無問題！」』

モジュール

📖ある機能がまとまった、機器やシステムを構成する交換可能な部分。**意味** オペレーターを更に強化するためのシステム。昇進2〔☞87ページ〕の一定レベルまで到達していると、つけることができる。専用の育成素材は手に入る個数に限りがあるため、お気に入りのオペレーターや、強いオペレーターに優先的に使おう。**用例**『モジュールつけるのにおすすめのオペレーター教えて～』

山（やま）さん

意味 キャラクターの一人、マウンテンの愛称。彼のコードネームは和訳すれば「山」であり、大陸版〔☞91ページ〕での表記も同じく「山」である。**用例**『山さんのピックアップ次はいつ頃になるんだろう』

闇鍋（やみなべ）

📖暗闇の中で皆で食べる鍋料理。**意味** 公開求人〔☞84ページ〕で、組み合わせを無視してタグを選択すること。特定のタグを組み合わせることで、ある程度排出されるオペレーターを絞り込むことができるのだが、それを行わず、運に任せた求人方法である。**用例**『星5確定タグがあるけど、ここはあえて闇鍋でいくぜ！』

横殴（よこなぐ）り

📖脇から勢いよく打つこと。**意味** 敵をブロック〔☞97ページ〕しているオペレーターの斜め前に、別のオペレーターを配置することで、ブロックされている敵を一緒に攻撃すること。最もスタンダードなキルゾーン〔☞82ページ〕の作り方である。**用例**『重装が抱えてる敵をメランサとかで横殴りすると大変良い』

雷神（らいじん） 📖雷電を起こす神。 意味 キャラクターの一人、パッセンジャーの愛称。強力な電撃系アーツの使い手であることから。 用例『氷神で密作って雷神でルミナスぶっ放すの楽しすぎる』

ライン生命（せいめい） 意味「ライン生命医科学研究所」の略。その名の通り、生命科学や化学工業といった分野の研究・開拓を行っているゲーム世界内の会社であり、多くの研究員が所属している。一方で、研究成果のためならどんな犠牲も厭（いと）わないスタンスであり、結果的に、マッドサイエンティストとも呼べる人物ばかりが残り、一部の研究員の離職を招いている。ロドス（☞102ページ）に所属するライン生命関係者のほとんどが、後にロドスに入職しているのも、そんな内情ゆえである。 用例『ライン生命もっと掘り下げして！』

ライン生命漫画（せいめいまんが） 意味 公式スピンオフ漫画『ロドス・オリジニウムレコード ライン生命』の愛称。サリア、イフリータ、サイレンスがライン生命（☞101ページ）を離れてロドス（☞102ページ）へ来るまでの物語が描かれる。 用例『ライン生命漫画もしっかりアークナイツやってるなー』

ラグナロク 📖北欧神話における終末の日。 意味 ①キャラクターの一人、スルトが所持するスキル（☞69ページ）の一つ。全てを解決する（☞19ページ）。 用例『公式が露骨にラグナロク対策しとるw』 ②スルト自身。

ラッピー 意味 キャラクターの一人、ラップランドの愛称。ドクター（＝プレイヤー）間で使用される呼び方。 用例『ラッピーが最近ずっと強いw』

理性（りせい） 📖物事を道理によって判断する能力。 意味 ①他ゲームにおける「スタミナ」に相当するもの。ステージを攻略するときに消費されるが、撤退を選んだ場合は1のみ消費して残りが返還される。また、理性回復剤というアイテムにより回復することが可能。 用例『あー、理性があふれてる！もったいないから消費しなきゃ！』 ②ドクター（＝プレイヤー）の状態を表すときに「理性○○ドクター」（○○内には0以上の数字が入る）という表現で使用されるネタ。

オタク共通
三次元共通
日本の男性アイドル
K-POP
2.5次元
二次元共通
ゲーム共通
アークナイツ
スプラトゥーン
ファイアーエムブレム
プロセカ
ポケモン
原神
BL

理性効率(りせいこうりつ)
意味 周回(☞69ページ)をする際、消費する理性(☞101ページ)に対して、どのくらい素材(☞91ページ)のドロップ(☞72ページ)が見込めるかを計算し、百分率で表示したもの。消費理性に対してドロップ率が高いほど「理性効率がいい」ということになる。用例『次のイベントの理性効率は何が一番いいんだろう?』

ルンバ
📖 iRobotが製造・販売する掃除用ロボット。意味 エピソード『狂人号』に登場したギミック「リトル・ハンディ」。使用すると指定方向にまっすぐ進み、「溟痕(めいこん)」というステージギミックを解除したり、敵にダメージを与えたりすることができる。用例『動画主のルンバの使い方天才かよ』

レジギガス
📖『ポケットモンスター』シリーズに登場する伝説のポケモン。意味 キャラクターの一人、ウタゲの愛称。着ている服の配色がポケモンの「レジギガス」(☞📖)っぽいことからつけられた。用例『レジギガスちゃんの火力低レアとは思えん』

レディ
📖 貴婦人。淑女。高貴な女性の敬称。意味 ファントム(=キャラクターの一人)と共に行動する黒猫、ミス・クリスティーンの愛称。気まぐれで気高い彼女と接するときは、常に敬意を忘れてはならない。統合戦略#2(☞94ページ)『ファントムと緋き貴石』にて、人語を操れずとも人と同等の知能を持つことが明らかとなった。また、同作戦内で獲得できる「秘宝」(=アイテム)の中には彼女にまつわるものもいくつか存在し、ファントムがたびたび彼女に贈り物をしていることが判明した。用例『ローグライク中のレディの動向が人間すぎる』

ロドス
📖 エーゲ海南東部に浮かぶ島。意味 ゲーム世界内の企業、ロドス・アイランド製薬の略。菱形の枠にルークの駒が描かれたロゴが特徴。移動型の大型基地「ロドス・アイランド号」を拠点としている。表向きには製薬会社として、鉱石病(オリパシー)(=ゲーム内の不治の病)の治療を目的とした研究を行い、感染者(☞81ページ)を保護している。一方で、作戦を指揮するドクター(☞94ページ)をはじめ、感染者がプレイアブルキャラクターが所属または参加し、感染者が起こす問題を解決する軍事組織でもある。用例『ロドスのエリートオペレーター全員ビジュ出してほしい』

ロドス園芸部（えんげいぶ）

意味 主に、パフューマー、スズラン、エンカクの三人のキャラクターから成るグループ名。統合戦略#1〈☞94ページ〉『ケオベの茸狩迷界』に登場したお宝「総合園芸の成れの果て」に、ロドス園芸部メンバーたちの名前が登場している。ポデンコ、フリント、カフカなどが含まれることもある。用例『ロドス園芸部は一緒にお菓子とか作ってて欲しい』

ロドスキッチン

📖 公式スピンオフ漫画『アークナイツ ロドスキッチン -TIDBITS-』。ロドスでの「食」を通して、テラに生きる人々の様々な物語が紡がれる。意味 漫画内に登場する料理を実際に調理・再現したもの。また、その写真をSNS上にアップロードする際に使用されるハッシュタグ名。用例『めっちゃ美味しそうなのできた！ #ロドスキッチン〈漫画内の料理を再現したものの写真が一緒にアップされる〉』

龍門幣（ロンメンへい）

意味 ゲーム内における通貨。世界一のビジネス都市である龍門で発行され、ゲーム世界内の各国で利用されている。オペレーターの育成や昇進に必要なため、無課金・課金勢ともに枯渇しがち。用例『龍門幣が足りん!!!』

我らの光（われらのひかり）

意味 キャラクターの一人、スズランの愛称。彼女との信頼度を200％まで上げることで解放される資料の末文に書かれている、「スズランは我らの光であり」が元ネタ。用例『スズランいい子すぎる。やはり我らの光』

第9章

界隈用語

スプラトゥーン

人の姿になれるイカやタコがインクを撃ち合い、街中を塗りたくり、ナワバリ争いをする——。2015年5月、任天堂より発売されたWii U用アクションシューティングゲーム。英単語の「Splat（ピシャっという音）」と「Platoon（小隊）」を合わせた造語。撃って、潜って、塗って、泳ぐ。そんな魚介類のカラフルな世界に、少しだけお付き合い願いたい。☞スプラ（117ページ）

アーマー

📖 鎧（よろい）。甲冑（かっちゅう）。 意味 インクアーマーの略。発動している間、生存している味方にインクの鎧を纏（まと）わせるスペシャル（☞117ページ）。スプラトゥーン1での「完全バリア」ではなくなったが、十分強い。3には登場しなかった。 用例『死ぬならせめてアーマー吐いてから死ねよ』

煽（あお）りイカ

📖 ヤリイカ科のイカ。 意味 倒した敵を煽る行為。スプラトゥーンの仕様の一つとして「自分を倒した敵とその人が装備しているギア（☞110ページ）を閲覧する時間」があり、その短い時間の中でヒト状態とイカ状態を素早く繰り返すことで、相手の神経を逆撫でする。敵が見ていなければ何の意味もなく、むしろ隙を晒している状態になるため、やらない方が良い。 用例『煽りイカには敵味方なく天誅を』

アカザ

📖 ナマズ目アカザ科の川魚。 意味「N-ZAP89」という武器の愛称「赤ザップ」をさらに愛称化したもの。この言葉が使われ始めた頃、同名のキャラクターが登場する『鬼滅の刃』が人気になり始めたことも相まって広まった。 用例『アカザは私が得意とする武器です』

アサリ

📖 二枚貝の一種。 意味 ガチアサリの略。ガチマ（☞109ページ）の一つで、ステージに転がっているアサリを集め、敵陣地の網籠の中により多く投げ入れた方が勝ちというルール。また、その転がっているアサリ。スプラトゥーン2と3でプレイできる。 用例『アサリの中って何も入ってないんだ…』

アジフライ

📖 アジを食材としたフライ料理。 意味 アジフライスタジアムの略。ステージの一つで、バスケットゴールや観客席等があり、観客席にはクラゲがいる。 用例『アジフライって聞くとお腹空くから改名したい』

雨乞（あまご）い

📖 雨が降るように神仏に祈ること。 意味 ローラー（☞131ページ）や筆（☞126ページ）などを振りインクをばら撒く行為を高台（☞119ページ）などから行い、曲射を狙う技術。高台の縁などで身を守り、塗りや攻撃をする。その姿が雨乞いをしているように見えることから。アメフラシ（☞雨（106ページ））とは別。 用例『あいつずっと雨乞いしてやがる！』

アマビ 意味 海女美術大学の略。ただし、発音がしにくいことなどから「美」を「ミ」と読んで、「アマミ」と言う者もいる。ステージの一つで、敷地周辺には水辺が多く、水没死しやすい。スプラトゥーン2で実装された。キンメ（☞112ページ）の代わりに登場したと思われる。用例『アマビはガチマッチによって、その姿を二転三転させる』

雨（あめ） 📖空から水の滴が落下する現象。意味 アメフラシの愛称。インクの雨雲を発生させ、装置を投擲した方向に雲が移動し、範囲内の敵にダメージを与えるスペシャル（☞117ページ）。スプラトゥーン2、3で登場する。侮ると、地味に蓄積されるダメージで倒される。用例『雨を同時に三発撃たれたことあるんだけど、流石にサイクロンかと思った』

安全靴（あんぜんぐつ） 📖足を保護するための作業用の靴。意味 スプラトゥーン1で登場したギア（☞110ページ）パワー。相手のインクを踏んだときに受ける影響（動きづらい、少しダメージが入る等）を和らげる効果を持つギアパワー。シリーズ2以降では「相手インク影響軽減」という名称に変更されたが、ギアパワーの見た目や性能が大して変わっていないため、シリーズ2以降でも安全靴と呼ばれている。用例『安全靴は1付けるだけでも十分な効果がある』

アンチョビ 📖ニシン目カタクチイワシ科の魚。意味 アンチョビットゲームズの略。ゲームセンターを彷彿とさせるステージ。扇風機でステージが上下する。用例『アンチョビに転がってるゲーム、何個かくすねてもバレない気がする』

イカ 📖吸盤のついた十本の腕がある軟体動物。意味 イカの姿とヒトの姿を使い分けて暮らす種族。正式名称はインクリング。古くは水棲生物であったが、肉体を変貌させて生活の場を陸に移した。多種多様な武器を駆使して行うナワバリ（☞122ページ）を始め、高度な文化を築いている。同じく地上生活を営む種族にタコ（☞119ページ）がいる。用例『イカちゃんの笑顔は最高』

イカ研（けん） 意味 スプラトゥーンの公式運営「イカ研究所」の略称。調査報告という名目でゲーム情報を流してくれる。運営の職員のことを「研究員」と呼ぶことがある。用例『イカ研は早くトライストリンガーにチャージキープ付けて！』

イカ速（そく）

意味 イカ移動速度アップの略。ギア（☞110ページ）パワーの一つで、イカダッシュ時の移動速度が上がる。用例『イカ速速過ぎる』

イカニン

意味 イカニンジャの略。ギア（☞110ページ）パワーの一つで、移動速度が落ちる代わりにイカダッシュした際にインクが飛び散らなくなり、敵に発見されにくくなる。用例『イカニン無くてもどうにかなる！』

イクラ

📖サケやマスの卵を塩漬けにしたもの。意味 サモラン（☞114ページ）に登場するシャケに攻撃が当たると得られるもの。報酬や成果には大きく影響しないが、仲間より多く稼げると嬉しい。用例『イクラ集めるバイトをしています』

インクロック

意味 インクを消費したあと、インクの中に潜るなどしても一定時間インクが回復しない仕様。また、その時間。サブ（☞113ページ）やダイナモ（☞119ページ）などインク消費が激しいものによくみられる。用例『インクロックがでかすぎる！突撃できない！』

鬱（うつ）ホ

意味 スプラトゥーン3に登場する「すりみ連合」のメンバー、ウツホの愛称。フェス（＝バトルイベントの一つ）でウツホの陣営が前夜祭から立て続けに負け、常にハイテンションなウツホもさすがに落ちこんでしまったことから。用例『今回のフェスも鬱ホじゃん』

ウルショ

意味 スプラトゥーン3で登場するスペシャル（☞117ページ）。正式名称はウルトラショット。1で使用されていたスペシャルの改造版で、螺旋（らせん）を描く三つの弾を同時射出する強力ショットを三発撃てる。三発に制限されても強力であることに変わりないのは、やはり実力があるスペシャルだからだろう。用例『ウルショを狙いにくいところに一撃で当てる人は、リッターとか弓持ってもやっていける』

ウンコ

📖大便。糞。意味 ウルトラハンコの略。ハンコ（☞125ページ）に倒されたときや、SNSにコメントするときなどに用いられる言い方。用例『ウンコにやられた！』

エターナルファランクスΩ（オメガ）

意味 タイムアップ直前に

スペシャル（☞117ページ）の一つ「バリア」を張り、付近の味方にその効果を分け与える行為。1に登場するアイドルのキャラクター・ホタルが名づけた。用例『エターナルファランクスΩって言い始めたの誰？』

エナドリ

📖エナジードリンクの略。意味 スプラトゥーン3で登場するスペシャル（☞117ページ）で、正式名称はエナジースタンド。投げ出された冷蔵庫からドリンクを受け取ることで、一定時間、様々なバフ（☞73ページ）がかけられた状態となる。得られる効果が多く強力だったことから、エナジードリンクの印象が強くなり、エナドリと呼ばれることが多い。エナスタと略す場合もある。用例『ちょ、エナドリ置いたらヤグラに轢（ひ）かれて消えた!?』

エリア

📖地域。意味 ガチエリアの略。ガチマッチ（☞109ページ）の一つで、特定の範囲内を自分たちの色にし続け、カウントを先にゼロにした方が勝利となる。また、その範囲。用例『エリアなのに塗り弱い武器ばっかじゃん』

エンガワ

📖カレイ類の背鰭（せびれ）と尻鰭（しりびれ）の付け根にある筋肉。意味 エンガワ河川敷の略。スプラトゥーン2に登場するステージ。中央に川が流れており、ステージの両側をそれぞれの橋が繋いでいる。用例『エンガワのマイホーム感半端ない』

エンピツ

📖黒鉛と粘土で作った芯を入れた軸を持って書く筆記具。意味 3で登場するメインウェポンで、正式名称はR-PEN/5H。チャージャー（☞120ページ）の一つで、チャージしたインクを最大五回まで遠距離に撃つことができる。チャージしたままイカ状態になると、チャージが消える仕様となっている。用例『エンピツを担いでガチマに来る人見たことないんだけど、ある??』

オオモノ

📖❶大きなもの。❷影響力のある人。意味 オオモノシャケの略。サモラン（☞114ページ）に登場する敵で、金イクラを落としてくれる。複数の種類があり、攻撃方法も倒し方もそれぞれ異なる。用例『オオモノが増えすぎると身動き取れなくなる』

抑（おさ）え

📖防ぎ止めること。意味 自分たちが盤面を取っているときに、エリア（☞108ページ）などのルールを支配すること。⇔打開 用例『抑えちやんとやってくれてる！神！』

お風呂（ふろ） 📖 身体をお湯で洗ったり温めたりする場所。 意味 オーバーフロッシャーの愛称。バスタブがモチーフとなっている武器で、泡の弾を飛ばして攻撃する。撃った泡は床や壁に反射して進み、射程も長く扱いやすいため、それはそれはたくさんのプレイヤーに愛されている。エイム（☞64ページ）を合わせずとも命中することが多いため、初心者でも扱える。 用例『グーグルの検索ボックスは「スプラお風呂」の後に「シネ」と続く』

お守（まも）りギア 意味 ギア（☞110ページ）のサブに一、二個付けるだけで、大きな効果を発揮するギアパワー。「安全靴」（☞106ページ）や「インク回復力アップ」等。 用例『お守りギアに安全靴を入れましょう』

カーボン 📖 炭素。 意味 カーボンローラーの略。軽量級の武器で近接戦に強く、「潜伏」→「キル」が得意技。射程が短いため、遠くから見つかると手出しできず無惨に散る。☞ローラー（131ページ） 用例『カーボンは軽すぎて空飛べる』

抱（かか）え落（お）ち 意味 強力な武器を所持していたり、スペシャル（☞117ページ）を発動できたりする状態で倒されること。バトルを有利に進めるための好機を失ってしまうため、非常にもったいない。 用例『抱え落ちしたからまた塗って貯めなきゃ』

傘（かさ） 📖 雨に濡れないよう頭上にかざす道具。 意味 「シェルター」タイプの武器。傘の形をしており、先端の尖ったところからインクを放ち、傘を開くことで敵インクから身を守ることが可能。開き続けると傘がパージする（＝布部分が切り離されて飛んでいく）ため攻撃を防ぎながら前進できる。一般的な傘から、ビーチ用やキャンプ用など、幅広いタイプがある。 用例『傘との対面はイコール「死」』

ガチマ 意味 ガチマッチの略。スプラトゥーン2にはホコ（☞127ページ）、アサリ（☞105ページ）、ヤグラ（☞129ページ）、エリア（☞108ページ）の四種類存在し、それぞれのルールでゲームが行われる。勝利するごとにC、B、A、S、Xランクへと進む。Xに近いほど猛者という名の変態がゴロゴロいる。☞ナワバリ（122ページ） 用例『ガチマやりすぎて、ナワバリ苦手になった』

カニ 📖甲殻類十脚目の節足動物。【意味】カニタンクの略。スペシャル〈☞117ページ〉の一つ。スプラトゥーン3で登場した蟹の形をした戦車。これに乗って備え付けの武器「カノン砲」などを撃って攻撃したり、丸まって防御姿勢を取ったりできる。【用例】『カニ使うときはリッターやハイドラに気を付けて！』

カムバ 【意味】カムバックの略。プレイヤーが倒されて復帰後、しばらくの間一部の能力がアップするギア〈☞110ページ〉パワー。【用例】『カムバを付けてるからか、根拠のない自信が湧いてくる』

カモン 【意味】プレイ中に仲間に送る合図。気付いた仲間が駆けつけてくれたりくれなかったり。【用例】『カモン！…いや、カモンってば！』

カローラ 【意味】スプラトゥーン1、2、3で登場する武器、カーボンローラーの愛称。軽量系のローラーで、塗りは弱いがキル性能が高い。某自動車メーカーの自動車とは無関係。【用例】『3のカローラは不遇である』

ガンガゼ 📖ウニの一種。【意味】ガンガゼ野外音楽堂の略。スプラトゥーン2に登場するステージ。中央にライブステージが設置されていて、モニターにはギア〈☞110ページ〉ブランドの広告が流れている。【用例】『ガンガゼのモニターに噂のアイドルが流れないのはなぜ？』

慣性(かんせい)キャンセル 【意味】切り返しをすぐ行うことによって、相手の弾をかわしたり別のところにすぐに移動したりできるようになる技。やり方を理解し、マスターするのに若干時間がかかるが、できて損はない。【用例】『慣性キャンセルを編み出した人天才だと思う』

ガン積(づ)み 【意味】特定のギア〈☞110ページ〉パワーを上限までギアにつけること。〈元々ギアにはギアパワーが一つついているが、ギアのレア度によって更に最大三個までつけることができる。高レア度のギアの全てに、同じギアパワーがついた場合、ギアパワーの効果は3.9倍となる〉【用例】『ゾンビをガン積みしましたもので、いくらやられても無敵でございまする』

ギア 📖歯車。またそれを組み合わせた装置。【意味】プレイヤーが身に着ける装備。アタマ、フク、クツの三種類があり、性能や能力を高める力〔=ギアパワー〕が設定されている。用例『ギアってのは勝敗を分けるほど重要な要素なんです』

黄ケルビン（きケルビン）
意味 武器「ケルビン525デコ」の愛称。略して「ケルデコ」とも。二丁の銃を持ちスライドしながら立ち回り、前線を維持し続けることができる。見た目が黄色いことから。用例『黄ケルビンは某実況者が使ってるから人気』

疑似確（ぎじかく）
意味 武器の性能を上げたり、相手を特定の条件に陥らせたりすることによって、相手を倒すために必要な攻撃の回数を減らしたり、先に相手にダメージを与えられるようにしたりして、相手を倒しやすい状態にすること。用例『疑似確調整しても意味ないのは君の腕が良くないんじゃない？』

帰宅部（きたくぶ）
📖 特定の部活動を行っていない生徒を指す俗称。意味 自陣へ帰るのが速いプレイヤー。ピンチのときなどにリスポーン地や自陣にいる味方のもとへスパジャン〔☞116ページ〕で帰るスピードが特に速い者を指す。大概ジャンプ時間を短縮させるギア〔☞110ページ〕パワーを付けている。用例『また帰宅部逃した！ ホントに速いな!!』

牛丼（ぎゅうどん）
📖 醤油（しょうゆ）・砂糖などで煮た薄切りの牛肉を載せたどんぶり飯。意味 ゲーム内BGM『張拳（ハリケーン）ゴーアヘッド』の歌詞の空耳。曲中で「牛丼」と聞こえることが多いため、実際の曲名よりも「牛丼」という単語の方が有名となっている。用例『牛丼聴くと元気出る』

キューバン
📖 タコなどが他の物に吸い付くための、皿のような器官。意味 キューバンボムの略。地面・壁にくっつくボム〔=武器名〕。爆発までに時間がかかるが、広範囲に爆風が届く。用例『キューバンは想像の三倍は威力がでかい』

キルレ
意味 キルレシオ（Kill Ratio）〔=撃墜対被撃墜比率〕の略。与えた損害と、受けた被害の割合。チームにおいて自分が一回倒れるまでに敵を何回倒したか、という指標。キル／デスで計算される。用例『あのひとのキルレおかしくない？』

金シャケ（きんシャケ）
意味 金色のシャケ〔☞115ページ〕。サモラン〔☞114ページ〕で倒したときに発生する金イクラの量が、オオモノ（☞108ページ）を上回ることが多い。用例『金シャケの声高くてびっくりする』

金ピロ

意味 サモラン（☞114ページ）の間欠泉時に、栓から出てきた金シャケをダイナモ（☞119ページ）で轢くことで大量の金イクラを回収できるという一種のスキル。金シャケが金イクラをドロップ（☞72ページ）するときに、ピロピロという特徴的な音が鳴ることから。用例『金ピロできると楽できる』

キンメ

意味 キンメダイ美術館の略。美術館内に巨大な本が複数あり、回転しているステージ。スプラトゥーン1、3に登場する。若干の高低差や坂道が勝負を分ける。用例『キンメが3でリメイク復活！激アツ！』

金モデ

意味「金モデラー」の略。武器「プロモデラーPG」の愛称。中射程の武器で連射速度が速いシューター。真っ金色の見た目からの名。（ボディが銀色のプロモデラーMGは「銀モデ」）用例『あの金モデ使いの人が神がかってる！』

クイコン

意味 クイボ（☞112ページ）とメイン（☞128ページ）またはスペシャル（☞117ページ）のコンボの略。クイボを当てた敵に対してすぐにメインまたはスペシャルを撃ってキル（＝敵を倒すこと）する技。クイボのインクロック（☞107ページ）が少ないからこそ使える。用例『クイコンで敵を蹴散らす』

クイボ

意味 クイックボムの略。何かにぶつかると即座に爆発するボム。一発の威力は低いが、インク消費量が少ない。用例『クイボを侮る奴はクイボに斃れる』

クマサン

意味 サモラン（☞114ページ）の雇い主のような存在。クマサン商会の恐らく代表。熊が鮭を咥えた置物。なぜか喋るし、優しい。用例『クマサン、どうやって喋ってんの』

クマフェス

意味 サモランにおける、支給武器が金色の「？」の日のこと。この日は性能がぶっ壊れている、つまり使用するメリットもデメリットも極端に大きい「クマサン武器」のみがランダムで支給されるという、お祭りのような日であることから。用例『クマフェスは不定期開催のお祭り』

クラブラ

意味 クラッシュブラスターの略。連射性能が高く爆発力が大きいブラスターで、近寄れない。しかし使い手は「キル」を取ろう〔=敵を倒そう〕と近寄ってくる、なんともはた迷惑な武器。**用例**『クラブラはヤグラの上に向かって撃ちまくると簡単にキルを稼げるお得なブキだ！』

クリアリング **意味** 相手がセンプク（☞118ページ）しているか調べること。ポイントセンサーやマルミサ（☞128ページ）を使うなど、相手の居場所を特定できる手段をとるのが常道だが、敵インクを上塗りするだけでも効果的。**用例**『クリアリングすると日向家の白眼使ってるみたいになるよ』

グリル 📖焼き網（を使う調理法）。**意味** 標的を一人に定め、追い掛け回す装甲戦車。はみ出た触手のような部分を攻撃すると倒すことができるが、そこ以外攻撃が効かないため、倒すのに時間がかかる場合がある。**用例**『グリルに追われたら一目散に逃げる』

96ガロ（くろ） **意味** 武器「.96ガロン」の略称。連射速度は遅いが一発が重いシューター。「96」の部分を「クロ」と読んで略している。**用例**『96ガロ担いでる人にろくな奴はいない』

サザエ 📖巻貝の一種。**意味** スーパーサザエの略。レベルを上げた際やフェス〔=バトルイベントの一つ〕で勝利したときなどに得られる報酬。ギアスロット〔=追加のギアパワーを付与させるスロット〕の清掃・付け替えなどに使える。**用例**『サザエ足りないときと有り余るときの差が激しい』

ザトウ **意味** ザトウマーケットの略。スプラトゥーン2に登場するステージ。ショッピングセンターのような雰囲気で、あちこちに商品が陳列されている。**用例**『ザトウで買い物してみたい』

サブ **意味** サブウェポンの略。クイボ（☞112ページ）やスプラッシュボムなど、一定のインクがあればいくらでも使えるもの。爆弾状のものや防御に使えるものなど、その種類は多い。☞スペ（117ページ）、メイン（128ページ） **用例**『サブはロボット一択でしょ!!!』

サメ 📖サメ目の軟骨魚。鰓（えら）が体の側面にある。**意味** スプラトゥーン3で登場するスペシャル（☞117ページ）。正式名称はサメライド。サメの形をした浮き輪のようなものに乗り、線路の上を高速で突進、爆発し、周囲の敵を倒すことができる。ただし、スペシャル終了後の隙が大きすぎて、すぐに倒されてしまうこともあるため、激弱の烙印を押されている。用例『サメは弱いと油断してる輩のもとに突撃し屠(ほふ)ることが最近の趣味です』

サモラン

意味 サーモンランの略。スプラトゥーン2から登場する、ゲーム内のお金やアイテムを入手できるミッションの一つ。迫りくるシャケを倒し、金イクラを回収する。報酬はお金だったり、ギアだったりといつもバラバラ。用例『サモラン飽きたからガチマしよ』

ザリガニ

📖淡水産のエビ。意味 武器「デュアルスイーパー」の愛称。ボディが赤く、両手に持つとザリガニのはさみのように見えることから。用例『あのザリガニさん上手すぎる！』

3(さん)

📖2の次、4の前の整数。意味 ☞3(スリー)(117ページ) 用例『3の看板武器的存在の弓はクセが強くて使用者が少なく感じる』

3.9表記(さんてんきゅうひょうき)

意味 ギア(☞110ページ)パワーの表記の一つ。「基本ギアパワー.追加ギアパワー」の形で表記する。ギアパワースロットが最大3個、追加ギアパワーが最大9個であることから「3.9」となった。用例『3.9表記に慣れたせいで他の方法で数えられると分からなくなる』

シールド

📖防御するための武器や装置。意味 スプラッシュシールドの略。目の前にインクの壁を設置し、敵の侵入・攻撃を防ぐサブ(☞113ページ)。時間はかかるが、シールドは攻撃を加えると破壊できる。用例『シールド対シールドの不毛な戦いが今開幕する！』

ジェッカス

意味 武器「ジェットスイーパーカスタム」の略。長距離射程のシューター。決して悪口をいっているわけじゃない。用例『ジェッカスは思っているより射程長い』

ジェッパ

意味 ジェットパックの略。インクを発射して空を飛び、付属のランチャーで攻撃するスペシャル(☞117ページ)。エイム(☞64ページ)が良くないと当たらない。用例『ジェッパ得意って人、超尊敬』

自陣塗り(じじんぬり)

意味 ナワバリ(☞122ページ)などで、自分たちの陣地を塗ること。ナワバリは、自陣をどれだけ塗れるかの勝負になる。用例『自陣塗り綺麗すぎて引く』

シマネ 意味 武器「シャープマーカーネオ」の略。キル性能が高く、塗ることも得意なため、どんなバトルにも採用しやすい。射程の短さがネック。用例『シマネを担いで相手を蹴散らす』

ジャイロ 意味 ジャイロ操作。コントローラーを上下左右に動かすことで直感的にカメラを操作することができるセンサー機能。用例『ジャイロの方が視点変えやすくない？』

シャケ 📖 鮭。意味 サモラン（☞114ページ）で一番多く湧いてくる敵。手に持ったフライパンでプレイヤーたちを叩いてくる。ドスコイ、シャケ、コジャケの三種類がおり、群れで出現する。倒しても金イクラを出さない。いわゆる雑魚。用例『正直シャケが一番たち悪い』

ジャスガ 意味 ジャストガードの略。武器「パラシェルター（＝傘型の武器）」のテクニックの一つ。傘を開いた瞬間はダメージを受けないという現象で、本来「スーパーチャクチ」（＝跳び上がった後、着地時に爆発を起こすスペシャル（☞117ページ））で破壊される傘が無傷な上、プレイヤー自身を守ってくれる。用例『初見だとジャスガの意味わからんよね』

シャプマ 意味 武器「シャープマーカー」の略。射程のブレが少ないが、牽制手段が無い。用例『シャプマ使ってる人は皆一様に小賢しい……！』

シューター 📖 射撃手。また、シュートをする人。意味 形状が銃のタイプの武器。わかば（☞132ページ）やボールド（☞127ページ）など。比較的使いやすいものが多い。用例『シューターはボタン押しっぱなしでいいから楽』

純ブラ（じゅんブラ） 意味 純正ブランドの略。ブランドの傾向に合ったギア（☞110ページ）パワーが揃ったギアのこと。例えば、「クラーゲス」というイカ速（☞107ページ）が付きやすいブランドで、サブギアパワーに三つイカ速が入っている場合などをいう。⇕偽ブラ 用例『純ブラ意識してるのに全然勝てない。なんで⁇』

水没（すいぼつ） 📖 水中に沈んで、姿が見えなくなること。意味 ステージにある水場やステージ外の場所に落下してデス（＝倒されること）すること。敵に倒されてからの復活よりも、水没してからの復活の方が、早く復活できるため、上級者ほど水没を駆使する。実装されて間もないステージの場合に迷子になって落ちることもいう。用例『池に落ちなくても水没って言うよ』

スク 意味 スクイックリンの略。チャージ時間が短い代わりに射程が短いチャージャー（☞120ページ）。「スクイックリンα」や「スクイックリンβ」などを総合して呼ぶ。前線を張ることができるチャージャーで、不用意に近づくと倒される。用例『スクうざ』

スシコラ 意味 武器「スプラシューターコラボ」の略。スプラトゥーン全シリーズを通して登場する水鉄砲型の武器。決してお寿司ではない。用例『スシコラって見かけによらずうざい』

スシベ 意味 武器「スプラシューターベッチュー」の略。青と黄色のボディが特徴的な武器「スプラシューター」の別注（＝ベッチュー）品で、色違い。白と黒を基調としたカラーリングで、使いやすい。用例『このスシベの人すげえ上手い…！』

ステジャン 意味 ステルスジャンプの略。スプラトゥーン1では、このギア（☞110ページ）パワーをつけていると着地点がステージ上に示されなかったが、2では敵が近いほど見つかりやすい仕様に変更された。用例『ステジャンはチャージャー対策にはいいよね。まぁスパジャンしないけど』

スパジャン 意味 スーパージャンプの略。マップから味方の位置を選択することで一気に味方のもとに駆けつけることができる移動方法。素早く前線に飛び出たいときはもちろん、戦略的撤退にも使われる。これに「スーパーチャクチ」（＝117ページ）を掛け合わせると、軽く最強。用例『スパジャンはタイミング的には死を覚悟で赴かないといけない』

スパショ 意味 スーパーショットの略。スプラトゥーン1のスペシャル（☞117ページ）で、バズーカから小さな竜巻を撃ち出す。3では弾数が三発と限定されるが、「ウルトラショット」として再登場する。用例『スパショの音がしたらまず隠れる』

スパセン
意味 スーパーセンサーの略。発動時に生存している敵全員に「ポイントセンサー」を飛ばし、味方全員に敵の居所を教える、スプラトゥーン1で登場したスペシャル（☞117ページ）。用例『スパセンからは何人たりとも逃れられない』

スフィア
意味 イカスフィアの略。ある程度のダメージを防げるボール内に入って行動できるスペシャル（☞117ページ）。一定時間経つか、ボタンを押すことで硬化し爆発する。用例『スフィアは簡単に落とせる』

スプラ
意味 スプラトゥーン（☞117ページ）の略。用例『スプラはみんなが思ってるほど単純じゃねえ！』

スプラトゥーン
意味 インクを撃ち合うアクションシューティングゲーム。☞第9章扉（104ページ）用例『スプラトゥーンやろうぜ磯野！』

スペ
意味 スペシャルウエポンの略。ハイプレ（☞124ページ）やマルミサ（☞128ページ）などの武器。ピンチの際の切り札であり、形勢をひっくり返すパワーを持つ。サブ（☞113ページ）やメイン（☞128ページ）と異なり、使うためにはステージを塗りたくり、ゲージを貯める必要がある。「デス」する（＝倒される）たびにゲージが減る。用例『スペ使う前にやられたあああ!!』

スペシャル
📖特別。意味 ☞スペ（117ページ）用例『新武器のスペシャルにカニ付かないね…暴れすぎたからクビってことかな』

スペ増（ぞう）
意味 「スペシャルゲージ（＝満タンになるとスペシャル（☞117ページ）が使えるようになるゲージ）増加量アップ」の略。ギア（☞110ページ）パワーの一つ。用例『スペ増積んでるから平気で無敵』

3（スリー）
📖三。意味 スプラトゥーン3。2022年9月に発売されたNintendo Switch専用アクションシューティングゲーム。「スプラトゥーンスリー」が正しい読み方だが、数字だけで表現するときは「さん」と読むこともある。用例『3の街並みのごちゃごちゃ感が堪（たま）らない』

性格（せいかく）**スピコラ**
意味 スプラトゥーン1で武器のスピコラ（＝スプラスピナーコラボ）の機能を使いこなす、意地の悪いプレイヤー。

1のスピコラはポイズン（☞127ページ）で敵の行動を制限し、無敵状態のスペシャル・バリアで一方的に敵を殴るという戦法を得意としていたことから。【用例】『こいつ嫌い！ 絶対性格スピコラじゃんね！』

セミ

📖セミ科の昆虫。夏、雄が鳴く。【意味】壁のインクに潜り続け、センプク（☞118ページ）する様子。うまく使えば奇襲などに役立つが、この状態のときは攻撃できないため、チームの火力が下がり、状況をひっくり返されかねない。【用例】『セミ状態でこのウェーブは乗り切るしかねぇ…！』

センプク

📖見つからないように隠れていること。【意味】インクに潜った状態で身を潜め、好機を待つこと。一見、どこに隠れているか分からないが、ロボボ（☞131ページ）やマルミサ（☞128ページ）などでは居場所がバレてしまいがち。上級者の中にはセンプクする際に出る微小な音に気付き、センプクを暴くというとんでもないヤツもいる。【用例】『センプク中に味方がスパジャンしに来た刹那、絶望絶頂』

ソナー

📖音波によって水中の物体を探知する装置。【意味】スプラトゥーン3に登場するスペシャル（☞117ページ）。正式名称はホップソナー。地面に突き刺すことで周囲に波を発生させ、敵にダメージとマーキング効果を与える。登場初期は、ジャンプで簡単に回避できることから弱いとされていたが、現在ではプレイヤーを苦しめる要素の一つに格上げされている。【用例】『ソナーを舐めたらソナーで泣くことになる』

ゾンステ

【意味】ゾンビステルスジャンプの略。敵に倒された後、ゾンビ（☞118ページ）で即復活し、スパジャン（☞116ページ）で味方の所に飛んで行く戦略。ステルス機能のおかげで敵に着地地点が知られないため、「いつの間にか前線に帰って来てる!?」となる。【用例】『さっき倒したアイツがもう目の前に！ ゾンステで特攻してきてるな』

ゾンビ

📖死体のまま蘇（よみがえ）った人間。【意味】復活時間を短縮するギア（☞110ページ）パワー。また、それを多く装備していること。多く装備するほど、倒されてからの復帰が早くなるため、ゾンビと呼ばれている。【用例】『ゾンビだから特攻が怖くない。でも敵にいたら超嫌だ』

ダイオウ 意味 スプラトゥーン1に登場するスペシャル〈☞117ページ〉「ダイオウイカ」の略。巨大なイカに変身し、一定の時間、無敵状態を作り出すことができる武器。攻守ともに優れており、敵に発動されたら逃げ惑うしかない。3では「テイオウイカ」として再登場。用例『弟が使うダイオウにフルボッコにされた記憶が鮮明に残っている』

ダイナモ 📖発電機。意味 ダイナモローラーの略。超重量級の武器で射程が長く、短射程相手には対面勝ちが可能。ただし、一振りごとに硬直が入るため機動力に欠ける。用例『ダイナモが味方にいたときの情緒は名鉄より複雑』

対面（たいめん） 📖顔を合わせること。意味 バトル中に敵に遭遇すること。また、正面から撃ち合うこと。用例『味方が黒ザップと対面してる！』

打開（だかい） 📖行き詰まった状況を打ち破って、解決に導くこと。意味 相手が盤面を取っているエリア〈☞108ページ〉などのルールを支配し返すこと。⇔抑え 用例『打開の時はスペシャル合わせよ！』

高台（たかだい） 📖高くて平らな土地。意味 特定のステージに建つ高い塔などの建築物。Bバス〈☞125ページ〉やチョウザメ〈☞121ページ〉などが挙げられる。用例『高台に乗ったら最強なのはハイドラントかな』

タグマ 意味 タッグマッチの略。ガチマ〈☞109ページ〉をフレンド〈＝インターネット経由で一緒にゲームを楽しむプレイヤー〉と遊ぶためのオンライン対戦モード。用例『馴れ合いはタグマでやれ。あ、でもキミみたいな奴にはフレンドなんていないか☆』

竹（たけ） 📖イネ科の常緑の多年生植物。意味 「14式竹筒銃」の愛称。全三種類の武器で、それぞれ甲・乙・丙の名がついている。区分としてはチャージャーにあたるが、射程が短い代わりにチャージ時間が短く、連射することで敵を倒す。一般的なチャージャーのように遠く高いところから狙う立ち回りより、前線に出て敵をなぎ倒す方が得意。用例『竹が弱いと思うなんて、まだまだ過ぎてまだまだだね』

タコ 📖吸盤のついた八本の腕がある軟体動物。意味 スプラトゥーン2の追加コンテンツ「オクトエキスパンション」をクリアすることで解放できるアバター。正式名称はオクタリアン。前作では「イカ」の敵であった「タコ」が味方となり、バトルやバイト（☞124ページ）に参戦する。 用例 『タコちゃんのお目目の形がしゅき』

タチウオ 📖 スズキ目タチウオ科の魚。太刀の形をした白銀の白身魚。 意味 タチウオパーキングの略。高低差のある駐車場のステージ。チャージャーに嬉しいステージで、その他武器使用者は誰もがたくさん倒されてきた。スプラトゥーン1、2で連続して採用されている。タチパーとも。 用例 『タチウオはスプラ3には来ないで（切実）』

タッチダウン 📖 （アメフトで）相手のエンドゾーンにボールを持ち込んで得点すること。 意味 ホコ（☞127ページ）をゴールの台に置くこと。アメフトが由来とされている。 用例 『タッチダウンする直前にナイスって押してくれると、主役になったみたいでアガる』

竜巻（たつまき） 📖 積乱雲の下で発生する、猛烈な勢いで渦を巻いて上昇する気流。 意味 トルネードの愛称。スプラトゥーン1に登場するスペシャル（☞117ページ）。ステージ上に竜巻を発生させるミサイル。3では改造され、ボール状のガイド装置を投げることで、三発のトルネードを上空に撃ち上げるスペシャルとなって帰ってきた。 用例 『竜巻注意報ーー！』

弾ブレ（たまブレ） 意味 武器ごとに設定されている弾のブレ幅。幅が狭い武器は精度が高く敵を倒すことに長けており、広い武器は塗るパワーが高く設定されている。拡散値とも。 用例 『弾ブレが酷い武器のくせにしっかり高威力で当ててくる』

タンサン 📖 二酸化炭素の水溶液中に存在する弱酸。 意味 サブ（☞113ページ）「タンサンボム」の略。缶を振りパワーを溜めるほど威力が上がるボム。 用例 『タンサンは壁に跳ね返るから、狭いとこでは気をつけな』

チャー 意味 チャージャーの略。弾のチャージができる武器。また、それを使うプレイヤー。 用例 『タチウオのチャーは反則だと思う』

チャーポジ 意味 チャージャー（＝プレイヤー）に適したポジション（＝位置、場所）。ステージごとに変わるが、上級者ほどそこに居座っており、戦況によっては移動し、他のチャーポジで構えている。用例『チャーポジを知ることがチャージャー上達の一歩』

チャクチ狩り

意味 スーパージャンプで移動してきた敵を着地地点で待ち伏せ、「チャクチ」（=ゲーム内での動きの一つ）した瞬間に倒すこと。また、「スーパーチャクチ」（☞スペシャル（117ページ）の一つ）をしようとした敵を発動前に倒し、技の発動を止めること。用例『チャクチ狩りほど気持ちのいいものはない』

チョウザメ

📖チョウザメ科の古代魚。意味 チョウザメ造船の略。作りかけの船やコンテナが点在している。スプラトゥーン2から実装されたステージ。用例『チョウザメさんは回る船が良くも悪くも邪魔』

ティアーズオブヘブン∞（インフィニティ）

意味 ナワバリ（☞122ページ）で、バトル時間切れ間際でボムラ（☞127ページ）を発動すること。試合終了後もボムは爆発するため、最後の一押しとして使われる。スプラトゥーン1に登場するアイドルのキャラクター・ホタルが名づけた。用例『ティアーズオブヘブン∞、やるけど言わないよね』

デコイ

📖おとりに使う鳥の模型。意味 スプラトゥーン3に登場するスペシャル（☞117ページ）。正式名称はデコイチラシ。狙った場所の周辺に風船のような見た目のデコイ（☞71ページ）を撒くことができる。デコイは敵の攻撃を受けると壊れるが、破壊されなかった場合は一定時間後に爆発する。場合によってはソナー（☞118ページ）で一掃されてしまうため、サメ（☞113ページ）に比肩する実力であるとされる。用例『デコイが活躍できる場ってあるのかな』

デスペナ

意味 デスした（=倒された）際のペナルティー。スペシャルゲージの減少などを指す。用例『満タン直前でデスしたからデスペナえぐい…』

テッキュウを許（ゆる）すな

意味「サモラン（☞114ページ）に登場するオオモノ（☞108ページ）のテッキュウを許してはいけない」という意味の言い回し。テッキュウは処理難度が高く、攻撃も厄介であるため、1体いるだけでプレイヤーに大きな負担がのしかかり、苛立ちが募る。その結果、事実とは違ってもテッキュウを失敗の原因として吊るし上げ、口を揃えて言う。「テッキュウを決して許してはいけない。決して。」 用例『サモランでの合い言葉は「テッキュウを許すな」だからね』

デボン　📖イングランド南西部の州。 意味 デボン海洋博物館の略。スプラトゥーン2に登場するステージ。恐竜の化石などが展示されている博物館。 用例『デボンのガラス張り天井だ。イカしてるね』

ナイス！　📖素敵。 意味 プレイ中に仲間に送れる合図。かたき討ちやルール関与〔☞131ページ〕をして助けてくれた仲間に「ナイス！」を贈り称賛することができる、嬉しい機能。 用例『味方氏ナイスううう!!』

ナイス玉（だま）　意味 ナイスダマの愛称。味方からの「ナイス！」〔☞122ページ〕でチャージされる巨大なインクの塊を投げつけ、拡大する大爆発を起こすスペシャル〔☞117ページ〕。稀に「イイネ玉」とも。 用例『ナイス玉ってイイネ玉と言っちゃいがち』

薙（な）ぎ払（はら）い　📖刃物などで勢いよく横に振り払うこと。 意味 エイム〔☞64ページ〕を水平に動かしながらバケツ系武器〔例、バケデコ〔☞124ページ〕〕で攻撃すること。広範囲にインクをぶち撒けることができる。 用例『薙ぎ払いは必須テク』

馴（な）れ合（あ）い　📖示し合わせて安易に事を進めること。 意味 バトルをせずに遊び戯れること。味方内のみで行われたり、敵味方関係なく行われたりする。回線が落ちて、勝負をする前から結末が分かる試合の場合は皆楽しんで戯れるが、本気でやっているときにやられたらとても腹が立つ行為。 用例『馴れ合いに誘われたと思ったら突然インクを撃ちつけられた。嫌われることした？』

ナワバリ　📖勢力の及ぶ範囲。 意味 ナワバリバトルの略。インクで相手よりステージの広い範囲を塗った方が勝ち。ゲーム中で最もスタンダードなルール。☞ガチマ〔109ページ〕 用例『ナワバリで勝てねぇヤツがガチマ行って、何ができる』

2（に）

📖 1の次、3の前の整数。 意味 スプラトゥーン2。2017年7月に発売されたNintendo Switch専用アクションシューティングゲーム。「スプラトゥーンツー」が正しい読み方だが、数字だけで表現するときは「に」と読むことが多い。 用例 『2のフェスで歌って踊るヒメに恋した』

偽ブラ（にせブラ）

意味 偽ブランドの略。ブランドの傾向に合わないギア（☞110ページ）パワーが揃（そろ）ったギアのこと。例えば、イカ速（☞107ページ）に特化した「クラーゲス」で、サブギアパワーが三つとも攻撃や防御系の場合など。「偽物のブランド」の意味ではない。⇔純ブラ 用例 『偽ブラだっていいじゃない。どうせ強いヤツが強いんだから』

人数不利（にんずうふり）

意味 生存しているプレイヤーの数が敵より少ない状況。味方が復帰して前線に戻ってくるまで、特にガチマ（☞109ページ）では押し込まれることが多い。 用例 『人数不利なんだから一旦下がれって馬鹿野郎！』

塗り性能（ぬりせいのう）

意味 武器がどれだけ塗れるかの指標。速度、効率、射程、跡、速射力、射撃時間、射撃移動速度の要素が含まれる。 用例 『塗り性能意識すると、相性のいい武器を見つけられるよ』

塗り専（ぬりせん）

意味 ステージを塗ることを専門とするプレイヤー。ナワバリ（☞122ページ）であれば誰にもとがめられないことだが、ホコ（☞127ページ）を運んだりヤグラ（☞129ページ）を移動させたりするガチマ（☞109ページ）でやると、ただのお荷物と化す。 用例 『塗り専がいるから、実質四対三』

ネギトロ

📖 マグロのトロや中落ちをたたいたもの。 意味 ネギトロ炭鉱の略。スプラトゥーン1に登場する、主戦場が二つあるステージ。片側ばかりを守っても勝てない。 用例 『ネギトロの金網は思わぬ落とし穴と成り得る』

ノヴァ

意味 武器「ノヴァブラスター」の略。撃った弾が爆発するというブラスターの代表格。「キル」を取る（＝敵を倒す）ための武器なので、塗ることが苦手。 用例 『1回ノヴァ使ってみ？ 分かるから』

残り湯（のこりゆ）　📖風呂に残っている湯。意味 お風呂〈☞109ページ〉などの武器を使う敵が倒される前に放った弾。弾を撃ったプレイヤー〈敵〉は倒されているが、その弾には「当たり判定」〈☞63ページ〉が残っている。この弾に当たれば「当たった」ことになるため、相打ちとなってしまうこともある。由来は、お風呂の残り湯。用例『残り湯にやられたときはイライラがめっちゃ爆発しそうになる』

ハイカス　意味 武器「ハイドランドカスタム」の略。キル〈＝敵を倒す〉性能が高い。決して酷いあだ名をつけたわけじゃない。用例『ハイカスがいたらその部屋は大波乱が確定だ』

バイト　意味 アルバイトの略。サモラン〈☞114ページ〉の通称。ゲーム内で使えるお金やアイテムなどを入手できる。用例『バイト行ってくる』

ハイプレ　意味 ハイパープレッサーの略。高圧のインクを発射し、壁を貫通して攻撃するスペシャル〈☞117ページ〉。使用中に急に方向転換をすることはできないが、発射していないときは敵の姿が若干透けて見えたり、射撃を一・五秒継続するとインク周辺に衝撃波が発生したりする。用例『ホコの時にハイプレ使われるとどうしようもねぇ』

バカマッチ　意味 バンカラマッチの略。スプラトゥーン1、2におけるガチマ〈☞109ページ〉。シリーズ3では名称が変わり、バンカラマッチとなったため、略し方も変わった。悪口などではない。用例『さぁ、バカマッチでもやろうか』

吐く（はく）　📖体内にあるものを口・鼻から外へ出す。意味 スペシャル〈☞117ページ〉を使う。用例『スペ吐いて状況を打開していこう！』

バケツ　📖水などを入れる桶（おけ）状の容器。意味 筆洗や洗濯機などがモチーフの武器「スロッシャー」の総称。見た目や使い方がバケツに似ていることから。用例『バケツはエイム合わせせなくていいから楽だけど、他の武器使えなくなる』

バケデコ　意味 バケットスロッシャーデコの略。スペシャル〈☞117ページ〉と相性の良い武器で、通常攻撃と併用するとプレイヤーの生存力が高まる。対面にも強い。用例『バケデコを使うバケネコ』

ハコフグ 📖ハコフグ科の海水魚。意味 ハコフグ倉庫の略。スプラトゥーン1から3まで連続して採用されているステージ。コンテナや荷物を保管したり運搬したりしている倉庫。用例『ハコフグで、イカちゃんと走り回りたい』

バッテラ 📖締め鯖の押し寿司。意味 バッテラストリートの略。スプラトゥーン2発売前の試写会でお披露目された新ステージ。立ち回りやすいステージ。用例『バッテラの橋からボム落とす人はきっと来世ロクなこと無いよ(憤怒)』

バブル 📖泡。意味 バブルランチャーの略。味方インクで破裂し攻撃する巨大シャボン玉を三つ生み出すスペシャル(☞117ページ)。相手インクが当たるとしぼんでいく。用例『バブルを盾にする』

パブロ筋(きん) 意味 ZRボタンを長時間連打できる技術。ZRボタンを連打する武器の代表格が筆系武器のパブロであることから。この筋肉が育っていないと同系統の武器を使いこなせない。逆に育っていると最強になれるかもしれない。用例『あいつパブロ筋無いな……』

バレル 意味 バレルスピナーの略。バランスのいい武器で、スピナー系(=回転しながらインクを撃つ武器)の中では扱いやすい。チャージ時間が必要なため、不意打ちに弱い。用例『バレルと諸星すみれの違和感について』

ハンコ 📖当事者であると証明する印を押す道具。意味 ウルトラハンコの略。巨大なハンコを打ちつけつつ前進していくスペシャル(☞117ページ)。ハンコを投げつけて攻撃することもできる。☞うんこ(107ページ) 用例『ハンコ打つときの音ホント怖い』

ビーコン 📖低消費電力の近距離無線技術を用いた位置情報特定技術。また、それを使ったデバイス。意味 ジャンプビーコンの略。イカからポイントを選択するとそこにスパジャン(☞116ページ)で移動できる。(☞106ページ)が探知できる信号を発する装置で、マップ 用例『ビーコンを囮(おとり)に使うやつマジ天才すぎかて』

Bバス(ビー) 意味 Bバスパークの略。スプラトゥーン1から3まで連続して採用されているステージ。中央に高い塔があることと、湾曲した地面が

オタク共通
三次元共通
日本の男性アイドル
K-POP
2.5次元
二次元共通
ゲーム共通
アークナイツ
スプラトゥーン
ファイアーエムブレム
プロセカ
ポケモン
原神
BL

特徴。用例『Bバスの高所を長距離射程に明け渡したら最後、集中砲火される』

ヒト速（そく）
意味 ヒト移動速度アップの略。ギア（☞110ページ）パワーの一つで、ヒト状態での移動・移動撃ちの速度が上がる効果をもたらす。用例『ヒト速ガン積み』

ヒラメが丘（おか）
意味 ヒラメが丘団地の略。スプラトゥーン1、3に登場するステージ。ほとんどの壁を塗ることが可能で、裏取り（☞64ページ）がしやすいため、いつの間にか自陣が塗られていることが多い。用例『ヒラメが丘は生活感溢れる、何の変哲もない団地』

ヒロシ
📖人名。意味 武器「ヒーローシューターレプリカ」の略。サブ（☞113ページ）とスペシャル（☞117ページ）の相性が良いが、射程が短いため中射程と対面すると高確率で負ける。本来はヒーローモードでのみ使える武器を、武器屋のブキチ（＝キャラクターの一人）が「レプリカ」としてほぼ同じ武器を作った。ヒロシュとも。用例『私の持ち武器は…ヒロシです』

ファイナルクリスタルダスト
意味 スプラトゥーン1で使える技で、バトル終了間際にトルネード（＝スペシャル（☞117ページ）の一つ）を撃つこと。試合終了後も塗りが反映されるため、ナワバリ（☞122ページ）では戦況を変えられるかもしれない。3でもトリプルトルネードが登場したため、使用できるようになった。用例『ファイナルクリスタルダストって、やってたけどやっぱり言わなかったよね』

筆（ふで）
📖筆先が毛束になった、文字や絵などをかく道具。意味 絵を描くときに使う筆を大きくして武器にしたもの。「パブロ」「ホクサイ」「フィンセント」の三種類ある。筆を振り回して塗ったり、筆を地面につけて筆を押しながら走ったりして敵をイライラさせることができる。用例『筆でアサリ運ばれたら止められない』

プラコラ
意味 プライムシューターコラボの略。射程は長いが連射力が弱いため、敵との距離感をしっかり保つ必要がある。別に怒っているわけではない。用例『プラコラでガチマを存分に楽しんでやる!』

弁当(べんとう)

📖容器に入れて持ち運び、外出先などで食べる食事。意味 ベントー系武器(=チャージャー(☞120ページ)の一種)の総称。スプラトゥーン1に登場し、お弁当によく入っているバラン(=おかずなどの仕切りに使う葉の形をしたもの)がボディにくっついているモデル。正式名称は「スプラチャージャーベントー」。用例『弁当って書くけど、発音としては「べんとぅ」なんだよね』

ポイズン

📖毒。意味 サブ(☞113ページ)の一つ「ポイズンミスト」の略。霧を発生させて敵の移動を遅くし、敵のインクを少しずつ減らす。用例『ポイズンって、何から作られてるの…?』

ボールド

📖欧文の肉太の書体。意味 武器「ボールドマーカー」の略。射程が短いため、中距離武器と対面すると負ける。サブ(☞113ページ)のカーリングボムで機動力を高め、敵の懐に潜り込んでキルを取る(=敵を倒す)という戦術に適している。用例『ボールドって名前ですが、いい匂いはしません』

ホコ

📖柄の先に両刃の剣をつけた武器。意味 ガチホコの略。ガチマ(☞109ページ)の一つで、バリアによって守られた状態でステージ中央に設置された武器「ガチホコ」を、相手陣地のゴールまで運ぶと勝ちというルール。また、その武器。用例『ホコ持ったらトロトロするな! 走れ!』

ホコ割(わ)り

意味 ガチホコ(☞ホコ(127ページ))の周囲に張られているバリアを撃って割ること。主に開幕直後の一発目の攻撃を指す。「ホコ割」とも表記する。用例『ホコ割りミスって二人死んだ』

ホッケ

📖アイナメ科ホッケ属の魚。意味 ホッケふ頭の略。スプラトゥーン1、2で連続採用されたステージ。オブジェの多くがコンテナで賄われている。用例『ふ頭というだけあってコンテナ山盛り。ホッケは死角が多い』

ボムラ

意味 ボムラッシュの略。サブ(☞113ページ)「スプラッシュボム」「キューバン(☞111ページ)」「カーリングボム」「ロボボ(☞131ページ)」「クイボ(☞112ページ)」の各種をインク消費ゼロで投げることができるスペシャル(☞117ページ)。スプラトゥーン2ではボムピッチャーという名称に変わったが、未だに「ボムラ」と呼ぶプレイヤーが多い。用例『ボムラしてる人には、メインは使わず、ボムをそっと傍らに置いてやると、秒』

マキガ 意味 マーキングガードの略。ギア（☞110ジペ）パワーの一つで、敵が飛ばしたポイントセンサーなどアイテムの効果時間を短縮することができる。用例『マキガ付けてもポイントセンサー無効にできる訳じゃないしなぁ』

マヒマヒ 📖スズキ目シイラ科の魚。意味 マヒマヒリゾート&スパの略。スプラトゥーン1、3に登場するステージで、残り時間で水位が変動する。溺死者多数。用例『マヒマヒの水は美しい』

マルミサ 意味 マルチミサイルの略。捕捉した敵にミサイルを発射するスペシャル（☞117ジペ）。プレイヤーに大層嫌われている。用例『マルミサ撃つ準備しながらクリアリングして一石三鳥』

マルミサ事故（じこ） 意味 味方に向けられたマルチミサイルに巻き込まれて倒されること。味方がかわしたミサイルに気づかず移動した先で巻き込まれてデスする（＝倒される）ことが多い。初心者も上級者もやってしまう事故。用例『マルミサ事故は初心者には防げない』

マルミサマン 意味 自陣を塗りまくってマルチミサイルを撃ちまくるプレイヤーのこと。または戦法のこと。マルミサ事故（☞128ジペ）が起きやすくなるため、多くのプレイヤーに嫌がられている。用例『出たな、マルミサマン!!』

マンメンミ 意味 スプラトゥーン1、2で、ガール（＝女性のプレイアブルキャラクター）のインクリング（＝イカモチーフのメインキャラクター）がしゃべるセリフの空耳。3では、性別の概念がなくなったため、「ガール」はいないが、空耳はそのまま聞こえる。ヒーローモードで敵を倒したときや、「ナイス!」（☞122ジペ）を送ったときに聞くことができる。用例『マンメンミ!』

メイン 📖主な。意味 メインウェポンの略。スプラシューターやカーボン（☞109ジペ）など、バトルをする際に使う武器。それぞれの武器に特性があり、相性を見極める必要がある。用例『メインがどれだけ強くても、ねぇ…?』

メガホン

📖ラッパ状の拡声器。 意味 メガホンレーザーの略。スプラトゥーン1に登場するスペシャル（☞117ページ）で、障害物を貫通する音波を一直線上に発射する。3でも「メガホンレーザー5.1ch」にリメイクされて登場する。 用例『メガホンは大概弱かったのにね』

モズク

📖褐藻類の一種。 意味 モズク農園の略。温室モチーフのステージ。金網が多く存在し、プレイヤーを苦しめる。スプラトゥーン1、2に登場する。 用例『モズクにある植物はよく分からない見た目してるけど悪くない』

もみじ

📖秋に紅葉する樹木。 意味 武器「もみじシューター」の略。わかば（☞132ページ）の色違い。プレイヤーの性格が出やすい。 用例『もみじの人、ボムの使い方うますぎる…！』

モンガラ

📖モンガラカワハギのこと。 意味 モンガラキャンプ場の略。スプラトゥーン1、2で登場するステージ。ステージが点対称になっており、敵陣地の裏を取りやすく自陣の裏を取られやすい。☞裏取り（うらどり）（64ページ） 用例『モンガラの両サイドから撃ち合うこともあるから覚悟していけ』

ヤグラ

📖木材などを高く組み上げて建てた建造物。 意味 ガチヤグラの略。ガチマッチ（☞109ページ）の一つで、台に乗り込むとその台が動き出し、そのまま乗り続けて相手陣地のゴールまでいくと勝ちというルール。また、その台。 用例『ヤグラに乗ってると敵全員が注目してくれるから、手軽に人気者感を味わえる』

弓（ゆみ）

📖弦（つる）を張った弓の弾性で矢を飛ばす武器。 意味 トライストリンガーの愛称。ストリンガー型の武器。スプラトゥーン3に登場。三方向に発射できる弓で、縦にも横にも撃てる。LACT-450（=武器名）のことを指す場合もある。 用例『使いこなせるようになると途轍（とてつ）もなく楽しい武器だよ、弓は』

養殖（ようしょく）

📖人工的に育てること。 意味 味方の力を借りて「ウデマエ（=ランクの一つ）」を上げること。他者に育てられることを皮肉った言い方。 用例『養殖Sランカーが足を引っ張る』

ライコン

意味 サブ（☞113ページ）「ラインマーカー」とメイン（☞128ページ）またはスペシャル（☞

オタク共通
二次元共通
日本の男性アイドル
K-POP
2.5次元
三次元共通
ゲーム共通
アークナイツ
スプラトゥーン
ファイアーエムブレム
プロセカ
ポケモン
原神
BL

117ページ）のコンボの略。ラインマーカーを当てた敵に対してすぐにメインまたはスペシャルを撃ってキル（＝敵を倒すこと）する技。後からラインマーカーを撃ってきて死因をラインマーカーにされるととても不愉快である。用例『ライコンうますぎて鳥肌立ったしむしろ鳥になりそう』

雷神（らいじん）ステップ

意味 真下塗りで地面を塗りながら「イカ状態」でジグザグに移動すること。敵のスナイパーなどに狙われにくくなり、敵のエイム（☞64ページ）をかく乱できる反面、使いどころをわきまえないと煽（あお）りプレイだと勘違いされかねない。用例『やられるとむかつくし、やってもうるさいけど、雷神ステップは上級者必須の技術』

ラクト談合（だんごう）

意味 試合前に協定を結ぶことによって、敵と味方がバトルを行わずに、「報酬」（＝ゲーム内のお金）を稼ぐこと。「塗りポイント」がそのまま「お金」に変わるナワバリ（☞122ページ）で行われ、交戦を避けながら互いのインクで床を塗りまくることでたくさん「お金」を稼げる仕組み。「塗り力」が高い武器LACT-450（＝ラクト）やワイドローラーで行われる。他のプレイヤーから非難される迷惑行為。用例『ラクト談合って実は「友達多いですアピール」に繋がってるのかな…？』

ラピ

意味 ラピットブラスターの略。ブラスターでありながら射程が長く、防衛に優れる。近接戦に弱い。用例『上坂すみれにはラピが似合う』

リスキル

意味 リスポーンキルの略。敵が復活してすぐに倒すことで、敵の復活地点に待ち伏せて次々に敵をなぎ倒していく。用例『リスキル決めても油断するな』

リスジャン

意味 リスポーンジャンプの略。リス地（☞131ページ）にスパジャン（☞116ページ）で戻ること。敵に囲まれたときや緊急離脱しなくてはならないときに使う技。そうすることでデス（＝倒されること）から復活にかかる時間を短縮することができたり、人数不利（☞123ページ）を回避したりすることができる。判断が遅いとスパジャンしようとしているときに殺されることがある。用例『リスジャンして逃げれば一旦勝ち』

リス地（ち）

意味 リスポーン地点。試合開始時に出現した場所。スタート地点。用例『リス地付近に隠れてキル稼ぐタイプのヤツ、敵味方どちらの立場にしても「やべぇ」』

リッカス

意味 武器「リッター4Kカスタム」の略。「リッター4K」のバージョン違いで、長距離射程のチャージャー（☞120ページ）。スプラトゥーン1、3でスペシャル（☞117ページ）にダイオウイカ（☞119ページ）とテイオウイカをつけられるようになったことで、猛威を振るっている。「リッカス」の「カス」は、あくまでもカスタムの「カス」である。用例『リッカスのビーコン壊しにくいのはなぜなのか』

ルール関与（かんよ）

意味「カウント」を止めること。また、それに関する行動。例えば、味方の人数不利（☞123ページ）状態のときにエリア（☞108ページ）の占有率を維持したり、ホコ（☞127ページ）を持つ敵を捨て身で倒したりすること。用例『ルール関与してれば勝てたはずなのに…やはり勝利のためにはルール関与が重要だな』

レレレ撃（う）ち

意味 射撃するときに相手の弾を避けるため、左右に移動しながら射撃すること。漫画『天才バカボン』に登場する「レレレのおじさん」の動きに似ていることから。用例『レレレ撃ちで敵をかく乱・駆逐する』

ローラー

📖 筒状の回転物を押し当てて動かし、面を平らにする道具。意味 外壁塗装などに使われるローラーを大きくしたような武器。カーボンローラーや、スプラローラーなどがある。地面を塗ることが得意で、転がしたまま移動すると敵を轢（ひ）き倒すことができる。重量級のものから、軽くて使いやすいものまで幅広い。用例『ローラーで敵を轢き倒すの、多分一生楽しい』

ロボボ

意味 敵を自動で追尾するサブ（☞113ページ）。ロボットボムの略。投げた範囲内の対象に近づくと停止し、爆発する。用例『ロボボなんて、可愛い名前のくせして、やることはちゃんとやる』

ロンタム

意味 ロングブラスターカスタムの略。長い射程と爆風が売りだが、射撃後の硬直が大きい武器。他の「カスタム」がつく武器は「〇

◯カス」と略されることが多いが、これはなぜか「◯◯タム」と略される。用例『彼が使うロンタムは何かがおかしい』

ロンブラ 意味 武器「ロングブラスター」の略。高火力なブラスターだが、とっさの足場確保が苦手。用例『せっかちな私にはロンブラは向かない』

ワイパー 📖窓ガラスにかかる雨滴や汚れを拭い取る装置。意味 遠心力でインクを飛ばす武器の総称。ドライブワイパーやジムワイパーなどのことを指す。刀を振るうようにしてインクを飛ばし、アニメのように斬撃で敵を倒せる。実装されたらウザすぎて、ある意味、期待通りの性能だった。用例『ワイパー系統は、至近距離で会敵すると諦めで心が埋まる』

wipeout!!!（ワイプアウト） 📖全滅。一掃した。意味 スプラトゥーン3での、敵味方のどちらか、あるいは両方が全員デス（＝敵に倒されること）したときの演出。効果音と共に文字が画面上に映し出される。用例『wipeout!!! 嬉しい!!』

ワイロ 📖特別の便宜を図ってもらうため、職権を利用して取引先などに不正に贈る金品。意味 スプラトゥーン3で登場する武器「ワイドローラー」の略。軽さと塗りの横幅の広さを両立させたローラー。サブスペや攻撃力が残念であることから、憐（あわ）れみや嘲笑の対象となりがち。用例『ワイロの熟練度マックスの人いてビックリしたんだよ』

わかば 📖新しく芽吹いた葉。意味 武器「わかばシューター」の略。ゲームを始めて一番最初にもらえる武器。誰もが必ず一定期間使うこととなる。用例『わかばは始めたてでも使える最強武器』

1（ワン） 📖一。意味 スプラトゥーンシリーズの初代。2015年5月に発売されたWii U用アクションシューティングゲーム。「初代」とも。用例『1からやってるから、分からないことあったらいつでも聞いて』

第10章

界隈用語 ファイアーエムブレム

開発をインテリジェントシステムズ、発売を任天堂が行うコンピュータゲームにおけるシリーズ作品。ジャンルはSRPG（＝シミュレーションロールプレイングゲーム）。シリーズ初作品は、1990年4月20日発売の『暗黒竜と光の剣』。

戦争を主題としたストーリー展開がなされ、「手強いシミュレーション」の謳（うた）い文句のとおり、マップ攻略時には多勢に無勢を強いられる場面が多く、失った仲間は二度と戻らない。

さあ、「あなた」の軍師としての腕前はいかほどか？

アーマー系(けい)

意味 兵種(☞172ページ)のアーマーナイトと、そのクラスチェンジ(☞144ページ)先の総称。防御に優れるが、足が遅く魔法(☞176ページ)に弱い。用例『アーマー系ユニットって、なかなか使いこなせないんだよな〜』

アーマー特効(とっこう)

意味「アーマーキラー」「レイピア」などのアーマー系(☞134ページ)に有効な武器(☞171ページ)で、対象に攻撃することで与えるダメージが大きくなる効果。用例『アーマー特効持ってるやつおるやん！ 終わった…（昇天）』

青(あお)ゴリラ

意味『風花雪月』のディミトリ(=キャラクターの一人)の愛称。闇ゴリラとも。キャラクター設定上、彼がその血に宿す「ブレーダッドの小紋章」のせいで人知を超えた怪力を使用する。ユニット(☞181ページ)設定上でも健在で、彼の力(☞158ページ)の成長率(☞155ページ)は同作品トップの60％を誇る。手槍を持たせて敵陣に放り込むだけでも強い彼に、専用武器「アラドヴァル」を持たせて戦技(☞155ページ)「無惨」を放ち、紋章の力と「必殺の一撃」が出れば、三桁ダメージを叩き出すことは必至。雑魚敵にはオーバーキルもいいところで、ラスボスも虫の息と、出演作品を間違えているレベルの火力が出る。用例『青ゴリラ強すぎ。もうお前だけでいい』

赤(あか)い竜騎士(りゅうきし)

意味 初代は『暗黒竜と光の剣』に登場したマケドニアの王女ミネルバ(=キャラクターの一人)であり、彼女のことを指して用いる場合が多い。髪色や鎧の色などが特徴の女性ドラゴンナイト。元々は敵国の幹部ポジションで、中盤以降に加入することが多い。用例『赤い竜騎士マジかっけ〜！』

赤(あか)ゴリラ

意味『風花雪月』のエーデルガルト(=キャラクターの一人)の愛称。彼女は力(☞158ページ)の成長率(☞155ページ)がディミトリ(☞青ゴリラ(☞134ページ))に次いで55％と、いくら前衛職(☞155ページ)とはいえ女性にあるまじき伸びしろを持つ。専用武器「アイムール」から放たれるぶっこわれ戦技(☞155ページ)「狂嵐」は、まさに戦場の嵐である。用例『赤ゴリラは正直、魔力の成長率いらんかったな〜』

赤緑の騎士(あかみどりのきし)

意味 お約束(☞141ページ)の一つで、初代はカイン(=赤の騎士)とアベル〔=緑の騎士〕。文字通り、赤い髪と鎧を持つ騎士と、緑の髪と鎧を持つ騎士のコンビのことである。彼らにはそれぞれ、「技の赤」「速さの緑」という特徴があり、伸びやすいステータスが異なる。大抵は、(1)序盤に同じタイミングで同じ兵種〔☞172ページ〕で加入、(2)正反対の性格、(3)主人公に仕える従者、といった特徴を持つ。『if』では騎士ではなく双子の忍(しのび)〔=兵種の一つ〕が登場した。「赤緑」とも。**用例**『これが今作の赤緑の騎士か〜』

アクアネキ

意味『if』のヒロイン・アクアの愛称。語源は「アクア」+「姉貴」。儚げな見た目からは想像もつかない脳筋発言と脳筋成長率、暗夜編でのズンドコ節など、何かと強そうな様子が話題となって姉貴と呼ばれるようになってしまった。☞脳筋軍師(のうきんぐんし)〔164ページ〕 **用例**『さすがアクアネキ……序盤松の木無双助かる』

アラン

📖人名。**意味** ①『暗黒竜と光の剣』『紋章の謎』とそのリメイク作品に登場するパラディン〔=兵種〔☞172ページ〕の一つ〕の男性。初期上級職〔☞154ページ〕であり、どの作品においても成長率〔☞155ページ〕はかなり低い。②『紋章の謎』第2部のイラナイツ〔☞136ページ〕を使用した攻略動画のコメント欄で、アランの合計成長率を1とし、彼と比べてどれだけ成長するかを表す単位として提案されたもの。アランの成長率はHP〔☞137ページ〕10%、力〔☞158ページ〕10%、技〔☞183ページ〕10%、速さ〔☞167ページ〕10%、幸運〔☞146ページ〕0%、武器〔☞171ページ〕10%、守備〔☞153ページ〕10%、魔防〔☞176ページ〕3%で合計成長率63%=1アランである。例えば、同作品同部に登場するナバールはHP90%、力50%、技40%、速さ50%、幸運60%、武器30%、守備20%、魔防3%で合計成長率343%=約5.4アランであることがわかる。**用例**『アランって単位考えた人天才やろ』

アンナ

📖人名。**意味**『ファイアーエムブレム』シリーズに登場するお馴染みの女性。赤い髪と瞳、服が特徴的で、ほぼすべてのシリーズに登場する。専用BGMも用意されており、かなり公式から優遇されている。彼女の役目は作品によって様々で、「中断」コマンド選択時の案内人だったり、「秘密の店」〔☞169ページ〕の店主であったり、最近では操作可能のユニット（☞181ジペー）として登場したりする。ちなみに、各作品に登場するアンナはすべて別人で、顔が似ている姉妹が異界のあちこちにいるようだ。用例『アンナさんって一体何人おるんや（困惑）』

逸楽（いつらく） 📖気ままに遊んで楽しむこと。意味①『風花雪月』に登場する死神騎士（＝キャラクターの一人）や、その正体の人物。作中での彼のセリフにたびたび登場する言葉であることから、いつしか代名詞のようになってしまった。彼にとっては強者と死合う（＝殺し合う）ことが楽しいようだ。②女性キャラクターの胸部。ほとんどの場合、この意味で使用する。発端となった作品『風花雪月』での逸楽トップは敵キャラクターのコルネリアらしい。用例『ベレス先生の逸楽デッッッッ!!!!』

移動（いどう） 📖動いたり動かしたりして他の場所に位置を変えること。意味ユニットの機動力。記されている数値の分だけマップ上のマスを進むことができる。用例『砂漠で魔道士系の移動力が落ちない原理、誰か解明してもろて』

ifパルレ（イフ） 意味『if』のマイルームで行えるふれあい。任天堂発売のRPG『ポケットモンスター X・Y』で行える「ポケパルレ」のように、キャラクターたちを撫でたりつついたりして触れ合えることから。用例『ifパルレでマニキのけだもの姿拝んでくるか……』

イラナイツ 意味加入時の能力が登場章の難易度に見合わないほど低い、成長率（☞155ジペー）が著しく低く育てても弱い、などの観点からプレイヤーが特に使用しないユニット（☞181ジペー）。特徴としては、(1)成長率が低い、(2)初期値が低い、(3)初期上級職（☞154ジペー）、(4)下位互換、(5)加入時期に恵まれない、(6)下級職で加入したのに期待値（☞142ジペー）が初期上級職よりも低い、などがある。語源は「いらない」＋「騎士たち（knights）」。用例『イラナイツ縛りでもするか〜』

イリアルート 意味『封印の剣』のルート分岐先の一つ。キャラクターのシャニーとティトの合計獲得経験値がスーとシンよりも多いと、17〜20章にてイリア地方に進軍する。サカルート（☞150ページ）よりもやや難易度が低く、ペガサス三姉妹（☞173ページ）の長女を仲間に加えることができる。トライアングルアタック（☞163ページ）がやりたい場合はコチラへ進もう。**用例**『イリアルートに行くと長女で人妻のペガサス系お姉さんが仲間になります。（真顔）』

イングリットの断末魔（だんまつま）

意味『風花雪月』に登場する主人公の教え子の一人・イングリット（CV.石見舞菜香）が二部で死亡したときに発する断末魔の叫び。あまりに真に迫っていたため「死にながら録音した」とまでいわれている。気になる方は実際のプレイでイングリットを撃破してみよう。**用例**『はあ…イングリットの断末魔しみる〜……』

失（うしな）った仲間（なかま）は二度（にど）と戻（もど）らない

意味 シリーズ最大の特徴にして、醍醐味にして、プレイヤーたちのトラウマ。同シリーズには「ロスト」（☞183ページ）というシステムが存在し、HP（☞137ページ）が0となった時点でキャラクターが死亡、二度と操作することは叶わない。愛着をもって手塩にかけて育てたユニット（☞181ページ）がロストしたときのショックはかなりのものである。**用例**『失った仲間は二度と戻らない。だからFEはイイんだよ……！』

歌姫（うたひめ）

📖女性歌手の美称。**意味**『if』に登場するヒロイン・アクアの専用兵種（☞172ページ）。従来の踊り子（☞140ページ）、バード（☞165ページ）などと同じく、「歌う」コマンドを使用することで隣接する味方一人を再行動できるようにする。**用例**『歌姫って、前衛職だったんだ…』

運動会（うんどうかい）

📖様々な運動競技を行う学校行事などの会。**意味**『風花雪月』一部EP.（＝エピソード）7で行われる三学級対抗戦「グロンダーズ鷲獅子（じゅうじし）戦」。勝った後は、教え子たちと共に祝勝会を開くシナリオが見られる。**用例**『グロンダーズ大運動会すこ』

HP（エイチピー）

意味 ユニット（☞181ページ）の体力。他のゲームとは異なり、0になるとロスト（☞183ページ）することもある。キャラクターや設定によっては、撤退することもある。**用例**『HPあと9しかないのに敵の攻撃範囲に…？ 終わったわ（）』

エーギル

① 📖 北欧神話に登場する海の神。 意味 『ファイアーエムブレム』シリーズにたびたび登場するエネルギーの名称。主に『烈火の剣』に登場する闇魔道士・ネルガル〈＝敵キャラクター〉が人工生命体「モルフ」を作るために集めていた生命エネルギーを指す。ニルス〈＝キャラクターの一人〉いわく「人間の心の強さとか生きる力そのもの」であり、尽きることで死に至る。 用例 『すばらしい【エーギル】だ』 ②『風花雪月』に登場する主人公の教え子の一人・フェルディナント＝フォン＝エーギル。選択時にクソデカボイスで名乗ってくれるため、彼の名前を一番最初に覚えたプレイヤーも多いだろう。 用例 『「我が名は！ フェルディナント＝フォン＝エーーーギル！！！！！」www お前のせいでほかのみんなの名前一個も覚えられんわwwwww』

エガちゃん

意味 『風花雪月』に登場するキャラクターの一人、エーデルガルト。決して某半裸黒タイツの芸人のことではない。作中での愛称は「エル」、カップリング表記では「エデ」。 用例 『エガちゃんかわいいな。一生、先生と蜜月すごそうな』

エビ

📖 甲殻類十脚目の節足動物。長い髭（ひげ）と曲がった腰が長寿の象徴。 意味 『if』に登場する白夜王国の第一王子・リョウマ。特徴的な赤い兜（かぶと）と甲冑（かっちゅう）の外観がエビに似ていることからついた愛称。「伊勢海老」「海老兄貴」とも呼ばれ、海外勢からも「ロブスターサムライ」と呼ばれている。〈ちなみに「リョウマエビ」というエビが実在する〉 用例 『エビニキ、25ターンまで待ってくれるとか優しすぎかよ!!』

FE（エフイー）

意味 ファイアーエムブレムの略。エムブレム警察〈☞139ページ〉に取り締まられたくない場合は、こちらの表記を用いるのが無難。 用例 『FEはいつやっても楽しいな〜』

エポニーヌ向け（むけ）

意味 『if』に登場するゼロの娘・エポニーヌがいわゆる腐女子〈☞265ページ〉であることから、「腐向け」をFE〈☞138ページ〉風に表現したもの。FE関連のBL作品、とりわけ『if』関連のものに使われる。 用例 『さてと、支部（＝ピクシブ）でエポニーヌ向け作品でも漁るとするか』

エムブレマー

意味 『ファイアーエムブレム』シリーズのプレイヤー。軍師とも呼ばれる。用例 『エムブレマーたるものルナクラは絶対やるよなぁ？』

M(エム)ブレマー

意味 自ら厳しい制限を課してプレイするドM(エム)なエムブレマー（☞139ページ）。高い難易度の設定に自ら厳しい条件を課すことで、難易度をさらに高めてプレイするため、プレイヤーは異常な執念と根性を持ち合わせた天才軍師であることが多い。用例 『リン編なしヘクハーはMブレマー過ぎる。無理やろ』

エムブレム警察(けいさつ)

意味 『ファイアーエムブレム』を「ファイヤーエムブレム」「ファイヤーエンブレム」「ファイアーエンブレム」と誤表記した人を取り締まるエムブレマー（☞139ページ）。彼らは「エムブレム警察だ！」という文言と共にどこからともなく登場する。普通に別物になってしまう上に、厄介エムブレマーに絡まれるので注意が必要。ただし、読む場合は「ファイヤーエンブレム」でいい。公式も彼らの存在は承知しており、ネタにしている。公同シリーズと同じく任天堂発売の『大乱闘スマッシュブラザーズ』の制作者である桜井政博氏からも、ベレト（ベレス）参戦時の映像にて「プロデューサーいわく、『ファイヤーエンブレム』って言ってもいいそうです、別に。だけど、書いていくときには『ファイアーエムブレム』と書かないとですね、エムブレム警察がやってきますからね」と発言している。用例 『ゲームショップで『ファイヤーエンブレム 花鳥風月』発見しました。エムブレム警察の皆さん、出撃しなくていいんですか？』

王国(おうこく)ルート

意味 『風花雪月』において、ディミトリ（＝キャラクターの一人）が級長を務める青獅子(ルーヴェンクラッセ)の学級の担任となる選択をすることで解放されるルート。「青ルート」とも。学級のイメージカラーや、一部の章タイトル「蒼月の章」に見られる〝青〟は従来自軍を意味する色であり、ストーリーとしては王道のFE（☞138ページ）らしい内容となっている。用例 『実際のところ、王国ルートが一番何もわからんけど、みんな幸せそうだからいっか！』

お助(たす)けパラディン

意味 お約束(☞141ページ)の一つであり、チュートリアル(=使い方説明)から必ず仲間になるお助け枠。「ジェイガン枠」とも。最初から「パラディン」という上級職(☞153ページ)に就いており、序盤こそは強いが成長率(☞155ページ)が低く、周りが育ってくると前線を譲る。後進の育成のためのユニット(☞181ページ)。特徴として、(1)主人公の従者あるいは師、(2)老人または病人、というものがあったが、『聖魔の光石』のゼト(=キャラクターの一人)以降、若くて成長率のいいユニットや、女性、「グレートナイト」という職に就いたユニットも登場している。『風花雪月』の主人公・ベレト(ベレス)は下級職(☞141ページ)の歩兵であるが、お助け枠に分類されている。若くて健全なため、当然成長率は高いので安心してほしい。用例『ゼトはお助けパラディンの中で1番強くてイケメンだ！ 異論は認めん！』

お茶会(ちゃかい)

📖❶紅茶などを飲みながら交流する会。❷茶事。意味『風花雪月』で行うことができるミニゲームの一つ。お茶に誘ったキャラクターに茶葉を選び、振られた話題に相槌(あいづち)を打つ、という内容。これらが上手くいくとＰＴＴ(☞166ページ)となる。会話終了後はキャラクターを至近距離で様々な角度から眺めたり、贈り物を贈って感謝してもらったりすることができる。用例『二部散策暇すぎてお食事会かお茶会するしかない』

踊(おど)り子(こ)

📖❶踊りを踊る少女。❷ダンサー。意味 兵種(☞172ページ)の一つ。一作品につき一人だけ仲間になるユニット(☞181ページ)。「踊る」コマンドを使用することで隣接する味方一人を再行動できるようにする。初登場した『紋章の謎』のフィーナ(=キャラクターの一人)以降、長らく女性のみの兵種だったが『風花雪月』にて男性も取得できるようになった。用例『風花無双の踊り子おじさまシュールすぎｗｗｗ』

おまかせ

📖相手の判断にすっかり委ねること。意味 コマンドを選択することで、自軍ユニットをコンピューターが自動で操作するシステム。なかなか脳筋で戦略性のない動きをするため、使わない方が無難だろう。用例『おまかせ機能は味方がDLCの経験値とか金策マップやるときしか使わんなぁ』

お約束（やくそく）

意味 シリーズ恒例、お馴染みのキャラクター属性やシステムなど。キャラクターとしてはお助けパラディン（☞140ページ）や赤緑の騎士（☞134ページ）、ペガサス三姉妹（☞173ページ）などが、システムとしては索敵マップ（☞150ページ）やトライアングルアタック（☞163ページ）などが挙げられる。しかし、近年の作品には登場しなくなってきている。悲しい。用例『トライアングルアタックのためだけにペガサス三姉妹の長女も育ててたの懐かしいな……もうそのお約束なくなっちゃったんだよな』

親世代（おやせだい）

意味 子世代（☞147ページ）がプレイ可能になる『聖戦の系譜』『覚醒』『if』において、親となるユニット（☞181ページ）たち。彼らの素質は子供たちのスキルなどに大きな影響を与えるため、組み合わせには要注意である。用例『親世代でも最強のドニキさん、さすがです！』

回避盾（かいひたて）

意味 速さ（☞167ページ）と幸運（☞146ページ）のステータスが高い（＝回避率（☞141ページ）が高い）ユニット（☞181ページ）を敵軍フェイズ（☞160ページ）時に壁（☞142ページ）役として運用すること。用例『回避盾といえばルトクラ支援付きクラリーネお嬢様やろ』

回避率（かいひりつ）

意味 被撃時にユニット（☞181ページ）が通常の攻撃を受けない確率。用例『敵ファルコンナイトの回避率高っか！』

下級職（かきゅうしょく）

意味 クラスチェンジ（☞144ページ）前の弱い兵種（☞172ページ）。Lv10まで育つとクラスチェンジが可能になるが、ほとんどの作品でのレベルの上限はLv20であり、残りLv10分の成長ができなくなるため上限まで育ててからクラスチェンジした方が良い。用例『下級職は絶対Lv20まで育てろ！　経験値がもったいない！』

カジュアル

📖格式ばらず、気軽なさま。意味『ファイアーエムブレム』シリーズにおけるモードの一つ。『新・紋章の謎』から実装され

オタク共通
三次元共通
日本の男性アイドル
K-POP
2.5次元
二次元共通
ゲーム共通
アークナイツ
スプラトゥーン
ファイアーエムブレム
プロセカ
ポケモン
原神
BL

た。ロスト（☞183ページ）した味方が次の章で復活するモード。初心者に優しく、上級者に易しい。用例『カジュアルはヌルゲー過ぎだけど、周回時短したいときは選択するよね』

固い、強い、遅い

意味『聖戦の系譜』に登場するアーマーナイト（＝兵種（☞172ページ）の一つ）のアーダン（＝キャラクターの一人）。同作品に登場する騎士・アレクからストーリー開始時に言われた言葉である。この言葉はアーダンのアーマーナイト（☞アーマー系（134ページ））としてのユニット（☞181ページ）性能を端的に言い表したものでもある。用例『固い、強い、遅い！ だからアーマーは使いこなせない！』

カップリング論争

意味 主にときめきエムブレム（☞161ページ）、その中でも、子世代（☞147ページ）がプレイ可能になる『聖戦の系譜』『覚醒』『if』において、どの親世代（☞141ページ）の組み合わせが一番子世代を強くできるか、というデータを基に行われる争い。成長率（☞155ページ）や習得できるスキルなど、子世代は親世代の影響を強く受けるため、強い子世代にするには効率的な親の組み合わせを考える必要がある。単に、どのカップリングが一番エモいか、という争いが行われている場合もある。用例『カップリング論争が終結する日は来るのだろうか……』

壁

📖 ❶家を囲ったり、部屋を隔てたりするもの。❷障害物。意味 ①敵軍フェイズ（☞160ページ）に攻撃を受けるユニット（☞181ページ）。守備（☞153ページ）と魔防（☞176ページ）か回避率が高く、攻撃されても生存できる確率の高いユニットが選ばれる。用例『壁役が虫の息で草。ま～たリセットかよー』②マップ上に存在する進入不可の〝しきり〟。屋内戦、屋外屋内混戦の時に確認できる。

期待値

意味 ユニット（☞181ページ）がレベルＭＡＸになったときに期待できる最終的なステータス。「初期値＋（個人成長率（☞155ページ）＋兵種（☞172ページ）成長率）×（最大レベル − 初期レベル）」で算出され、実際の数値が期待値を上回れば上振れ、下回ればヘタレた（☞173ページ）ということになる。用例『終盤に差し掛かってから、ディミトリの力が期待値よりも低いことに気づいてしまった…来世ではしっかり前衛職一本で育ててあげる…！』

北（きた）ルート

意味 『封印の剣』のルート分岐先の一つ。9章で右の村を訪れないと、10～11章で大陸の北側に進軍する。村ではキラーボウ〈☞キラー武器（144ページ）〉がもらえ、再行動ユニット〈☞149ページ〉としてララム、他にエキドナが仲間に加わる。☞西（にし）ルート（164ページ） 用例 『北ルートに来る一番のメリットはイケメン女勇者エキドナさんに会えることだから』

騎馬系（きばけい）

意味 馬に乗っている兵種〈☞172ページ〉の総称。機動力が高く扱いやすいが、砂漠マップでは機動力が落ちてしまう。 用例 『風花雪月の騎馬系は使いづらかったなぁ…』

騎馬特効（きばとっこう）

意味 「レイピア」「斬馬刀」「ホースキラー」などの騎馬系〈☞143ページ〉に有効な武器〈☞171ページ〉で対象を攻撃することで、与えるダメージが大きくなる効果。 用例 『いくらレイピアに騎馬特効あるからって、エイリークをソシアルとかアーマーにぶつけたら危ないからね!?!?』

救出（きゅうしゅつ）

📖 助け出すこと。 意味 『封印の剣』で実装され、『if』でスキルとして登場したのを最後に廃止されたコマンド。実行するユニット〈☞181ページ〉が対象ユニットよりも体格〈☞156ページ〉が優れる場合にのみ実行可能。騎馬系〈☞143ページ〉や飛行系〈☞168ページ〉は自身よりも体格が優れるユニットにも実行できる。移動〈☞136ページ〉が低いユニットを運んだり、負傷したユニットを保護したりできるが、対象ユニットを降ろすまでは実行ユニットの技〈☞183ページ〉と速さ〈☞167ページ〉が半減してしまう。 用例 『非戦闘員の友軍はさっさと救出しちゃいましょうね～』

教団（きょうだん）ルート

意味 『風花雪月』において、エーデルガルト〈＝キャラクターの一人〉が級長を務める黒鷲（アドラークラッセ）の学級の担任となる選択をすることで行けるルート。二部の章タイトルは「銀雪の章」。この選択をすることにより、主人公は何色にも染まらない〈＝誰の味方もしない〉ことになり、戦争を傍観して、血の同窓会〈☞158ページ〉にも参加せず、三つ巴の戦いの末に疲弊しきった帝国を討つ…というストーリ

オタク共通
三次元共通
日本の男性アイドル
K-POP
2.5次元
二次元共通
ゲーム共通
アークナイツ
スプラトゥーン
ファイアーエムブレム
プロセカ
ポケモン
原神
BL

ー展開となっている。用例『教団ルートが一番ツラ…無力な先生でごめんね……』

キラー武器（ぶき）

意味 武器「キルソード」「キラーランス」「キラーアクス」「キラーボウ」の総称。武器レベル（☞171ページ）Cから使用可能。耐久値（☞156ページ）こそ低いものの、必殺率（☞168ページ）がかなり高く、技（☞183ページ）の数値の高いユニット（☞181ページ）や、必殺補正付きの兵種（☞172ページ）に就いているユニットに持たせると必殺無双する。用例『キラー武器を敵が持ってくんのは犯罪だかんね!?!?』

銀武器（ぎんぶき）

意味 武器「銀の剣」「銀の槍」「銀の斧」「銀の弓」の総称。武器レベル（☞171ページ）Bから使用可能。鋼武器（☞167ページ）よりも高価で耐久値（☞156ページ）も少ないが、威力、命中、重さの点で優れている。用例『銀武器サイコー！』

吟味（ぎんみ）

📖物事をよく調べて確かめること。意味 納得のいくステータスになるまで、リセマラ（☞181ページ）すること。ほとんどの作品で、ユニットのレベルアップ回数は決まっており、期待通りの成長をしなかった場合は終盤の敵の強さに追いつけなくなってしまう。用例『何度も吟味してる人の根性すげぇ』

クラシック

📖❶クラシック音楽などの芸術作品。❷古典的。意味 シリーズにおけるモードの一つにして、シリーズおなじみの「失った仲間は二度と戻らない」（☞137ページ）モード。用例『FEと言えばクラシックモードと決まっておる！』

クラス

📖❶階層。等級。❷学級。意味 ☞兵種（へいしゅ）（172ページ）用例『一番好きなクラス？ファルコンナイトに決まってるやろ！』

クラスチェンジ

意味 ①下級職（☞141ページ）から上級職（☞153ページ）になること。用例『ロイのクラスチェンジはまだか!?（焦燥）』②ユニット（☞181ページ）のクラス（☞144ページ）を変更することで、使用武器や成長率（☞155ページ）などを変化させること。（①②ともに「兵種変更」「CC」ともいう。CCには必ず専用のアイテムが必要である）

グラディウス

📖古代ローマで使われた剣の一種。ローマ軍団や剣闘士が用いた。意味『暗黒竜と光の剣』にて登場した、アカネイア王家に伝わる三種の神器の一つ。岩をも貫くといわれる宝槍で、射程が1-2という驚異の武器。アカネイア王ハーディンの武器としてのイメージが強く残っている。メリクル（☞178ページ）、パルティア（☞168ページ）とともに、以降の作品でもたびたび登場している。**用例**『グラディウスと言えばハーディン、ハーディンと言えばグラディウス！』

クレーべ

意味 ①『外伝』とそのリメイク作品に登場するソシアルナイト（＝兵種（☞172ページ）の一つ）の男性。ソフィア解放軍（＝ゲーム内の組織名）のリーダー。クレアの兄であり、マチルダの恋人。②魔防（☞176ページ）の単位。クレーべが加入したときの彼の魔防初期値が1であることが由来。**用例**『恋人のマチルダは10クレーべもあるもんなぁ』

軍師（ぐんし）

📖 ❶主将のもとで策略を立てる人。❷策を上手く考えて指図する人。**意味** ①『烈火の剣』に登場するプレイヤーの分身・マーク。顔グラフィックや立ち絵（＝公式から発表されている立ったキャラクターの全身イラスト）などは用意されておらず、戦闘も行わないが、主人公たちのそばで軍師として陣頭指揮をしている。②『覚醒』に登場するマイユニット（☞マイユニ（174ページ））・ルフレ（＝キャラクターの一人）。ストーリー序盤で主人公・クロムに拾われ、彼率いる自警団に加入。彼が王位継承した後は正式に軍師として着任する。③プレイヤー自身。主にこちらの意味で使われる。プレイヤーは常に自軍（☞151ページ）ユニット（☞181ページ）を駒として戦場、ひいては国や世界を制圧するために一手、また一手と事を運ぶ。ユニットたちの命は常にプレイヤーに握られており、采配次第では不運な事故で死亡したり、捨て駒になったりすることもある。そんなユニットたち全員の後日談（☞147ページ）を見てこそ、真の名軍師といえるだろう。**用例**『頭よわよわ軍師すぎてもう1億回はリセットかけてる』

軍の中で一番（ぐんのなかでいちばん）

意味『覚醒』『if』に登場した、名簿の最後に書かれる自軍（☞151ページ）ユニット（☞181ページ）の特徴。訓練中によく物を壊したり、スタイルがよかったりする。**用例**『軍の中で一番、無駄な買い物が多い』

計略（けいりゃく）

📖 はかりごと。謀略。**意味**『風花雪月』のみで実装されたシステム。騎士団配備時に、「計略」コマンドを選択することで使用可能。騎士団ごとに設定された、通常戦闘とは異なる特別な攻撃を行うことができる。用例『級長が連れてくる騎士団の計略全部つよい(小並感)』

ゲームオーバー

📖❶試合終了。❷ゲームの攻略に失敗し、ゲームを続けられなくなること。意味 敗北条件(☞166ページ)を満たし、攻略に失敗すること。シリーズにおける敗北条件のほとんどは主人公(=自軍の大将)の死であり、それを満たすことによる敗北というのは、なかなか戦争の当事者として現実味のある条件である。用例『意味もわからず敵陣に突っ込んではゲームオーバーになっていた幼稚園時代が懐かしい』

けだもの

📖❶全身が被毛で覆われ、四足歩行する動物。けもの。❷人間のもつ情緒や理性、倫理観に欠けた人物。人でなし。意味 ①お約束(☞141ページ)の一つ。現実の世界では確実にセクハラに値するような言動に及ぶ、男性の賊徒や敵将などに対して、女性キャラクターが発することが多い。しかし、『聖魔の光石』の主人公の一人・エフラムに関してはただの風評被害であり、『風花雪月』の主人公の教え子の一人・シルヴァンに関しては噂に尾ひれがつき過ぎた結果である。特に下品で有名なのは、『聖魔の光石』エフラム編11章の敵将・ゲブだろうか。用例『ifパルレのマニキけだものすぎね?』②『風花雪月』蒼月の章にてディミトリ(=キャラクターの一人)が帝国軍を指したもの。「……奴らは、人の顔をした獣(けだもの)だ。」というセリフにて確認できる。ディミトリ率いる王国軍は帝国軍に一方的に侵略されただけであり、また、彼が幼いころから被ってきた不幸のほとんどに帝国が関与していることを察して、「帝国は平気で人を害する畜生である」と憎悪を込めて罵ったセリフである。

幸運(こううん)

📖運が良いこと。意味 ユニットの運の良さ。高いほど命中率(☞178ページ)や回避率(☞141ページ)、必殺回避率(☞168ページ)が上がる。用例『幸運低いやつを壁にして必殺食らってリセットしたアホ軍師?私ですね』

幸運0(こううんゼロ)

意味『聖魔の光石』に登場したグラド帝国の闇魔道士・ノールの愛称。加入時の幸運の初期値が0であることからつけられたあだ名。成長率（☞155ページ）も20％しかなく、不慮の事故で戦死してしまうことも。用例『幸運0さん、幸運以外の成長は悪くないのがねぇ』

攻速（こうそく）

意味 ユニット（☞181ページ）の攻撃の速さ。相手よりも数値が一定数勝るとき、追撃（☞159ページ）を行うことができる。主に「ユニットの速さ－武器の重さ」で計算される。ステータスに体格（☞156ページ）が設定されている場合は「ユニットの速さ－（武器の重さ－体格）」という計算になる。武器の重さと体格がシステムにない作品は速さ（☞167ページ）のみ参照される。用例『攻速落ちないし十分な火力出るから、ルーテにはファイヤーで十分です』

後日談（ごじつだん）

📖何かが起こった、その後のストーリー。後日譚（たん）。意味 ユニットたちの戦後の動向を描いた、ごく短いストーリー。終章クリア後のエンディングで見ることができる。支援状態によっては、誰かと結婚したり、友と晩年まで切磋琢磨の日々を送ったりしている（☞ペアエンド（172ページ））。戦死者の場合は、「○章にて戦死」という一文だけが表示される。用例『ゼトエイのペアエンド後日談マジ最高だから全人類見て？？？？』

子世代（こせだい）

意味 親世代が結婚するシステムが存在する『聖戦の系譜』『覚醒』『if』において、作中でプレイ可能になる彼ら・彼女らの子どもたち。基本的な数値は決められているものの、実際のユニット性能は、親世代の組み合わせに影響される。用例『子世代の子世代が見られる『if』は良ゲー』

子安枠（こやすわく）

意味 シリーズで声優の子安武人氏が担当するキャラクター。子安氏は筋金入りのエムブレマー（☞139ページ）であり、制作陣に直談判してOVA版『紋章の謎』のナバール役を獲得して以降、ほとんどの作品でナバールの声を担当している。その後は、『覚醒』のロンクーとファウダー、『if』のゼロ、『Echoes』のセーバー、『風花雪月』のセテス、『エンゲージ』のカゲツ、と多数の作品に出演している。また、2017年1月19日に行われた「ファイアーエムブレム Direct」ではナレーションを担当するも、あまりの熱狂っぷりに「子安ダイレクト」と称された。スマートフォン向けアプリの『ヒーローズ』では、『聖戦の系譜』のレヴィンと『烈火の剣』のパントの声も担当している。 用例『今作の子安枠誰？』

ゴリラ 📖霊長目ヒト科ゴリラ属に分類される動物。 意味 力（☞158ページ）、または魔力（☞177ページ）の成長率（☞155ページ）が著しく高い、パワー系のユニット。とりわけ、力の成長率が高いユニットを指す。☞青ゴリラ（134ページ）、赤ゴリラ（134ページ）、マジカルゴリラ（175ページ）、ゴリラグズ（148ページ） 用例『ゴリラ成長するやつ、大抵どっか致命的な弱点あるから（多分）』

ゴリラグズ 意味『暁の女神』のキャラクター、アイクの愛称。構成は「ゴリラ」＋「ラグズ（＝作中における獣人のような存在）」。『蒼炎の軌跡』から三年の月日が流れ、筋肉質だがまだ幼さの残る風貌だったアイクは、ラグズに間違われるほどビルドアップし、立ち絵（＝公式から発表されている立ったキャラクターの全身イラスト）もいかつく、精悍な顔つきに成長していた。起源は『暁の女神』第3部1章の敵将・ロミタナのセリフ「半獣が剣を振るうだと……？ 信じられん…… いったい、いつの間に……」だと思われる。ちなみに、アイクはれっきとしたベオク（人間）であり、先のセリフに対して「……好きなように思ってろ。」と返している。ちなみに、作中にはゴリラのラグズは一切出てこない。単に「ゴリラ」とも。 用例『アイクってなんでゴリラグズって言われてんの？』

壊れた武器 意味 所定の耐久値（☞156ページ）分使用され、破損した武器。威力や命中などの性能面が大幅に落ちる代わりに、耐久値が無限になる。 用例『なぁ、知ってるか？ 壊れた武器は壊れないんだぜ？』

コンウォル病 意味「HP（☞137ページ）」「力（☞158ページ）」「魔力（☞177ページ）」「技（☞183ページ）」「速さ（☞167ページ）」の攻撃面ばかり成長し、「幸運（☞146ページ）」「守備（☞153ページ）」「魔防（☞176ページ）」の防御面がほとんど育たないユニット（☞181ページ）。『烈火の剣』に登場したキャラクター、コンウォル家のレイヴァン、プリシラ兄妹とその仕え人であるルセアに共通する特徴的な成長の仕方が元ネタ。 用例『これはコンウォル病にかかったかもしれん……』

再行動ユニット（さいこうどうユニット）

意味 専用コマンドを使用することで隣接する味方一人を再行動（＝行動済みのユニットを行動可能な状況に戻すこと）させられるユニット（☞181ページ）。兵種（☞172ページ）としては、従来から存在する「踊り子」（☞140ページ）、『封印の剣』『烈火の剣』で登場する「バード」（☞165ページ）、『蒼炎の軌跡』で登場する「鳥翼族／鷺」、『暁の女神』で登場する「白鷺王子」「白鷺王女」、『if』で登場する「歌姫」（☞137ページ）が存在する。用例『再行動ユニットで1番好きなのはニニアン。全人類がそう思ってるはず』

財宝マップ（ざいほうマップ）

意味 お約束（☞141ページ）の一つ。超レアアイテムが複数個隠されており、隠されている範囲内に自軍（☞151ページ）ユニット（☞181ページ）が侵入することで発見できるマップ。しかし、盗賊系ユニット以外が侵入した場合は発見確率がランダムになるため、宝探しが難航しやすい。素直に盗賊を連れて行こう。用例『財宝マップじゃん！ 盗賊カモーン！』

サカの掟（サカのおきて）

意味 ①『封印の剣』サカルート（☞150ページ）18章のタイトル。②『封印の剣』『烈火の剣』で登場する、サカ地方に住む諸部族の間で伝わる思想や文化。①のマップ攻略中に家屋を訪問することで、サカの民たちからその内容を聞くことができる。いわく「陣の中に敵がいるかぎり 全部族で攻撃をつづける それがサカのおきて」「城を囲むように おのおの部族が 陣をはり 侵入者を迎えうつ それがサカのおきて」「侵略者には すべての部族が 団結して立ち向かう それがサカのおきて」「毎日かかさず 大地と星々に いのりをささげる それがサカのおきて」とのこと。サカ地方に踏み入った主人公・ロイたちは、この掟に従ったジュテ族とベルン軍に袋叩きにされることになる。③エムブレマー（☞139ページ）たちが使う定型句。「それがサカのおきて」という語感のシュールさに魅入られたプレイヤーたちが、こぞって使用した時期があった。発言や文章の後につけ加えることで「じゃあしょうがない」感が出る都合のいい言葉である。用例『欲しいキャラは課金してでも手に入れる それがサカの掟』

サカルート

意味『封印の剣』のルート分岐先の一つ。キャラクター、スーとシンの合計獲得経験値がシャニーとティトよりも多いと、17〜20章にてサカ地方に進軍する。イリアルート(☞136ページ)と比べてやや難易度が高く、ユニット(☞181ページ)が育っていないと遊牧騎兵(=兵種(☞172ページ)の一つ)たちにハチの巣にされる。それがサカの掟(☞149ページ)。

用例『サカルートで酷い目に遭った……』

索敵AI(さくてきエーアイ)

意味 自軍(☞151ページ)ユニット(☞181ページ)が入ると攻撃を開始する敵の行動パターン、思考回路(=AI)。釣り出し(☞159ページ)の対象。

用例『索敵AIさん、ルナティックで賢くなるのやめてもろて』

索敵マップ(さくてきマップ)

意味 お約束(☞141ページ)の一つ。霧や暗闇などのマップギミックにより自軍(☞151ページ)ユニット(☞181ページ)から一定範囲内の視界しか確保できず、地形や敵の配置、増援(☞156ページ)の出現位置などの確認が困難なマップ。盗賊系ユニットは他のユニットより広く視野を確保できるほか、アイテムの「たいまつ」や杖の「トーチ」を使用すれば視認範囲の拡張が可能だ。ちなみに『烈火の剣』ヘクトル編ハード(☞ヘクハー(173ページ))23章では砂漠マップと索敵マップが組み合わさっている。普通に厄介。

用例『やっべ、索敵マップなのにコーマ連れてくんの忘れたわ！』

GBA三部作(ジービーエーさんぶさく)

意味 ゲームボーイアドバンス(=GBA)向けに発売された『封印の剣』『烈火の剣』『聖魔の光石』の三作品。

用例『GBA三部作はどれも難易度やさしくて、ストーリーもグラもいいから初心者にオヌヌメよ』

ジェイガン

📖人名。意味 ①アリティア王国の王子マルス(=キャラクターの一人)の右腕であるパラディン(=兵種(☞172ページ)の一つ)・ジェイガン(=キャラクターの一人)。初期上級職で老人。「レベルを上げても強くならない」人の代表例である。②①と同じ特徴を持つユニット(☞181ページ)。「ジェイガン枠」とも呼ばれる。☞お助(たす)けパラディン(140ページ)

用例『ギュンターまでジェイガンすぎる！』

支援S(しえんエス)

意味 ①『覚醒』以降から登場した支援レベル(☞151ページ)。ここまで到達したキャラクター同士は結婚し、作品によっては子どもが生まれ、ユニット（☞181ページ）として操作可能になる。用例『クロムの支援Sの相手はオリヴィエにしよ～っと！』 ②ゲーム上、またはファンによる二次創作作品上でキャラクター同士が結婚すること。用例『なんでベレトとディミトリには支援Sがないんですか!? クロードも支援Sないのなんで!?!? ユーリスは支援Sしてくれるのに!!!!! ベレスはエーデルガルトと支援Sできるのに!!!!!』

支援会話（しえんかいわ）

意味 支援値（☞151ページ）が一定以上高まることで発生する、ユニット（☞181ページ）同士の会話。シリーズの名物。ストーリー上で見られるものとは別の、日常的な様子を見ることができる。キャラクターたちのことを深く知るにはうってつけのシステムである。用例『支援会話おもろすぎやろ』

支援効果（しえんこうか）

意味 ユニット（☞181ページ）同士の支援値（☞151ページ）が高まることで、戦闘中に得られる相互バフ（☞73ページ）。回避率（☞141ページ）や必殺率（☞168ページ）など、戦闘結果を左右する数値に補正がかかる。支援会話（☞151ページ）を閲覧するたびに支援レベル（☞151ページ）が上昇し、効果が高まる。用例『支援効果受けたターナ様はメチャ強なんだからね？』

支援値（しえんち）

意味 支援レベル（☞151ページ）を上げるための経験値のようなもの。ユニット（☞181ページ）同士を隣接させた状態（=支援効果（☞151ページ）が発動する状態）で戦闘を行ったり、主人公限定で贈り物をするなどの特別な行動を行ったりすることで上げることができる。用例『支援値を簡単に確認する方法ないかな……？』

支援レベル（しえんレベル）

意味 支援値（☞151ページ）が一定程度高まると上昇する、ユニット（☞181ページ）同士の支援段階。無し→C→B→A（→S）の段階に分けられ、高いほど受けられる支援効果（☞151ページ）が高い。用例『ディミトリとの支援レベルこれ以上上がらんってマジ？ 妄想で補完するしか！』

自軍（じぐん）

📖自分が所属する軍団。意味 自軍フェイズ（☞152ページ）にてプレイヤーが操作するユニット（☞181ページ）が属する軍。アイコンカラーは青色。

青軍とも。用例『毎回思うけど、自軍の出撃数少なすぎね？』

自軍（じぐん）フェイズ

意味 戦闘中、プレイヤーが自軍（☞151ページ）ユニット（☞181ページ）を動かすことができる局面。自軍全員の行動が終了すると、敵軍フェイズ（☞160ページ）に移行する。作中では「Player Phase」と表記される。用例『自軍フェイズでやること、それは……周辺の敵の殲滅（せんめつ）と釣り出しの準備！ そして、闘技場!!!』

漆黒（しっこく）ハウス

意味『蒼炎の軌跡』11章で起きた〝事件〟。マップをある程度進めると、漆黒の騎士という敵がマップ中央にある普通の民家（＝ハウス）から普通に出てきて、次々と味方をワンパン（＝ワンパンチで倒す）していく。味方は死ぬ。また、この事件の犯人である漆黒の騎士は絶対に倒せないように設定されている。まさに初見殺しなのだが、あまりのシュールさにファンからも公式からもネタにされている。用例『これが噂の漆黒ハウスか…』

シナリオ100（ひゃく）点（てん）、道徳（どうとく）0（れい）点（てん）

意味『風花雪月』のシナリオ展開の素晴らしさを称賛する表現。同作品は二部構成となっている。一部（＝士官学校編）は主人公が士官学校の教員として教え子たちと交流する温かいストーリーである。それに対して、二部（＝戦争編）は軍の指揮官として、かつての自身の教え子たちとともに激化した戦争に参戦するストーリーである。ほのぼのとした一部から戦争の生々しさを物語る二部、という展開である。さらに、戦争の相手は、自身が担任を務めなかった学級の教え子たちである。主人公らの往く先々で敵将として立ち塞がるが、彼らとの戦いを避けることはできない（☞勝利条件：すべての敵将撃破（153ページ））。また、一部の最中に気に入った他学級の教え子を「スカウト」し、自学級に移籍させることもできるが、その場合、彼らは二部で自国や肉親、友を裏切ってまで主人公側に付くというトンデモ展開が待っている。プレイヤーの良心をことごとく抉（えぐ）り、絶望のドン底に突き落とす容赦ない地獄の展開は非常にＦＥ（☞138ページ）らしく、軍記物としては完璧な仕上がりであったことから、「シナリオ100点」。その上で、シナリオライターに人の心があるかを疑うレベルで、戦争の残酷さがはっきりと描かれていることから「道徳0点」と称えられている。【用例】『全ルートクリアした感想はずばり「シナリオ100点、道徳0点」です。なんぞこのストーリー。人の心とかないんか？ ちょっともう一回赤ルート行ってディミトリと戦ってくるわ()』

射程（しゃてい） 📖弾丸や砲弾、ミサイルなどの飛び道具が届く最大距離。【意味】武器によって攻撃できる距離。1マスなら隣接マス、2マスなら隣接マスを飛ばして2マス目、1-2マスなら周囲2マスまでが攻撃範囲になる。【用例】『テュルソス装備のグレモリィリシテアちゃん射程長すぎて草。成長率的にも、リシテアが装備する想定だろ。ローレンツくん…』

出撃準備（しゅつげきじゅんび） 【意味】マップ攻略を始める前に、出撃ユニット（☞181ページ）を選んだり装備を整えたりすること。【用例】『出撃準備済ませたら1回ちゃんとセーブしようね』

守備（しゅび） 📖敵の攻撃を防ぐこと。【意味】ユニット（☞181ページ）の守備力。高いほど敵から受ける武器のダメージが減る。【用例】『守備低くても回避高ければOK！』

使用回数（しようかいすう） 【意味】武器（☞171ページ）や杖、その他アイテムが使える回数。カウントが0になると、なくなるか、壊れた武器（☞148ページ）になる。☞耐久値（たいきゅうち）（156ページ）【用例】『やべっ、キルソードの使用回数があと1回しかない!! 必殺出せヨシュア!!!』

上級職（じょうきゅうしょく） 【意味】クラスチェンジ（☞144ページ）後の強い兵種（☞172ページ）。クラスチェンジ前よりステータスの上限が上がり、使用できる武器が増えるなどの利点がある。この状態で加入したユニットのことを初期上級職（☞154ページ）と呼ぶが、大半は下級職の途中でクラスチェンジしている計算になるステータスであることが多く、弱い。【用例】『封印の剣で最強の上級職はソドマスだ』

勝利条件：すべての敵将撃破（しょうりじょうけん：すべてのてきしょうげきは） 【意味】『風花雪月』の二部でプレイヤーたちが突きつけられた地獄。敵将として立ちふさがる、かつての教え子全員を葬れ、という勝利条件（☞69ページ）である。まさに道徳0点。【用例】『勝利条件：すべての敵

オタク共通
三次元共通
日本の男性アイドル
K-POP
2.5次元
二次元共通
ゲーム共通
アークナイツ
スプラトゥーン
ファイアーエムブレム
プロセカ
ポケモン
原神
BL

将撃破…？ なにそれ…見逃しとか説得とかできないの…？ 全員殺さないといけないんでしゅか…???じゃあ、フェリクスにシルヴァンくん当てて戦闘前会話回収するか～』

初期上級職（しょきじょうきゅうしょく） 【意味】自軍（☞151ページ）加入時点で上級職（☞153ページ）に就いているユニット（☞181ページ）。レベルを上げても強くならないことが多い。その代わりに初期ステータスが高く設定されており、加入マップ限定のお助け枠になったり、以降も即戦力として一軍入りしたりする場合もある。【用例】『パントさん、初期上級職のくせに強すぎだな～。山賊が襲われてるやん……』

地雷（じらい） 📖地中に設置し、敵がその上を通過すると爆発する兵器。【意味】敵の攻撃範囲内の有利な位置で敵の攻撃を誘い、反撃で倒していく戦法。また、それを行うユニット（☞181ページ）。生存力の高いユニットや、自己回復スキルを持つユニットなどが地雷役として最適。【用例】『やっぱ、釣り出しからの地雷戦法が一番強いよね～』

スズカゼダイブ 【意味】『if』白夜王国編15章で唐突に起きた悲劇。ストーリー序盤で主人公の実質的な従者となった忍（しのび）（＝兵種（☞172ページ）の一つ）のスズカゼが、15章クリア後に主人公をかばって崖の底に転落してしまうという展開。いわゆる強制ロスト（☞183ページ）であり、カジュアル（☞141ページ）モードでも回避できない。15章までに彼との支援レベル（☞151ページ）をA以上にすることで回避できる。【用例】『スズカゼダイブやったわ…忘れてた～。今生の旦那にしようと思ってたのに』

素振り（すぶり） 📖木刀やバットなどを振って練習すること。【意味】『風花雪月』におけるユニット（☞181ページ）の育成方法。兵種（☞172ページ）、技能レベルを上げるために行う。やり方は、上げたい技能に対応した「壊れた武器」（☞171ページ）を装備して出撃し、地形効果（☞158ページ）のあるマスで戦闘を続けるだけ。壊れた武器は命中率（☞178ページ）が低いため、敵を倒すことなく半永久的に武器を振るうことができる。一方、重さがあるためユニットの攻速（☞147ページ）や回避率（☞141ページ）も下がってしまう点には注意が必要である。用例『素振りだるいけど、全味方の全技能全兵種マスターのためには仕方ないよね！』

成長率（せいちょうりつ）　📖ある値について、過去と比べてどれだけ伸びたかを示した指標。意味①ユニット〈☞181ページ〉ごとに割り当てられた、ステータスの育ちやすさを示した数値。若いほど高く、年寄りほど低い場合が9割なので、キャラクターの顔グラフィックはよく見ること。用例『ギュンターの成長率低すぎん？　いくらジェイガン枠とはいえ0ピンにも程がある』　②兵種〈☞172ページ〉ごとに割り当てられた、ステータスの育ちやすさを補整する数値。

前衛職（ぜんえいしょく）　意味 敵軍〈☞160ページ〉ユニット〈☞181ページ〉と隣接して戦う役割の兵種〈☞172ページ〉。また、それに就いたユニット。用例『前衛職ばっか育てたからアーマーにダメ通らん…』

戦技（せんぎ）　意味『Echoes』から登場した戦闘コマンド。戦闘前に選択することで、通常攻撃とは異なる技を繰り出すことができる。用例『戦技全然使わんな』

センシガルシアノムスコロス　意味『聖魔の光石』に登場する駆け出し戦士・ロスの愛称。ルーテ〈＝キャラクターの一人〉との支援会話〈☞151ページ〉にて「戦士ガルシアの息子ロス」と名乗ったことで、その全文が名前だと勘違いされたことから。用例『センシガルシアノムスコロスw　なんでそうなるんだよルーテさんw』

先生（せんせい）　📖❶学問などを教える人。❷教師・医師・弁護士など、指導的立場にある人の敬称。意味『風花雪月』の主人公・ベレト（ベレス）。傭兵上がりの士官学校の教師であり、作中では生徒たちから親しみを込めてそのように呼ばれている。用例『みんな先生が導いてあげるからね……！』

戦闘前会話（せんとうまえかいわ）　意味 シリーズのお約束〈☞141ページ〉。敵将と関係があるユニット〈☞181ページ〉を戦わせるときに発生する会話。その内容は憎悪を含んでいたり、敵対してしまったことを悔やんでいたりと様々。用例『ヨシュアとケセルダの戦闘前会話好き』

全(ぜん)ピン

意味 レベルアップ時にすべてのステータスが上昇すること。各項目の数値が高まったことを示す「ピン」という音が小気味よく鳴り続け、吟味(☞144ページ)しているプレイヤーにとっては舞い上がるほどうれしい。 用例『え、死んだ？ さっき全ピンしたのに…？ 本気で言ってる？』

増援(ぞうえん)

📖人員を増やして援助すること。 意味 初期配置されておらず、ターン経過や一定範囲に侵入など、特定の条件を満たすことで新たに現れる敵軍(☞160ページ)ユニット(☞181ページ)。章によっては無限に湧くこともある。複数体がまとめて出現するため、序盤だろうが終盤だろうが厄介であることに変わりはない。 用例『増援多すぎる！ 出てきてすぐに動くなって…ああああああ！！！！！！』

ソロエンド

意味 ユニット(☞181ページ)が単独でエンディングを迎え、後日談が語られること。ときめきエムブレム(☞161ページ)では「独身エンド」とも呼ばれる。 用例『アルフレッドのソロエンド、胸がキュってなるわ』

ターン

📖❶方向転換。❷順番。 意味 自軍フェイズ(☞152ページ)→敵軍フェイズ(赤→黄)(☞160ページ)→友軍フェイズ(☞180ページ)の流れで構成される一連の局面。すべてのフェイズが終了すると、次のターンに移行する。 用例『はっ、素振りしていたらいつの間にかターンカンストしかけてた……！』

体格(たいかく)

📖身長や骨格などから見た、体の外見。 意味『トラキア776』から実装された、ユニット(☞181ページ)の体つき。救出(☞143ページ)や攻速(☞147ページ)などに影響し、高いほど重たい武器を持ったときに攻速に影響が出なくなる。作品によっては出てこないステータスだが、出てきたときは無視できない数値である。 用例『体格3は小柄すぎだな。ファイヤーしか装備できんやん』

耐久値(たいきゅうち)

意味 武器(☞171ページ)や杖、その他アイテムが使える回数。カウントが0になると、なくなるか、壊れた武器(☞148ページ)になる。☞使用回数(しようかいすう)(153ページ) 用例『武器とか魔法が無限でも杖だけは耐久値設けられてるのか。無限に回復できたらいくらでも戦えちゃうもんね』

第三軍（だいさんぐん）

意味 敵軍フェイズ（黄）（☞160ページ）にて行動してくるユニット（☞181ページ）が属する軍。自軍（☞151ページ）とも敵軍（☞160ページ）とも敵対する。コンピューターによる自動操作（＝ＡＩ）によって動く。アイコンカラーは黄色。「黄軍」とも。用例『第三軍が加わってくると混戦になるんだよな〜』

多（た）クミ

意味『if』暗夜王国編におけるラスボス、本作の真の黒幕の眷属（けんぞく）となってしまったタクミ（＝キャラクターの一人）。彼が所持する魔弓スカディ（＝武器の一つ）の効果により自身の写し身（＝分身）を出現させており、それと防陣を組んでいる。つまりタクミが二人いる状態であり、それを上手く表現したものである。ちなみに、暗夜王国編終章はタクミ港（☞157ページ）、タクミ城（☞157ページ）につづいてタクミが敵将を務めるマップであるため当然最高クラスの難易度である。用例『ルナの多クミ厄介すぎ』

タクミ港（こう）

意味『if』暗夜王国編10章。暗夜王国に攻め込んできた、敵国である白夜王国の王子タクミから港町を防衛するマップ。「タクミは将棋が得意」という設定ゆえか敵の攻め手が容赦なく、作中でも難関のマップとして名高い。用例『タクミ港絶対序盤の難易度じゃないよ？』

タクミ城（じょう）

意味『if』暗夜王国編23章。敵国である白夜王国の王子タクミが防衛するスサノオ長城を攻略するマップ。タクミ港（☞157ページ）とは打って変わって今度はこちらが攻め入る側だが、やたらと攻撃的な敵が要所に配置されており、難攻不落の要塞と化している。用例『圧倒的布陣の上手さが際立つタクミ城ヤバ』

助（たす）けてエイリーク！

意味 弓兵が敵兵に囲まれ、一切の行動が取れなくなった状況。『聖魔の光石』にてヒーニアス（＝弓兵の男性キャラクター）がエイリーク（＝剣士系の女性キャラクター）に対して言っていないセリフで、同作品のエイリーク編10章にて、エイリークとヒーニアスの支援会話Ｃに着想を得たエムブレマー（☞139ページ）たちがネタ的に用いるようになった言い回し。支援会話Ｃの内容の概略は、ヒーニアス「君の身を守ることにした」、エイリーク「王子は弓使いですから、私の後ろを進まれた方が…」、ヒーニアス「……」と

オタク共通
三次元共通
日本の男性アイドル
K-POP
2.5次元
二次元共通
ゲーム共通
アークナイツ
スプラトゥーン
ファイアーエムブレム
プロセカ
ポケモン
原神
BL

いうもの。用例『あ、やっべ！　ヴィオールが「助けてエイリーク！」してるわ！　躱(かわ)せええええ！！！！』

ダンブルドア

📖J・K・ローリングの小説『ハリー・ポッター』シリーズに登場する人物の一人、アルバス・ダンブルドア。意味『烈火の剣』に登場する大賢者・アトスの愛称。白髪に長いひげ、長い青色のローブ、存命の魔道士で最強と、『ハリー・ポッター』シリーズに登場するダンブルドア校長に特徴がよく似ていることから。1000年前に人竜戦役で竜と戦った八神将の一人でありながら、終章でとんでもなく高いステータスで自軍に加入する。用例『ダンブルドアがチートみたいに強いわ』

チェーンソー

📖小さな刃の付いた部分が回転する電動式のこぎり。意味『if』透魔王国編における主人公の専用武器である夜刀神・終夜の愛称。両刃の刀身がギザギザに尖り、赤く輝くのだが、その外観がチェーンソーによく似ていることから。用例『なんで両刃の刀がこんなチェーンソーみたいになっちゃったんだ…』

力(ちから)

📖ものを移動するなどの変化を生じさせる作用。意味ユニット（☞181ページ）の力の強さ。高いほど武器（☞171ページ）によるダメージが大きくなる。用例『前衛職で力低いのなかなか致命的だな』

地形効果(ちけいこうか)

意味森や砦、玉座や回復床などの、平地とは異なる地形に配置することで得られる効果。回避率（☞141ページ）が上がったり毎ターン開始時にHP（☞137ページ）が回復したりする。飛行ユニットはこの効果を受けない。敵の弓兵を砦や回復床に誘い込み、「助けてエイリーク！」（☞157ページ）状態にさせてチクチク経験値を稼ぐ方法はあまりにも有名。用例『地形効果は大事じゃよ。ばっちゃがそう言ってた』

血の同窓会(ちのどうそうかい)

意味『風花雪月』蒼月の章・翠風の章で行われる三つ巴の乱戦「グロンダーズの会戦」。主人公が勤める士官学校を舞台に一部で行われた運動会（☞137ページ）と同じ場所、ほぼ同じ布陣で、勇ましくも悲壮感が漂うコーラスが加わったアレンジBGMのもとで行われる。用例『大運動会したのと同じ場所、同じ布陣でやるのが血の同窓会とか…開発陣は人の心ないんか？』

散り際の台詞（ちぎわのせりふ）

意味 自軍（☞151ページ）ユニット（☞181ページ）、敵軍（☞160ページ）の顔グラフィック付きユニットが撃破されたときに残す最期の一言。家族や恋人、祖国への思いを語るものや、敵への恨み、諦めなど、その内容はキャラクターによって様々。しかし、一番心にクるのは、「まだ生きていたかった（＝まだ死にたくない）」という内容ではないだろうか。なお、ロスト（☞183ページ）の概念が存在しないカジュアルモードでは、「これ以上戦ったら死ぬから撤退する」という趣旨のセリフを聞くことができる。用例『散り際の台詞見るの実は結構好きなんだよね』

追撃（ついげき）

📖 逃げる敵に追い打ちをかけること。意味 一回の戦闘で二回攻撃すること。シリーズの戦闘は仕掛けた側→仕掛けられた側順に攻撃を行うが、相手よりも攻速の数値が一定数高いと二回目の攻撃を追加で行うことができる。仕掛けるにしても仕掛けられるにしても、敵軍（☞160ページ）との速さ（☞167ページ）の差を見ておくのは必須である。用例『追撃取れない相手とは戦いたくないね〜』

杖職（つえしょく）

意味 戦う力を持たず、聖杖の力によって味方の回復を行う下級兵種（☞172ページ）の総称。また、それに就いたユニット（☞181ページ）。砂漠でも機動力が落ちない。クラスチェンジ（☞144ページ）後は攻撃魔法（☞176ページ）も扱うことができるようになる。用例『杖職はとりあえず杖振っときゃレベル上がる』

釣り出し（つりだし）

意味 敵が攻撃できるギリギリの範囲に入り、敵軍フェイズ（☞160ページ）でその敵を自軍側に引き寄せて、次の自軍フェイズ（☞152ページ）で袋叩きにする戦法。シリーズにおける最もオーソドックスな戦法だが、難易度が高くなるとAI（＝敵の行動パターン・思考回路）が賢くなり、この手が通用しなくなることも。用例『釣り出し戦法できるあたりハードは簡単』

帝国ルート（ていこくルート）

意味『風花雪月』において、キャラクターのエーデルガルトが級長を務める黒鷲（アドラークラッセ）の学級の担任となる選択をし、エーデルガルトの味方に付く選択をすることで行けるルート。学級のイメージカラーや、二部の章タイトル「紅

オタク共通
三次元共通
日本の男性アイドル
K-POP
2.5次元
二次元共通
ゲーム共通
アークナイツ
スプラトゥーン
ファイアーエムブレム
プロセカ
ポケモン
原神
BL

花の章」に見られる〝赤〟は従来より敵軍を意味する色であり、ストーリーとしては侵略者として戦争を起こす側の内容となっている。「赤ルート」とも。**用例**『帝国ルートの結末エグくて私には向かんな…』

敵軍（てきぐん） 📖自軍に対抗する、相手の軍。**意味** 敵軍フェイズ(赤)〔☞160ページ〕にて行動してくるユニット〔☞181ページ〕が属する軍。コンピューターによる自動操作〔＝ＡＩ〕で動く。アイコンカラーは赤色。赤軍とも。**用例**『敵軍はあんなに多いのに、なんで自軍は10人ちょっとしか出陣できないの？』

敵軍フェイズ（てきぐんフェイズ） **意味** 戦闘中、敵軍〔☞160ページ〕や第三軍〔☞157ページ〕が動いてくる局面。全員の行動が終了すると、次のフェイズに移行する。黄軍がいる場合は赤軍→黄軍の順で行動する。作中では「Enemy Phase」と表記される。**用例**『ルナの敵軍フェイズはいつもヒヤヒヤしながら見守ってる』

手強いシミュレーション（てごわいシミュレーション） **意味**『ファイアーエムブレム』のゲーム性を端的に言い表した惹句（じゃっく）。『暗黒竜と光の剣』発売時のCMで歌われた歌詞の出だし「♪ファイアーエムブレム 手強いシミュレーション」が起源。**用例**『手強いシミュレーション過ぎて人を選ぶゲーム性ではある。それは認める』

鉄武器（てつぶき） **意味** 武器「鉄の剣」「鉄の槍」「鉄の斧」「鉄の弓」の総称。武器レベル〔☞171ページ〕Eから使用可能。威力は低いが、安価で軽く、命中面も安定している。**用例**『鉄武器は安くて軽くて命中も高い。正義』

デブ剣（デブけん） **意味**『烈火の剣』に登場した神将器の一つ「〝烈火の剣〟デュランダル」の蔑称。主人公の一人であるエリウッドの専用武器だが、装備者の体格〔☞156ページ〕に対してかなりの重量があり、装備すればたちまち攻速〔☞147ページ〕が下がって雑魚敵にすら追撃〔☞159ページ〕を取れなくなる。正直いらない。**用例**『病弱貴公子にデブ剣は合わないんスよ。ボディリングでマッスル増強しないと』

天刻の拍動（てんごくのはくどう） **意味**『風花雪月』の主人公ベレト(ベレス)が使用できる女神の力。ギミックの一つであり、一回のマップ攻略につき一定の回数、時を巻き戻して一手単位で動作をやり直すことができる。「てんこく」ではなく「てんごく」という読みである点に注意。用例『ルナクラでもやらん限り、天刻の拍動使う機会ないんだよな』

てんてー

意味『風花雪月』の主人公ベレト（ベレス）の愛称。彼（彼女）の専用武器となる英雄の遺産「天帝の剣」と、彼（彼女）の「先生」という役職および呼び名を掛け合わせたもの。用例『てんてー強いな』

闘技場（とうぎじょう）

📖各種運動競技が行われる場所。アリーナ。意味 掛け金を支払い、ユニット（☞181ページ）を参加させることで、勝ったときに軍資金と経験値を同時に効率よく稼ぐことができる魅惑のシステム。受付で案内をしてくれる元締めの言葉通り「死なない程度に頑張る」必要がある。敵との相性や必殺率、命中率などギャンブル要素が強く、途中までせっかくうまくいっていても突然の必殺の一撃で負けてリセットを余儀なくされることも。不利な対面はBボタン連打で避けよう。用例『あとバアトルだけだったのに死んだ……もう闘技場もやらないしFEもやらん……（7日後に再開するバカ軍師）』

同盟（どうめい）ルート

意味『風花雪月』において、キャラクターのクロードが級長を務める金鹿の学級（ヒルシュクラッセ）の担任となる選択をすることで行けるルート。学級のイメージカラーである黄は同作品から登場した〝第三勢力〟としての意味を持ち、さらに、同盟ルート二部の章タイトル「翠風の章」に見られる〝緑〟は友軍（☞180ページ）を表す色である。このことから、同盟ルートではプレイヤーが第三者として、王国や帝国とは異なる視点から戦争に参加する斬新なストーリーとなっている。「黄ルート」とも。用例『同盟ルートが一番、味方ユニットの精神状態が平和やな』

ときめきエムブレム

意味『覚醒』以降に実装された支援S（☞150ページ）システムの愛称。あるいは、それらのシステムを搭載した作品の俗称。支援S時に挿入される一枚絵が誰がどこからどう見てもギャルゲーにしか見えないなどの理由から、有名な恋愛シミュレーションゲーム『ときめきメモリアル』になぞらえてつけられた。「手強い恋愛シミュレーション」とも。用例『ときめきエムブレムって最初に言い出した人に座布団1万枚あげたい』

突撃AI（とつげきエーアイ）

意味 登場した瞬間から自軍側に突っ込んできては攻撃を仕掛けてくる敵の行動パターンや思考回路（＝AI）。やっつけ負け（☞179ページ）の主な原因。用例『敵の突撃AIは賢いのに、味方の突撃AIはアホなんだよなぁ』

特効（とっこう）

📖特に顕著な効果。意味 特定の武器（☞171ページ）で特定の兵種（☞172ページ）に攻撃することで、与えるダメージが必ず大きくなる効果。用例『飛行特効受けるからミルラは下げておくか』

特効武器（とっこうぶき）

意味 武器「レイピア」「ドラゴンキラー」「アーマーキラー」「ホースキラー」「ハンマー」、弓（すべて飛行特効）など。特効（☞162ページ）対象に対して通常の三倍のダメージを与えることができる。用例『特効武器は一本は持たせておきたいところ』

突然の○○、どうかお許しいただきたい（とつぜんの○○、どうかおゆるしいただきたい）

意味 ○○の中にお許しいただきたいものの名称を入れて用いる構文。元ネタは『ヒーローズ』におけるラインハルト（CV.利根健太朗）訪問時の「突然の訪問、どうかお許しいただきたい。」というセリフ。同作品内での彼のユニット（☞181ページ）性能や使用武器ダイムサンダがあまりにも強過ぎることから、「突然のダイムサンダ、どうかお許しいただきたい。」というネタが誕生した。ちなみに、このセリフは担当声優の利根氏が公式の場で何度も喋らされている。用例『敵「突然の必殺、どうかお許しいただきたい」ワイ「わああああああああああああ！！！！！！！」（電源ボタンに指をかけながら）』

ドニキ

意味 『覚醒』に登場する村人・ドニの愛称。「ドニ」＋「兄貴」。加入時は鍋を被ったひょろひょろの村人だった彼が、スキル「良成長」のおかげでみるみるうちにムキムキステータスに成長し、地雷（☞154ページ）戦法で敵をばったばったとなぎ倒すほど強くなることから。用例『勇者ドニキの太陽地雷永遠に使える』

トライアングルアタック

意味 お約束（☞141ページ）の一つ。ペガサス三姉妹（☞173ページ）など、特定の三人組で敵を三角形状に囲んで攻撃することで発動できる技。用例『最近の作品は三姉妹のトライアングルアタックがなくて寂しいな』

仲間（なかま）になりそうでならない

意味 お約束（☞141ページ）の一つ。作中での言動から主人公側に付くかと思いきや、祖国への忠誠心を捨てきれずに最期の時まで敵として立ちふさがったり、合流前に始末されたりする顔グラフィック付きの敵将のこと。該当する主なキャラクターは『暗黒竜と光の剣』のカミユ、『聖戦の系譜』のイシュタル、『聖魔の光石』のセライナなど。用例『仲間になりそうでならないキャラと戦うのが一番心苦しいわ』

なしルナ

意味 引き継ぎなしルナティックの愛称。『風花雪月』における楽しみ方の一つで、データを引き継ぐことなく、ルナティック（☞182ページ）をプレイすること。同作品は周回（☞69ページ）プレイを前提に難易度が設定されており、ルナティックはノーマル（☞164ページ）かハード（☞165ページ）で物語を一度クリアしないと解禁されない。クリア後はクリアデータを引き継ぎ、「強くてニューゲーム」状態で再び物語を遊ぶのが定石であるため、データを引き継がずにクリアしなければならないルナティックは、戦いを進めることがかなり難しい。しかし、引き継ぎなしでルナティックを見事クリアすると、タイトル画面が変化する。用例『なしルナRTAとかやろうかな…』

なんでそんなことするんですか？

意味 相手の言動に対して疑問を投げかける言葉。発端となったのは、ゲーム系ウェブメディア『Game*Spark』の企画記事「『ファイアーエムブレム 風花雪月』現役ベテラン教師に訊きました！ あなたが一番担任したい学級は？」（2019年9月3日配信）でインタビューを受けた、小学校教師歴33年目（当時）のベテラン「正島幸子先生（仮名）」の発言である。企画タイトル通りのインタビューが行われた後、記事の締めくくりで、正島先生は「でも、やはり3クラスとも級長になるような子はみんな優秀ですよね。この3人が手を取り合って協力するならこれ以上良いことは無いと思います。やっぱりゲームではそういう展開になるんでしょうか?」と質問する。それに対して記者は「なりません。後々この3人で戦争をして殺し合うことになります。」と返答。正島先生はひどく困惑しつつ、最後に「なんでそんなことするんですか?」と疑問を投げかけた。『風花雪月』の詳細なストーリーを知らない正島先生にとって、同作の展開は理解不能だったようだ。……だが、同作品を遊んだプレイヤーたちも、プレイ中やクリア後に全く同じ感想を抱くことになるのだった。用例『なんでそんなことするんですか?（初見第二部の感想）』

西(にし)ルート

意味『封印の剣』のルート分岐先の一つ。9章で右の村を訪れると、10～11章で大陸の西側に進軍する。村ではレスト（＝状態異常を回復する杖）がもらえ、再行動ユニット（☞149ページ）としてキャラクターのエルフィン、他にバアトルが仲間に加わる。☞北(きた)ルート（143ページ） 用例『西ルート進んでバアトルとフィルの親子会話見るわ』

脳筋軍師(のうきんぐんし)

意味「歌姫」（☞137ページ）というサポート特化の専用兵種（☞172ページ）に加え、儚げな見た目に反して力（☞158ページ）の成長率（☞155ページ）が驚異の50%と、リョウマニキ（☞182ページ）も驚きの数値を持つ。また、白夜王国編8章で主人公・カムイに主戦力として数えられていたり、暗夜王国編17章では白夜王国の忍(しのび)（＝兵種の一種）軍団を単独で相手したり、透魔王国編6章では話を聞かない白夜・暗夜両国の王族の注意を引くために両軍の隊長に攻撃を仕掛けようと提案して、勝利条件（☞69ページ）に設定してきたりと大暴れである。お前のような歌姫がいるか。用例『アクアネキ脳筋軍師過ぎて毎回、「本当に?」って聞きたくなる』

ノーマル

📖標準的。正常。意味シリーズにおける難易度の一つ。一番オーソドックスで簡単な難易度。用例『初見ノーマル・カジュアルは初心者でもない限りチキン軍師ですわ』

のび太（た）

📖藤子・F・不二雄の漫画作品『ドラえもん』に登場する人物、野比のび太。 意味『風花雪月』に登場する教え子の一人・イグナーツを指す表現の一つ。丸メガネをかけている点や、狙撃手としての腕前が、野比のび太（☞📖）と共通していることから。 用例『のび太はルナティックでその強さが輝くから…』

ハード

📖❶かたいさま。❷厳しいさま。❸ハードウェアの略。 意味 シリーズにおける難易度の一つ。ノーマル（☞164ページ）よりも敵のステータスが上昇し、手強くなった難易度。 用例『ハード選んだはいいけど、初見で暗夜ハドクラはむずいな？』

バード

📖鳥。 意味『封印の剣』『烈火の剣』にのみ登場する兵種（☞172ページ）。対象ユニット（☞181ページ）はエルフィンとニルス。どちらも男性ユニットであり、再行動ユニット（☞149ページ）としては初の男性であった。同作品で登場する踊り子（☞140ページ）とどちらかを操作可能。踊り子、歌姫（☞137ページ）等に同じく、「奏でる」コマンドを使用することで隣接する味方一人を再行動できるようにする。 用例『踊り子もいいけどバードもかっこいいやん』

ハードブースト

意味『封印の剣』と『烈火の剣』に登場した、敵から味方に寝返ったユニット。ハード（☞165ページ）モードプレイ時にかかるステータス補正。強い。一軍（☞63ページ）入り待ったなし。 用例『ハードブースト最高！』

バーハラの悲劇（ひげき）

意味『聖戦の系譜』で突如として起きた悲劇。同作品の主人公・シグルドは王子殺しの汚名を着せられながらも、身の潔白を証明するために様々な厳しい戦いを乗り越えてきた。道中では親友のエルトシャンが斬首されたり、妻のディアドラが行方不明になったり、父バイロン卿が謀殺されたり、もう一人の親友キュアンとその妻となった妹のエスリンが戦死したりと不幸続きだった。そして、父の敵を討ち、グランベルの首都バーハラに辿り着くと、ヴェルトマー家のアルヴィス卿に歓迎される。無実を証明したシグルド一行が凱旋するさなか、友軍（緑）（☞180ページ）だったグランベル兵が敵軍（赤）（☞160ページ）に変化し、「反逆者の処刑」と称してシグルド軍を攻撃し始める。そして、ア

オタク共通
三次元共通
日本の男性アイドル
K-POP
2.5次元
二次元共通
ゲーム共通
アークナイツ
スプラトゥーン
ファイアーエムブレム
プロセカ
ポケモン
原神
BL

ルヴィスがシグルドの前にディアドラを〝自身の妻〟として連れてくる。その後、画面は炎魔法メティオによって赤く染まり、シグルドほか操作ユニット（☞181ページ）の大半が戦死・行方不明となってしまう。そこで同作品のストーリー前半が終了し、後半はシグルドとディアドラの息子・セリスが主人公を務めることになる。強制バットエンド＋寝取られ展開にトラウマを覚えたプレイヤーは多いだろう。**用例**『バーハラの悲劇とかいう全人類のトラウマよ…』

ＰＴＴ（パーフェクトティータイム）

意味『風花雪月』で行うことができるミニゲーム「お茶会」（☞140ページ）を成功させると表示される「Perfect Tea Time」を略したもの。「茶葉選び」「選択1」「選択2」「選択3」「最後の質問」の5回のうち4回以上正しい選択をすると辿り着ける。誘った相手のことをよく知らないとなかなか成功しないため、いかに普段から生徒たちのことを観察し、人柄を把握しているかが試される。晴れて成功させると、誘った相手を舐め回すように観察したり、贈り物を贈ったりできる。さらに、主人公とお茶に誘った人物の魅力（☞178ページ）が上昇する。「ピィティティ」とも発音する。**用例**『ディミトリと一生ＰＴＴして一生顔面穴開くくらい舐め回すように眺めてぇ～……』

ＰＰＴ（パーフェクトピクニックタイム）

意味『無双 風花雪月』で行うことができるミニゲーム「遠乗り」を成功させると表示される「Perfect Picnic Time」を略したもの。やり方はＰＴＴ（☞166ページ）とほとんど同じ。「ピィピィティ」とも発音する。**用例**『シェズがＰＰＴしてる間ベレトスがＰＴＴしてて、お互い見つめ合ってる謎のホンワカ空間完成させるところまで脳内補完余裕です』

ハイエナ

📖ハイエナ科の肉食動物。**意味** 味方が討ち漏らした敵を別の味方で倒し、経験値を得ること。**用例**『おっ！ いい感じに削れてるからニノたそでハイエナしたろ～』

敗北条件（はいぼくじょうけん）

意味 ゲームオーバーとなる条件。満たしてしまうと、マップを最初から攻略することになる。主に、主人公の死亡〈カジュアル（☞141ページ）の場合は敗走〉のみが条件となるが、章によっては友軍（☞180ページ）の死亡が含まれることもある。用例『敗北条件なんてルナ+でもなきゃめったに満たさんやろ！（闘技場しながら）』

バカ兄貴（あにき）

意味 妹を心配したり探していたりしているにもかかわらず、敵軍として登場し、（突撃AI（☞162ページ）のせいで）妹にも容赦なく攻撃を仕掛けてくる兄貴たち。ファミコン時代から、特定の敵が特定の味方には攻撃しないAIが搭載されていたのだが、この兄貴たちには搭載されていなかった。用例『バカ兄貴がバカすぎてキレた妹がシバいちまったよ！ リセット案件じゃねーか!!!』

ハガちゃん

意味『風花雪月』蒼月の章のラスボス・覇骸（はがい）エーデルガルトの愛称。主人公ら王国軍との戦いで劣勢となり、帝都アンヴァルの宮城まで侵略されるも、それを覆し勝利を収めるためにエーデルガルトが取った最後のあがき。その姿はもはや人間ではなく、敵ユニット（☞181ページ）としても魔獣扱いとなっている。彼女の攻撃は実質マップギミック（＝マップ上の仕掛け）であり、敵軍フェイズ（☞160ページ）に二回、異なる味方を玉座から狙撃してくる。なしルナ（☞163ページ）の彼女の強さは異常。用例『なしルナのハガちゃんしんど……』

鋼武器（はがねぶき）

意味 武器「鋼の剣」「鋼の槍」「鋼の斧」「鋼の弓」の総称。武器レベルDから使用可能。鉄武器（☞160ページ）よりも高価な分、威力に優れるものの、命中率が低く重い。用例『鋼武器なんて誰が使うねん』

速さ（はや）

意味 📖動きが速いこと。また、その度合。ユニットの速さ。高いほど追撃が取りやすくなり、回避率が上がる。用例『ルナクラの敵アサシンの速さおかしくない？』

バランス型（がた）

意味 全てのステータスがまんべんなく伸びる成長率（☞155ページ）の型。主人公に多い。このタイプのユニット（☞181ページ）はヘタレ（☞173ページ）やすく、可もなく不可もないステータスに成長する。とがった成長率のユニットと比べて目立った強さがない。しかし、期待値（☞142ページ）通りに成長すれば強くなる。確率との戦いだ。用例『バランス型成長する主人公が強くなるかどうかはマジで運による』

オタク共通
三次元共通
日本の男性アイドル
K-POP
2.5次元
二次元共通
ゲーム共通
アークナイツ
スプラトゥーン
ファイアーエムブレム
プロセカ
ポケモン
原神
BL

パルティア 📖古代イランの遊牧国家。アルケサス朝とも。〔紀元前247年～紀元後226年〕 意味『暗黒竜と光の剣』にて登場した、アカネイア王家に伝わる三種の武器の一つ。「炎の弓」の異名を持つ黄金の弓矢。アカネイア王国の弓騎士・ジョルジュの武器としてのイメージが強く根付いている。メリクル（☞178ページ）、グラディウス（☞144ページ）とともに、以降の作品でも度々登場している。 用例『ジョルジュよりパルティアのほうが強い（）』

美形剣士（びけいけんし） 意味 お約束（☞141ページ）の一つで、無駄にイケメンな流浪の剣士。だいたいがペアエンド（☞172ページ）のある女性ユニット（☞181ページ）と一緒に登場する。初期装備がキルソード（＝必殺率が高い剣）であることから「キルソ剣士」とも。初代が『暗黒竜と光の剣』に登場したナバール（CV.子安武人）であることから「ナバール枠」とも。 用例『美形剣士はやっぱルトガーやろ！ 異論は認める！ いややっぱ認めん！』

飛行系（ひこうけい） 意味 空を飛ぶ生き物に乗った兵種（☞172ページ）の総称。本人が飛んでいる場合もある。地形効果（☞158ページ）を受けないため、壁（☞142ページ）さえなければどこでも行ける圧倒的な機動力を持つが、弱点が多い。 用例『飛行系ユニットだいたい好きになるイメージ』

飛行特効（ひこうとっこう） 意味 弓全般、風魔法などの飛行系（☞168ページ）に有効な武器で対象に攻撃することで、与えるダメージが大きくなる効果。 用例『飛行特効＝弓だけど、作品によっては風魔法もだから注意ね』

必殺回避率（ひっさつかいひりつ） 意味 被撃時にユニットが必殺の一撃を受けない確率。略称は「必回」。 用例『幸運低い。それはつまり必殺回避率が低いということ…』

必殺率（ひっさつりつ） 意味 攻撃時にユニットが必殺の一撃を出せる確率。発生すれば必中（☞73ページ）で通常の三倍のダメージを与えることができる。味方の必殺の一撃は出ればラッキー程度であり、敵の必殺の一撃は1％でもあれば避けるべきである。 用例『よっしゃ！ 夢の必殺率100％シャーロッテちゃん、いったれー！』

秘密（ひみつ）の店（みせ）

意味 アンナ（☞135ページ）が経営するお店。道中で訪れることができる武器屋や道具屋には売っていない武器やクラスチェンジ（☞144ページ）アイテム、ドーピング（☞71ページ）アイテムなどが販売されている。用例『秘密の店の場所暗記してるのあるあるだよなぁ!?!?』

ピン

意味 キャラクターがレベルアップしたときに上昇した能力の数を表す単位。もとはレベルアップやクラスチェンジ（☞144ページ）時に「ピンピン」と小気味のいい音で鳴るステータスアップの効果音を指す。用例『2ピン!? しかも力も速さも上がらないのはダメすぎる……リセットォウ！』

ピンピンオウヨ！

意味 『if』に登場する侍のキャラクター、ヒナタの愛称。（まだ若いのに）成長率（☞155ページ）が芳しくなく、レベルアップ時によく2ピン（☞169ページ）をしては「おうよ！」と喋（しゃべ）ることから。用例『まーたヒナタがピンピンオウヨ！してる…お前やっぱ二軍落ちだよ』

ファイアーエムブレム

意味 ①☞第10章扉（133ページ）用例『ファイアーエムブレムを初めてやるならシンプルに最新作やるのがおすすめだよ』②各作品におけるキーアイテム的なもの。作品ごとに姿が異なる。シリーズ初作品『暗黒竜と光の剣』では盾だったが、17作目の『風花雪月』では「炎の紋章」という女神の力の象徴である。

ファイアーエムブレムのテーマ

意味 シリーズのタイトル画面のほとんどで流れるテーマ曲。作曲は元インテリジェントシステムズの辻横由佳氏。曲だけ聞けば剣と魔法、竜が登場する壮大な世界観を表現している。なんと、TVCMではオペラ歌手たちが甲冑（かっちゅう）を身にまといながら、全エムブレマー（☞139ページ）が共感する「FEあるある」を歌い上げるコミカルな仕上がりになっている。シリーズ最終作になるかもしれなかった『覚醒』では、終章マップのBGM『「I」～為』の後半部分に組み込まれて登場した。CMも『「I」～為』も非常に良い曲なので、ぜひ聞いてみてほしい。用例『ファイアーエムブレムのテーマって、無駄に壮大でかっこいいんだよね』

オタク共通
三次元共通
日本の男性アイドル
K-POP
2.5次元
二次元共通
ゲーム共通
アークナイツ
スプラトゥーン
ファイアーエムブレム
プロセカ
ポケモン
原神
BL

ファルシオン

📖ノルマン人が使ったとされる、幅広で重量のある刀剣。

意味 『暗黒竜と光の剣』から登場した、シリーズおなじみの剣。神竜王ナーガの牙から作られ、アカネイア大陸、バレンシア大陸作品にて主人公専用装備として登場する。いつか自我を失い、暴走してしまう竜族に対抗できるようにと、ナーガが人間に授けたもの。竜族に対して絶大な力を発揮し、その刀身は決してこぼれることはない。使用者はマルス、アルム、クロム、ルキナの四名だが、武器としてはアカネイアとバレンシアに一振りずつしか存在しない。マルスが使用していたものはクロム↓ルキナへと受け継がれており、『覚醒』にて、「刃の部分は変わらず、装飾だけが変えられてきた」と語られている。アルムが所持していたものは『覚醒』では登場しておらず、行方不明。**用例** 『ファルシオンでトドメ刺すより、ルフレでトドメ刺す派』

封鎖戦法（ふうさせんぽう）

意味 ①一～二マス程度の狭い通路を強い味方で塞ぐことで、弱い味方や回復役を敵の攻撃範囲外に出して、庇（かば）いながら敵の猛攻を耐えしのぐこと。勝利条件（☞69ページ）が規定ターンを耐えるマップで採用されることが多い。倒しきれなかった敵に弱いユニット（☞181ページ）でとどめを刺したり、回復役のレベルを上げる良い機会になる。**用例** 『封鎖戦法はターン数めっちゃかかるから、戦績評価ある作品ならやらないほうがいいよ』②敵の増援（☞156ページ）が出てくる砦の上に待機して、増援を防ぐこと。

フェー

意味 ①スマートフォン向けアプリ『ファイアーエムブレム ヒーローズ』に登場するフクロウのマスコットキャラクター。②同アプリにおける課金額の単位。1フェー＝8,800円。**用例** 『世の中には8フェーとか余裕で入れる人いるからなぁ…』

フェニックス

📖エジプトの霊鳥。不死の象徴。不死鳥。

意味 シリーズにおけるモードの一つ。『if』のみ実装された。ロスト（☞183ページ）した味方が次のターンで復活するモード。ノーマル（☞164ページ）選択時にしか選べない。**用例** 『フェニックスモードは流石にヌルいとかの次元じゃなかった。絶対やらんよ』

武器（ぶき）📖 剣や槍など、戦いに使う道具。意味 ユニット（☞181ページ）が使用する武器。剣、槍、斧、弓、魔道書（魔法）、竜石、獣石などがある。用例『武器壊れる前に武器屋行かなきゃ……！』

武器破壊（ぶきはかい）意味 敵の武器使用回数が0になること。主にシューター（＝マップ上に存在する遠距離攻撃用の兵器）や遠距離魔法持ちを相手に取る作戦だが、妨害杖（主にバサーク）だけは受けたくないところである。用例『武器破壊作戦気が遠くなるからあんまやらんけどね』

武器外し（ぶきはずし）意味 やっつけ負け（☞179ページ）しないために釣り出し（☞159ページ）役や封鎖戦法（☞170ページ）の壁（☞142ページ）役となるユニット（☞181ページ）の武器（☞171ページ）を外し、丸腰で戦場に待機させること。必殺の一撃でも来ない限りは生存できる。用例『武器外しゼトでヨシュアの攻撃範囲に入るの絶対みんなやってるから』

武器レベル（ぶきれべる）意味 対応する武器（☞171ページ）を扱う上手さを示したステータス。高いほど対応武器の扱いが上手く、より上質な武器を扱えるようになる。基本はEからAまで存在し、さらに極めるとSになる。〔Sについては作品によって多少扱いが異なる〕用例『武器レベルCからキラー武器使えるの、結構すごいことでは？』

不動AI（ふどうエーアイ）意味 初期配置場所から動かない敵の行動パターン・思考回路（＝AI）。一定の条件を満たすと動いてくる場合もある。主にマップボスに設定されている。用例『不動AIだと思って攻撃しかけたら次の敵軍フェイズで動いてきて草』

ブレーダッド置くだけ（ぶれーだっどおくだけ）意味『風花雪月』王国ルートにおいて、ディミトリ＝アレクサンドル＝ブレーダッド（＝キャラクターの一人）に手槍（DLC（＝ダウンロードコンテンツ）購入済の場合は始原の宝杯）を持たせて敵陣へ切り込み、すべて返り討ちにするという脳筋戦法。元ネタは小林製薬株式会社のトイレ用芳香洗浄剤ブランド「ブルーレット」のCM文言「ブルーレットおくだけ」（登録商標）。彼は「HP（☞137ページ）」「力（☞158ページ）」「技（☞183ページ）」「速さ（☞167ページ）」「魅力

オタク共通
三次元共通
日本の男性アイドル
K-POP
2.5次元
二次元共通
ゲーム共通
アークナイツ
スプラトゥーン
ファイアーエムブレム
プロセカ
ポケモン
原神
BL

（☞178ページ）の成長率（☞155ページ）が軒並み高く、「守備（☞153ページ）」も悪くない成長をする。また、二部では個人スキルでHP（☞137ページ）満タン時に回避率が+20されるため、敵の攻撃をかわしつつ、ちぎっては投げちぎっては投げの所業で敵軍フェイズ（☞160ページ）をやり過ごすことができる。しかし、「幸運（☞146ページ）」「魔防（☞176ページ）」の成長率は低いため突然の必殺の一撃や魔法攻撃でやっつけ負け（☞179ページ）する可能性はある。**用例**『ブレーダッド置くだけで敵さんないなった』

フレデ肉（にく）

意味『覚醒』に登場するお助けパラディン（☞140ページ）・フレデリクの愛称。ルフレ（＝主人公のデフォルトネーム・マイユニ（☞174ページ））との支援会話（☞151ページ）中に彼（彼女）に失言したことで、仕返しとして大の苦手な熊肉を食べさせられ、普段の生真面目な騎士らしさを失い、無様にも大声で衛生兵を呼ぶ姿をネタにしたもの。ちなみに、このようなあだ名をつけたのはプレイヤーではなく、支援相手のルフレ本人である。**用例**『フレデ肉とかいう最高にひどいあだ名が作中キャラクターにつけられたの嘘すぎでしょ』

ペアエンド

意味 ユニットが二人でエンディングを迎え、後日談（☞147ページ）が語られること。ときめきエムブレム（☞161ページ）においては支援S（☞150ページ）が優先され、結婚エンドとも呼ばれる。また、支援Sを意図的に組めない場合は、終章クリア時点で最も支援値が高い二人組が選ばれる。**用例**『フェリクスとシルヴァンのペアエンドが果たして本当に友情エンドなのか、審議ですな』

兵種（へいしゅ）

📖任務の種別による兵士の区分。**意味** ユニット（☞181ページ）がついている職業。クラスとも。**用例**『OP放置した時の兵種紹介映像好き♡』

ペガサス系（けい）

意味 ペガサス（天馬）に乗った兵種（☞172ページ）の総称。『if』を除いて女性限定の兵種であり、速さ（☞167ページ）と魔防（☞176ページ）に優れる。ちなみに、「ペガサスナイト」は、『ファイアーエムブレム』シリーズを開発するゲームメーカー・インテリジェントシステムズに商標登録されている。勝手に一次創作で使わないようにしよう。**用例**『ペガサス系って、性能も見た目も美しくて好き。実在したら憧れるわ』

ペガサス三姉妹（さんしまい）

意味 お約束（☞141ページ）の一つで、初代は『暗黒竜と光の剣』に登場したマケドニア白騎士団に所属するパオラ・カチュア・エストの三姉妹。全員が天馬騎士（＝ペガサスナイト・ファルコンナイト）である。1体の敵を三角形に囲んだ状態で攻撃を仕掛けることで「トライアングルアタック」を放つことができる。用例『ペガサス三姉妹の末っ子強い』

ヘクハー

意味『烈火の剣』ヘクトル編ハードの略称。攻略が難しい。用例『ヘクハーやりすぎてエリウッド編が簡単に思えてきたわ』

ヘタレる

意味 成長が偏り、期待値よりも弱めのユニット（☞181ページ）ができ上がること。二軍落ち必至である。用例『うーわ、リリーナの速さヘタレたなぁ……』

ベレトス

意味『風花雪月』の男性主人公・ベレトと女性主人公・ベレスをまとめて呼んだもの。カップリング表記では「レト」「レス」の部分が使用される。（ちなみにプレイヤーの間では、彼らの名前の由来は魔術書『ゴエティア』に記される13番目の悪魔「ベレト」だと推測されている。彼らの母、シトリーは12番目の悪魔と同名）用例『ベレトスまでスマブラに参戦するとは…』

歩行系（ほこうけい）

意味 馬や天馬、飛竜などに乗っていないことから兵種（☞172ページ）特有の特効（☞162ページ）を受けず、白兵戦を行う兵種の総称。用例『歩行系のユニットは騎兵に置いて行かれがちだからな。特に聖戦』

ボスチク

意味 ボスを倒さない程度に攻撃し、弱いユニット（☞181ページ）に経験値を積ませる方法。『ファイアーエムブレム』シリーズのマップボスは回復床（＝HPが回復する場所）から動かないことがほとんどであり、このギミック（＝仕掛け）を活かして、すぐに倒さないようにチクチクと攻撃するのである。用例『ボスチクしてたら99ターン経ってたわw』

ボス前待機（まえたいき）

意味 自軍フェイズ（☞152ページ）でボスの前で万全の状態で待機し、敵軍フェイズ（☞160ページ）で攻撃してきたボスに反撃する形で攻撃すること。次の自軍フェイズで傷ついた味方を回復できるので安全にボスを狩ることができる。用例『ボス前待機は序盤の敵将攻略法として一番有効だからね』

ポッター

📖J・K・ローリングの小説『ハリー・ポッター』シリーズの主人公。

意味『風花雪月』に登場する教え子の一人・イグナーツの愛称。かけている丸メガネや学校という世界観が、『ハリー・ポッター』の主人公であるハリー・ポッターと共通することから。☞のび太(た)（165ページ） 用例『ポッターの過剰命中率はルナでこそ輝く。彼がいなければ、敵に回避されまくっていたことだろう…グリフィンドールに5億点!!!』

ボルトアクス将軍(しょうぐん)

意味①『蒼炎の軌跡』25章に登場する敵将・グローメル。ボルトアクスという魔法武器を装備して登場し、撃破するとドロップ（☞72ページ）する。しかし、彼が就いているドラゴンマスターという兵種（☞172ページ）は物理攻撃がメインの兵種であり、彼自身の魔力（☞177ページ）ステータスもボルトアクスを扱うには心許ない数値である。また、彼が所持するスキルとの相性が悪いことや、投石に巻き込まれて事故死する場合もある（その場合ドロップしない）などあまりにも悲惨な境遇から名づけられた蔑称である。②『覚醒』21章に登場する敵将・アルゴル。グローメル同様、バーサーカーという物理職に就いており、撃破後にボルトアクスをドロップする。しかし、グローメルとは異なり、彼の魔力ステータスは周囲にいる魔法職（☞176ページ）のユニット（☞181ページ）と遜色ない数値を誇っており、ボルトアクスを十分な威力で扱ってくる。グローメル再来かと思ったら、そんなことはなかった。用例『覚醒のボルトアクス将軍普通に強いわ』

マイユニ

意味 マイユニット（☞ユニット（181ページ））の略。『新・紋章の謎』のクリス、『覚醒』のルフレ、『if』のカムイの三名を指す。性別、見た目、ある程度の成長率（☞155ページ）などをプレイヤーがカスタムできる。用例『マイユニ最強はやはり女ルフレだな。単体でも強いのに、疾風迅雷の習得と子世代への継承ができるのは強い』

魔王（まおう）

📖 ❶仏教で、天魔〔=正しい教えを害して、よい性質を失わせる悪魔〕の王。❷魔界の王。

意味 ①魔力の成長率（☞155ページ）が著しく高いユニット（☞181ページ）。ゴリラ（☞148ページ）とも。**用例**『リリーナとかルーテとかリシテアは魔王成長するタイプの魔道士だから、速さヘタれなければめっちゃ強いよ』 ②『聖魔の光石』のラスボス・魔王フォデス。また、フォデスの兵種（☞172ページ）。シリーズの中でも弱い方に分類されており、その弱さは、「竜に変身する幼女のキャラに必殺ワンパン〔=ワンパンチ〕KOされる」程度である。弱い。**用例**『魔王フォデスさん絶対リオンの体から出てこないほうが強かったぞw』

マジカルゴリラ

意味『風花雪月』のキャラクター、リシテアの愛称。彼女は魔力（☞177ページ）の成長率（☞155ページ）が同作品トップの60%を誇り、技（☞183ページ）や速さ（☞167ページ）もアタッカーとして申し分ない成長をする。また、覚える魔法や彼女専用といっても差し支えない装備品「テユルソスの杖」の効果も強力である。「黄ゴリラ」とも。**用例**『リシテアちゃんマジマジカルゴリラだわ』

魔道軍将（まどうぐんしょう）

意味 ①『封印の剣』に登場したエトルリア王国の三軍将の一人・セシリア。主人公のロイやヒロインのリリーナに戦術を教えた師であり、チュートリアル〔=使い方説明〕の指南役を務めた女性。その立場からどんな強さで仲間入りを果たすのかワクワクするのも束の間、砂漠マップに機動力が落ちる騎馬系（☞143ページ）で加入、初期上級職（☞154ページ）でありながら初期値も成長率（☞155ページ）も低い。ハードでは15章の同兵種の雑魚敵に素の能力で劣るなど悲惨。あまりの弱さに「よ、よわすぎる……」と戦慄したプレイヤーも多いだろう。**用例**『20年前の魔道軍将が強すぎたのか、あなたが弱すぎるのか、どっちなんですかセシリアさん!?』 ②『烈火の剣』に登場したエトルリア王国の三軍将の一人・パント。セシリアの前任。加入マップはセシリアと同様に砂漠だが、彼女とは違って機動力が落ちない歩兵の魔法職（☞176ページ）で登場。友軍状態で敵陣に囲まれており、早く救出しなければと思うのも束の間、近寄ってくるドラゴンナイトをリンチし始めてしまう。早く回収しなければ貴重な経験値が猛烈な吸引力で吸い取られていく。初期上級職としては高すぎる初期値ゆえに若干の成長率の悪さが全く気にならない上に、武器レベルも高いため強力な即戦力になってくれる。あまりの強さに「つ、つよすぎる……」と戦慄したプレイヤーも多いだろう。

魔道書（まどうしょ） 📖主に魔法について記述された書物。現実にも架空の世界にも存在する。 意味 魔法職（☞176ページ）のユニット（☞181ページ）が使用する武器。ユニットたちの証言によれば、ページを消費することで、書き記された魔法（☞176ページ）を発動するという仕組みだという。 用例『魔道書買いたいのに武器屋しかないじゃん、このマップ！』

マニアック 📖物事に熱中するさま。凝っている様子。 意味 シリーズにおける難易度の一つ。『蒼炎の軌跡』『暁の女神』『新・紋章の謎』にて実装された。ハード（☞165ページ）よりも敵が強化されており、初期配置されている敵が増えたり、増援（☞156ページ）の数や頻度が増えたりと（敵側が）やりたい放題の難易度。 用例『マニアックムズすぎじゃない？』

マニキ 意味『if』に登場した暗夜王国の第一王子・マークスの愛称。「マークス」＋「兄貴」から。 用例『ムービーのマニキがカッコよすぎて、支援会話のコミカルさが際立つね』

魔法（まほう） 📖不思議なことを起こす術。魔術。妖術。 意味 ユニット（☞181ページ）が放つ不思議な力。魔道書（☞176ページ）を使用したり、ＨＰ（☞137ページ）を消費したり、武器と同じように使用回数を消費したりと、仕様は作品によって様々。 用例『風花雪月の魔法の仕様が一番解釈一致だった』

魔防（まぼう） 意味 魔法防御の略。ユニット（☞181ページ）の魔法（☞176ページ）への耐性。高いほど敵から受ける魔法ダメージが減る。 用例『魔防低すぎて遠距離魔法に狙撃されて死んだわ。なんで避けないんだよぉ…』

魔法職（まほうしょく） 意味 魔道書（☞176ページ）（魔法（☞176ページ））を主力武器として扱う兵種（☞172ページ）の総称。砂漠でも機動力が落ちない。クラスチェンジ（☞144ページ）後は杖を使えるようになる兵種もある。 用例『聖魔は魔法職が強すぎた…あれは司祭ゲーだった…』

マムクート

意味 ①特定のキャラクターが属する種族の一つ。『暗黒竜と光の剣』のチキをはじめとした竜族のこと。非常に長寿であり、1000歳ほどのチキの容姿は小学校低学年程度の幼女である。作品によっては、竜族の蔑称とされている。用例『たまには少年のマムクートも出そうぜ？』②竜族のキャラクターが就いているクラス〈☞144ページ〉。味方になる者は見た目が幼い少女であることが多い。

魔力（まりょく）

📖魔法を扱う力。意味 ユニット〈☞181ページ〉の魔力の高さ。高いほど魔法によるダメージが大きくなるほか、遠距離魔法やリブロー〈＝回復の効果を遠くに届けることができる杖〉、妨害杖〈＝敵を眠らせたり能力を下げたりできる杖〉などの射程〈☞153ページ〉が伸びる。用例『このクラリーネ嬢、魔力ヘタレすぎじゃない？』

マルス理論（りろん）

意味『大乱闘スマッシュブラザーズSPECIAL』灯火の星にて大量のマスターハンドを見たマルス〈＝キャラクターの一人〉が発した「ひとりで10体ぐらい倒せればいけるか？」から発生した理論。「マルス算」とも。〔マスターハンドはスマブラにおけるラスボス的存在であり、ひとりで10体ぐらい倒すのは難しい。と、思われたが、『ファイアーエムブレム』シリーズでは少数の自軍で大量の敵軍〈☞160ページ〉をしばくのが普通であり、同シリーズ出身のマルスなら、ひとりで10体ぐらい倒す程度は当然の理論なのかもしれない（メディウス〈＝ボスの一人〉をマルスひとりで10体と考えたら無理かもしれん）〕用例『マルス理論脳筋すぎて好き』

回せば3倍（まわせばさんばい）

意味 GBA三部作〈☞150ページ〉における必殺のこと。必殺の一撃発動時に武器を回転させるモーションが組み込まれた兵種〈☞172ページ〉が多いため、「武器を回せばダメージが3倍になる」という意味でできた。用例『回せば3倍！ 回せば3倍!! 回せ!!!!!』

ミラの歯車（はぐるま）

意味『Echoes』1章クリア後から使用できる宝具。一回のマップ攻略につき一定回数だけ、時を巻き戻して一手単位で動作をやり直すことができる。用例『ギミックとしてのミラの歯車使う機会なくね？』

魅力(みりょく) 📖人の心を引きつけ、夢中にさせる力。意味『風花雪月』で登場した、ユニット(☞181ページ)のステータスの一つ。高いほど計略(☞145ページ)の威力や命中率が上昇する。魅力といっても、おそらく外見的なものではなく、指揮官としてのものである。用例『PTTしすぎて魅力がやばいことになってるw』

無音(むおん) 📖音がないこと。意味 レベルアップ時にステータスが一つも上昇しないこと。「ピン」(☞169ページ)という音が鳴らない上に、吟味(☞144ページ)しているプレイヤーにとってはリセットものの虚しいレベルアップである。用例『二連続無音!?!? さっすがにリセットですわ』

命中率(めいちゅうりつ) 📖標的に当たる確率。意味 攻撃時にユニット(☞181ページ)が攻撃を当てられる確率。味方の命中率98%は外れるかもしれないが、敵の命中率30%はあたる可能性があるので要注意。用例『こっちの命中率80%しかないのに相手21%もある!!』

メリクル 意味『暗黒竜と光の剣』にて登場した、アカネイア王家に伝わる三種の神器の一つ。細身なデザインながらも、とてつもない威力の宝剣。『暗黒竜と光の剣』では「メリクルレイピア」という名前で、マルス(＝ユニット名)専用武器として登場した。『紋章の謎』では、アカネイア王国の傭兵・アストリアが所持して登場。以降は彼の武器(☞171ページ)としてのイメージが強く残った。グラディウス(☞144ページ)、パルティア(☞168ページ)とともに、以降の作品にも登場している。用例『メリクルの武器威力高すぎじゃない？』

も今救無(こんきゅうむ) 意味『風花雪月』の登場人物・セイロス聖教会大司教のレアが叛徒(はんと)に放った衝撃の一言「もはや今生に救いの道はありません」を略したもの。用例『でたw レア様の「も今救無」w』

モニカ 📖人名。意味 ①主人公の一人でありルネス王国の王子であるエフラムの従者だった騎士・オルソンの妻。『聖魔の光石』におけるプレイヤーのトラウマの一つ。愛妻家だったオルソンは亡くなった彼女の蘇生を条件に敵国であるグラド帝国に寝返ってしまう。そうして闇魔道によって蘇った彼女はオルソンをただ「あなたあなたあなた」と呼び続けるだけであり、その姿を見たエフラムとゼトの反応を見るに生前の姿をとどめていなかったと思われる。また、彼女の登場シーンでは突如BGMが止まって無音になるという、かなり恐怖心をあおる演出がなされている。②『風花雪月』に登場するNPC〈=プレイ不可能なキャラクター〉。ストーリー開始の一年前から行方知れずとなっていた帝国貴族の少女・モニカ=フォン=オックス。しかし、ストーリー中に出会う彼女は実際のところ故人となっており、クロニエという謎の女性がモニカに成り代わっている。用例『え、モニカ? 大丈夫? そいつ死んでない???(死んでた)』

モルフ

📖爬虫類などで、通常とは異なる遺伝の表現形態を持つ個体。意味『烈火の剣』に登場する闇魔道士・ネルガルが生み出した人造人間。生命エネルギー「エーギル」〈☞138ページ〉によって稼働しているようだ。用例『リーダス兄弟のモルフ強すぎてバーサク使って殺(や)り合わせるくらいしか思いつかん。正攻法で倒せることある?』

やっつけ負(ま)け

意味 敵軍フェイズ〈☞160ページ〉中に味方が敵を倒しまくった末に倒されること。主な原因は連戦によるダメージの蓄積だが、雑魚敵に紛れ込んだキラー武器〈☞144ページ〉持ちの必殺の一撃を食らってロスト〈☞183ページ〉することもある。SRPG〈=シミュレーションロールプレイングゲーム〉あるある。用例『やっつけ負けが一番リセットの原因だから』

ヤバタイ先生(せんせい)

意味『風花雪月』の女性主人公・ベレス。およそ教師とは思えないヤバいデザインのタイツを履いていることから。『無双 風花雪月』にて、ベレス(ベレト)が身につけている装備品は父のジェラルトが選んだものだということが判明した。ヤバい。用例『ヤバタイ先生の装備、とーちゃんが選んでるらしいぞ…?』

闇殿下(やみでんか)

意味『風花雪月』に登場するファーガス神聖王国の王子・ディミトリの闇堕ちした姿。初対面の主人公をして「どこか陰りのようなものを感じる気がする」と思わせる程には一部のころからその片鱗を見せていた。そして、一部終盤で、故国と敵対するアドラステア帝国が己の身に降りかかった不幸のほとんどに関与していたことを察し、好青年らしさが一変、二部で再会する頃には重度の精神疾患を患った状態になっていた。〝闇〟と表記されてはいるものの、実際のところは〝病み〟である。**用例**『闇殿下見てると庇護欲かき立てられるわ』

闇パスおじさん（やみパスおじさん）

意味『風花雪月』に登場するアドラステア帝国の将・死神騎士の愛称。序盤からたびたび登場する強敵。こちらから攻撃を仕掛けなければスルーもできるのだが、「ギリギリ倒せる」設定になっている。主人公らにあの手この手で倒されては、毎回所持している「闇魔法試験パス」というクラスチェンジ（☞144ページ）アイテムを奪われる。ちなみに、彼は騎馬特効（☞143ページ）を受けるため、難易度によっては「ダークスパイクT」を習得したリシテア（＝キャラクターの一人）がいればワンパン（＝ワンパンチ）で倒せてしまう。おじさん、といわれてはいるが、中身はまだ20代の若い男性である。**用例**『闇パスおじさん勝手に動いてくるとか聞いてないぞ!!!!』

友軍（ゆうぐん）

📖ともに戦う味方の軍隊。**意味** 友軍フェイズ（☞180ページ）にて行動するユニット（☞181ページ）が属する軍。自軍の味方だがコンピューター（＝AI）による自動操作によって行動する。アイコンカラーは緑。緑軍とも。**用例**『友軍の皆さん勝手に動かないで!!』

友軍フェイズ（ゆうぐんフェイズ）

意味 戦闘中、友軍（☞180ページ）が行動する局面。作中では「Other Phase」「Ally Phase」などと表記される。**用例**『友軍フェイズが一番なにも起こらないから安心できるわ』

勇者武器（ゆうしゃぶき）

意味 武器「勇者の剣」「勇者の槍」「勇者の斧」「勇者の弓」の総称。武器レベル（☞171ページ）Aから使用可能。必ず二回攻撃できる武器であり、追撃（☞159ページ）可能なら一回の戦闘で四回攻撃することができる。**用例**『勇者に勇者武器持たせる安直軍師は私です』

ユニット

📖 単位。単元。 意味 キャラクターを表す公式用語。 用例 『自軍ユニットの練度が低すぎてマップ攻略できぬ!!!!』

乱戦の定め（らんせんのさだめ）

意味 突撃ＡＩ（☞162ページ）のこと。『風花雪月』蒼月の章EP.（＝エピソード）17にてクロード（＝キャラクターの一人）が発した「……乱戦の定めだ、許せ。」というセリフが起源。「卓上の鬼神」と呼ばれるほど戦略に優れた彼がこのセリフを発したのち、マップ配置上の問題で敵対している帝国軍ではなく、帝国軍を共通の敵とする主人公とディミトリ（＝キャラクターの一人）率いる王国軍に攻撃を仕掛けてしまうというお粗末な戦術をネタにしたもの。さらに、自分で攻撃を仕掛けておきながら「あんたの敵は帝国軍じゃないのか?」とまで言い放ってくる。ＡＩとは恐ろしいものだ。 用例 『乱戦の定めとか言ってなんで王国軍に向かってくるんだよ! 西にまっすぐ進んで帝国と戦えよ!!』

リザイア地雷（リザイアじらい）

意味 魔法「リザイア」を装備した魔道士を敵陣に突っ込ませ、反撃で敵を倒すこと。地雷（☞154ページ）戦法の最もオーソドックスな形である。「リザイア」には与えたダメージ分、自身のＨＰ（☞137ページ）を回復する効果があり、やっつけ負け（☞179ページ）する心配がほとんどない。 用例 『ルフレとサーリャのダブルでリザイア地雷～』

リセマラ

意味 リセットマラソンの略。前回の章で、育てたいユニット（☞181ページ）の経験値を「あと一回戦闘を行えばレベルアップする」状態にしておき、次の章で戦闘を行いレベルアップさせる。その結果が気に入らなければ電源を落とすかタイトル画面に戻り、再び戦闘を行う。☞吟味（144ページ） 用例 『リセマラやってる人尊敬するわ』

竜系（りゅうけい）

意味 ドラゴン（飛竜）に乗った兵種（☞172ページ）の総称。力（☞158ページ）と守備（☞153ページ）に優れ、順調に成長すれば弓をものともしない「空の要塞」になる。本人が竜の場合もある。☞マムクート（177ページ） 用例 『竜系のユニットはドラゴンキラー持ち来たときが一番怖い』

竜特効（りゅうとっこう）

意味 「ファルシオン」「ドラゴンキラー」などの竜系（☞181ページ）に有効な武器（☞

171ジペー〉で対象に攻撃することで、与えるダメージが大きくなる効果。用例『カムイ竜特効受けるんか！そりゃそうか！』

リョウマニキ

意味『if』に登場した白夜王国の第一王子・リョウマの愛称。「リョウマ」＋「兄貴」から。用例『リョウマニキ強いな〜』

ルナクラ

意味「ルナティック〈182ジペー〉」＋「クラシック」の組み合わせ。最も難しい難易度であり、プレイヤーの軍師〈145ジペー〉としての手腕が試される。用例『ルナクラの難易度が一番やってて楽しいよね』

ルナティック

📖狂気的。意味『ファイアーエムブレム』シリーズにおける難易度の一つ。『新・紋章の謎』から実装された。ハード〈165ジペー〉やマニアック〈176ジペー〉よりもさらに敵のステータスが上昇していたり、持っている武器〈171ジペー〉がより良質なものに変化していたり、ＡＩ〈＝敵の行動パターンや思考法〉が賢くなって今までの育成や戦法では太刀打ちできない難易度。しっかりやりこんでいないと途中で詰んで終章まで辿り着けないこともある。用例『ルナティックって、実家のような安心感があるよね』

ルナティック＋（プラス）

意味『ファイアーエムブレム』シリーズにおける難易度の一つ。『覚醒』のみで実装された、Ｍブレマー〈139ジペー〉をクリアすることで解放される。ルナティック〈182ジペー〉も阿鼻叫喚の難易度。最初のマップから敵が味方の防御を無視したり、味方が与えるダメージをカットしたりできるスキルを持っている。これらはマップを開いた時点でランダムに付与されるため、ルナティックまでの「敵の所持品やスキル、フェイズごとの増援〈156ジペー〉のタイミングや出現位置などを覚える」という記憶ゲーのようなプレイができない。つまり運ゲー〈64ジペー〉である。常軌を逸した難易度なので、途中で攻略を断念したゲーム配信者も。用例『ルナティック＋はもう難しいとかの次元じゃないから。確率に蹂躙（じゅうりん）されるだけの理不尽な運ゲーだから』

籠城作戦（ろうじょうさくせん）

📖城に立てこもることで、自軍を守る戦法。意味小部屋などに味方を避難させ、一〜二マス程度の狭い通路を強い味方でふさいで完全に敵の侵入口がない状態を作り、敵が全滅するまでひたすら耐えること。封鎖戦法〔☞170ページ〕の派生であり、この作戦を取る状況や利点などはほぼ同じ。城の中など、屋内戦で使用されることが多い。**用例**『敵が多すぎるから籠城作戦と決め込むか…』

ロード

📖君主。〔英語Lord〕 **意味** 多くの作品で主人公が最初に就いている下級職。初期装備として、騎馬もしくは重装特効〔☞162ページ〕を持つ剣「レイピア」や、それと同性能の武器を所持している場合が多い。**用例**『風花雪月のロード衣装の絶対領域に目を疑った人多いのでは？』

ロスト

📖失った。取り戻すことのできない。**意味** ユニット〔☞181ページ〕のＨＰ〔☞137ページ〕が0になり、死亡すること。シリーズ最大の特徴。自身が操作するユニットは〝生きた人間〟であり、彼らがマップ上から失われるということは同時に〝彼らの命が失われる〟ということである。失った仲間は二度と戻らない〔☞137ページ〕。**用例**『最悪だ…手塩にかけて育てたクーガーがロストした。もうラグドゥ遺跡やりたくね～』

wkb成長（わこぶせいちょう）

意味 技〔☞183ページ〕、幸運〔☞146ページ〕、武器レベル〔☞171ページ〕の頭文字〔w・k・b〕をとった用語。上記三項目ばかりが成長すること。この成長パターンのユニット〔☞181ページ〕は必殺の一撃を出しやすく、必殺の一撃を受けづらいという特徴を持ち、戦闘が必殺の一撃頼みになる。弱いわけではないが、他に必要なステータスが伸びていないこともあって扱いづらく、二軍落ち〔☞72ページ〕の対象になりやすい。代表的なユニットは『暗黒竜と光の剣』のゴードン。**用例**『もう暗黒竜五周目なんだけど、毎回ゴードンがｗｋｂ成長するわ』

技（わざ）

📖❶技術。また、その上手さ。❷柔道・相撲などで、相手を負かすためにかける一定の動作。**意味** ユニット〔☞181ページ〕の器用さ。高いほど攻撃の命中率〔☞178ページ〕や必殺率〔☞168ページ〕が上がる。**用例**『技低すぎて一個も攻撃が当たらんぞ！』

オタク共通
三次元共通
日本の男性アイドル
K-POP
2.5次元
二次元共通
ゲーム共通
アークナイツ
スプラトゥーン
ファイアーエムブレム
プロセカ
ポケモン
原神
BL

第11章

界隈用語

プロセカ

スマートフォン向けリズムゲーム「プロジェクトセカイ カラフルステージ！ feat. 初音ミク」の略。ボーカロイドの楽曲やボカロP（☞198ページ）の書き下ろし楽曲を演奏できるリズムゲームと、バーチャルシンガーとオリジナルキャラクターが織り成すストーリーなどが魅力の作品。

アイリ 意味「アイノマテリアル」の略。桐谷遥(きりたにはるか)〈=キャラクターの一人〉の箱イベ〈☞196ページ〉で実装された楽曲。用例『遥ちゃんのイベント楽曲なのにアイリ(愛莉)なんだ』

あえぐ 📖息を切らす。はあはあと息をする。意味「青色絵具」の略。カップヌードルコラボで実装された楽曲で、日野森雫・志歩の姉妹〈=ゲームのキャラクター〉が歌う。用例『「あえぐ」を歌う声優・中島由貴の声はなお一層美しい』

青(あお) 📖晴れた空のような色。意味ゲーム難易度「NORMAL」のこと。初心者がプロセカに慣れるためにあるような難易度。背景が青色になることから。用例『青って…えっと、下埋め中?(煽)』

赤(あか) 📖熟したトマトのような色。意味ゲーム難易度「EXPERT」のこと。多くの豆腐〈☞194ページ〉がプレイする難易度。背景が赤色になることから。用例『赤の中には本来紫ではと思う曲もある』

揚げると書いてフライ(あ・か) 意味楽曲「potato になっていく」の愛称。歌い手・まふまふ氏の楽曲名「悔やむと書いてミライ」をもじって作られた。用例『揚げると書いてフライはいい曲だよなぁ、うん』

アボカド 📖クスノキ科ワニナシ属の果実。意味アナザーボーカルカードの略。例えば四人での歌唱で実装されている曲で、そのうちの一人だけで歌うバージョンを解放するために必要なカード。リリース初期はこのカードが枯渇していた。現在は交換に使えるチケットが実装され、いくらか入手しやすくなっている。用例『アボカドが足りない。切実に』

Untitled(アンタイトル) 📖無題。意味現実世界とセカイ〈☞192ページ〉を繋ぐ曲。セカイが生まれると同時に、その世界を作りだした「想いの持ち主」のスマホにメロディも歌詞もない曲がインストールされる。曲を再生するとセカイに行き、停止させると現実世界に戻る。想いの持ち主が「本当の想い」を見つけることで一つの楽曲となる。用例『Untitledは当然ながら、私のスマホにはインストールされていない』

餡蜜(あんみつ) 📖みつまめに餡をのせた和菓子。意味音ゲーにおいて、判定タイミングがズレている

オタク共通
三次元共通
日本の男性アイドル
K-POP
2.5次元
二次元共通
ゲーム共通
アークナイツ
スプラトゥーン
ファイアーエムブレム
プロセカ
ポケモン
原神
BL

複数のノーツ（☞196ページ）を同時押しで処理すること。主に階段（☞188ページ）や高速トリルの処理に使われる。由来はこのテクニックを考案した人物である、あんみつ（はにぃP）氏の名前。**用例**『餡蜜とか言ってるけど、和菓子の話はしてないよ』

イィィ

意味 「アイデンティティ」の略。カップヌードルコラボで実装された楽曲で、初音ミクと宵崎奏（＝キャラクターの一人）が歌唱する。「アイディスマイル」（☞イィイ（186ページ））との違いを示すため、提供されたイベントのメインキャラクターである宵崎奏に合わせ「宵崎イィィ」と表記されることもある。口頭では「アイデンティティ」と呼ばれることが多い。**用例**『奏とニゴミクの相性が完璧なイィィ』

イィイ

意味 「アイディスマイル」の略。暁山瑞希（＝キャラクターの一人）の箱イベ（☞196ページ）で実装された楽曲。「アイデンティティ」との違いを示すため、提供されたイベントのメインキャラクターである暁山瑞希に合わせ「瑞希イィイ」と表記されることもある。口頭では「アイディスマイル」と呼ばれることが多い。**用例**『イィイには瑞希の全てが詰まっていると言っても過言ではない』

遺影（いえい）

📖 故人の写真や肖像画。**意味** オンラインプレイ「みんなでライブ」でライフが尽き、アイコンが暗くなること。火葬（☞188ページ）の次の段階であることから。**用例**『遺影に向かってイエーイ』

いきる

📖 命を保つ。生存する。生活する。**意味** ボカロP・カンザキイオリ氏の楽曲「命に嫌われている」のこと。略称というよりは叫び声や掛け声に近い。この楽曲を歌唱する宵崎奏（＝キャラクターの一人）が歌詞の最後に「生きろ」と歌い、多くのユーザーがその歌声に励まされ「生きます！」と思ったことが発端（諸説あり）。**用例**『奏ちゃんにそういわれたらもう、いきるしかない…！』

イベラン

意味 イベントを走る（Run）意。特に推しのイベントのときにたくさんオンラインプレイ「みんなでライブ」でプレイし、他プレイヤーと競い合うこと。イベント終了後に最終的な順位に応じて称号が贈られる。数字が小さいほど誉れ高い。**用例**『イベランは一人で出来るものじゃない』

陰険自撮り女（いんけんじどりおんな）

意味 キャラクターの一人、東雲絵名（しののめえな）の愛称。イベント「囚われのマリオネット」で、朝比奈（あさひな）まふゆ〈=キャラクターの一人〉への愚痴をこぼしたことに対し、暁山瑞希（あきやまみずき）〈=キャラクターの一人〉が「〈まふゆが〉落ちた〈=通信を切った〉途端に陰口スタートとか、えななんコワ〜い！　陰険自撮り女〜！」と発言したことから。プレイヤーも時折、絵名のことをこう呼ぶ。用例『陰険自撮り女さん今日も可愛いね』

エイ代（しろ）

意味 キャラクターの一人、神代類（かみしろるい）の愛称。類の満面の笑みが魚類のエイの裏側に似ていることから。用例『エイ代さんはどんな時もイケメンで可愛いの』

AP（エーピー）

意味 All Perfect（オールパーフェクト）の略。楽曲の最初から最後まですべてPerfectで叩き終えられた状態。とても嬉しい。用例『APは楽曲によってはバケモノの証だから要チェックだ！』

SOS（エスオーエス）

📖 モールス符号で伝える救難信号。意味「STAGE OF SEKAI」の略。望月穂波（もちづきほなみ）〈=キャラクターの一人〉の箱イベ〈☞196ページ〉で実装された楽曲。単語の頭文字を並べた表記で、楽曲の内容とは関係ない。用例『SOSの穂波が可愛すぎて失神者続出中！』

エビ

📖 甲殻類十脚目の節足動物。意味 ボカロP・koyori氏の楽曲「独りんぼエンヴィー」の略。曲名と節足動物のエビをかけた愛称。文字だけでなく、絵文字のエビでも表現される。効率曲〈☞190ページ〉であるためイベラン〈☞186ページ〉勢が乱用し、ゲーム内で倦厭（けんえん）されている楽曲でもある。用例『エビ、キライ』

FC（エフシー）

意味 Full Combo（フルコンボ）の略。楽曲の最初から最後までMISSすることなく終えられた状態。嬉しい。用例『FCは余裕のよっちゃんでしょう？』

エペ

意味「the EmpErroR」の略。ボカロP・sasakure.UK氏の楽曲。口頭で使う。文字で表す際には「my醤油paypay二元論」と表記される。こちらは楽曲の歌詞の空耳から。用例『エペはまだやりやすいよね、まだ』

エンドマ 意味 ボカロP・CosMo@暴走P氏の楽曲「エンドマークに希望と涙を添えて」の略。譜面の鬼畜さゆえに「筋肉女神」とも呼ばれている。用例『エンドマやったら指終わった』

おから 📖豆腐を作るときにできる、豆乳を絞った後に残るかす。意味 ユーザーが推しの尊さのあまり崩れ落ちること。またはその状態。ユーザーの通称が「豆腐」（☞194ページ）であることから。用例『おからになるぅ〜』

屋上組（おくじょうぐみ） 意味 ゲームのキャラクター、暁山瑞希（あきやまみずき）と神代類（かみしろるい）の組み合わせ。過去のイベントなどを通して、二人が中学時代、一緒に過ごすことがあったり、辛いことや悲しいことがあると行ったりする場所が、学校の屋上だったことから。用例『屋上組は静かに「待ち人」を待っている』

おでん 📖日本料理の煮物の一種。鍋料理にも分類される。意味「ODDS&ENDS」の愛称。ボカロP・ryo氏の楽曲。曲の内容とおでんは関係ない。用例『おでんやるよ〜』

階段（かいだん） 📖一段ずつ昇降して行き来する通路。意味 ノーツ（☞196ページ）が斜めに連続して並んでいる状態。リズムに乗れないとミスを引き起こし、一度ミスするとその後のノーツも失敗しやすくなる。用例『階段は何も考えずに駆け上がるもの』

カスプロ 意味 カスタムプロフィールの略。プロフィール設定画面にある図形などの素材や、ゲーム中に入手したキャラクターのイラストなどを自由に組み合わせて配置し、オリジナルプロフィールを作ることができる。ガチ勢は丸や線の素材だけでキャラクターを描く。用例『カスプロのガチ勢だからって絵が上手いとは限らない』

火葬（かそう） 📖遺体を焼却して葬ること。意味 オンラインプレイ「みんなでライブ」においてミスを連発してライフが少なくなり、自身のアイコンの下が赤くなっている状態。アイコンにはキャラクターの顔が映っているため、火葬を彷彿（ほうふつ）とさせることから。用例『ヤバい、あとちょっとで火葬される』

カッキン 意味「徳川カップヌードル禁止令」の略。カップヌードルコラボで実装された楽曲。キャラクターの草薙(くさなぎ)寧々(ねね)、ネネロボ、ミクダヨー、鏡音(かがみね)レン、KAITOが歌唱する。プロセカ内では珍しい、ふざけ散らかしたKAITOが見られる。「禁止令」とも。用例『カッキンはネネロボではなく寧々が歌っていると言っても過言ではない』

神高(かみこう)

意味 神山高校の略。シブヤの神山通りの近くにある共学高校。オリジナルキャラクター二十名中八名が通う。そのうちの一人、東雲絵名(しののめえな)は夜間定時制に通う。「変人ワンツーフィニッシュ」(☞198ページ)が有名。用例『神高の文化祭行ってみたい』

神代類(かみしろるい)の激唱(げきしょう)

意味 神代類の饒舌(じょうぜつ)な様子を表したあだ名。楽曲「初音ミクの激唱」になぞらえたもの。彼の公式のイラスト背景には、話している内容が書かれており、その文字の量でカオスさを表現している。用例『神代類の激唱を聞けば、元気百倍だよ』

黄色(きいろ)

📖 ヒマワリの花のような色。意味 ゲーム難易度「HARD」のこと。報酬を回収するためにプレイされることが多い。背景が黄色になることから。用例『黄色だけは「色」って付けて呼ばれるんだよね』

キャラメル

📖 砂糖や水飴、生クリーム、バターなどを煮詰めて作る飴菓子。意味 ボカロP・doriko氏の楽曲「ロミオとシンデレラ」の愛称。歌詞の「むせ返る魅惑のキャラメル」から。用例『キャラメルの譜面は一部クセが強い』

局所難(きょくしょなん)

意味 譜面全体でみるとそこまで難しくないものの、一部の配置が特異で難しいこと。これを上手くさばけるかに個人差が出る。用例『メルトは特に局所難が半端ない』

グレる

📖 生活態度が乱れ、不良化する。意味 ゲーム中、Greatの判定が出る。オールパーフェクトを狙う上級者がよく使う言葉。最初にGreatが出たときに使われることが多いが、いつ、どのタイミングでGreatが出てもこの言い方をする。用例『ああああぁ！グレた…!!』

くんちゃん

意味 キャラクターの一人、暁山瑞希(あきやまみずき)の愛称。衣装選択画面などで、女性側にいるにもかかわらずキャラクターの設定上、性別が不明であることや、中学時代に男子用の制服を着ていたことから、男性に使われがちな「くん」と、女性に使われがちな「ちゃん」を合わせた呼び方。「瑞希くんちゃん」とも。【用例】『くんちゃんの中学時代編出たら干からびる自信ある』

口内炎（こうないえん）

📖口内の粘膜にできる炎症。【意味】ボカロP・EZFG氏の楽曲「とても痛い痛がりたい」の愛称。歌詞や曲名に含まれている言葉ではないが、楽曲のテーマが口内炎だと解釈できることから。【用例】『口内炎をプレイすると心なしか口が痛い』

効率曲（こうりつきょく）

【意味】各種アイテムとの交換に必要な「イベントバッジ」を、効率よく獲得することに適した楽曲。プロジェクトセカイでは「独りんぼエンヴィー」「メルト」等が挙げられる。これらの楽曲をインターネット対戦で選び過ぎると、通信相手の怒りを買うことになる。【用例】『効率曲をお供にイベントを爆走する』

五億円の男（ごおくえんのおとこ）

【意味】キャラクターの一人、天馬司（てんまつかさ）の愛称。彼が主役のイベント「ワンダーマジカルショウタイム！」開催中の総課金額が四・八七億円を記録したことから。恒常的にガチャに出現するメンバーであったことや、直前にキャラクターの青柳冬弥（あおやぎとうや）・神代類（かみしろるい）の期間限定ガチャがあったなどの悪条件下で、二位と約一・六億円の差をつけた。【用例】『五億円の男は今日もうるさい』

コスパ

📖コストパフォーマンスの略。支払ったコストに対する、それにより得られるパフォーマンスの割合。【意味】コスモスパイスの略。カップヌードルコラボで実装された楽曲。天馬司（てんまつかさ）・咲希（さき）の兄妹が歌唱する。「スイス」と略す人もいる。【用例】『コスパは天馬兄妹（きょうだい）が初音ミクと歌う楽しい曲』

こたつ

📖机の中に熱源を入れ、布団をかけて暖をとる器具。【意味】キャラクターの一人、花里（はなさと）みのりの愛称。冬限定ボイスにて「ポカポカ元気をみんなにお届け！ アイドル界のこたつになりたい、花里みのりです！ え、ダサい？」と発言したことから。【用例】『みのりは正真正銘のこたつだ』

ゴリ押し（ごりおし）

📖無理やり押し通すこと。【意味】両指でさばくことが難しいノーツ

〈☞196ジペー〉を片方の指のみで叩くこと。利き手で行うことが多い。しかし精度〈☞192ジペー〉が乱れたりMISSになったりするので乱用は禁物である。用例『ゴリ押しでいけばとりあえずフルコンはできる』

ゴリラ

意味 超上級者、特に MASTER の高難易度楽曲を、当たり前のような顔でオールパーフェクトする猛者を指す。由来は次々と流れてくるノーツ〈☞196ジペー〉をさばく様子がゴリラのドラミングのように見えたり聞こえたりすることから〈諸説あり〉。📖 霊長目ヒト科ゴリラ属の動物。用例『今日電車の優先席にゴリラいた』

混合イベ（こんごういべ）

意味 混合イベントの略。ユニット〈☞200ジペー〉が異なるメンバーが一緒に遊んだり、学校行事に参加したりするストーリーのイベントが多い。用例『混合イベは他ユニットと触れ合う推しを眺めるチャンス』

詐称曲（さしょうきょく）

意味 難易度を偽っているかのように感じられる楽曲。難しい曲について、よく使われる。用例『詐称曲多すぎて、下手糞にはきつい』

サラダ

意味「サラマンダー」の略。カップヌードルコラボで実装された楽曲。キャラクターの東雲絵名（しののめえな）、彰人（あきと）の姉弟が歌唱する。📖 生野菜を油や酢で和えたもの。用例『サラダのMVイラストは衣装が過激で大変よろしい』

下埋め（したうめ）

意味 プレイ楽曲の EASY、NORMAL、HARD をクリアし、報酬を獲得すること。難易度の選択表示が EASY、NORMAL、HARD、EXPERT、MASTER の順で並んでおり、冒頭の三つが下方にあるため、こう呼ばれる。埋める、というのは、クリアすると空欄に星が入ることから。用例『下埋めしてると眠くなるのは私だけ？』

じむしょ

意味 ボカロP・nekobolo氏の楽曲「自傷無色」の略。いずれもゲームキャラクター、宵崎奏（よいさきかなで）と朝比奈まふゆ（あさひなまふゆ）、初音ミクの儚い（はかない）歌声でカバーされている。📖 事務を取り扱う所。オフィス。用例『今じむしょのMV見てる』

ショタル

意味「ショウタイム・ルーラー」の略。神代類（かみしろるい）〈＝キャラクターの一人〉の箱イベ〈☞196ジペー〉で実装された楽曲。同時期に行われてい

オタク共通
三次元共通
日本の男性アイドル
K-POP
2.5次元
二次元共通
ゲーム共通
アークナイツ
スプラトゥーン
ファイアーエムブレム
プロセカ
ポケモン
原神
BL

たイベントで登場した幼い類（=ショタ類）にかけられてもいる。用例『ショタルのダンスは、類が皆のことを操っているようで、ようやくやりたい演出を実行できるようになったこととリンクしてるようにも見える』

地力（じりき）

意味（音ゲーで）実力。また、譜面に対応する力。用例『地力が足りないぃ』

シンガポール

📖マレーシアの南の島に位置する都市国家。意味 ボカロP・CosMo@暴走P氏の楽曲「マシンガンポエムドール」の略。ゲーム内での譜面の難しさや厳しさから「破壊神」ともいう。用例『みんなでライブ中にシンガポールが選ばれたら回線切るってのは世の常』

真ミク（しんみく）

意味 どのユニット（☞200ページ）にも属さない、オリジナルの姿のままのバーチャルシンガー・初音ミク。MV（=ミュージックビデオ）だけでなく、イベントストーリーにも登場し、ラスボス感を醸し出している。用例『真ミクはユーザーと共に、セカイの狭間でみんなを見守っている』

スケベノム

意味 キャラクターの暁山瑞希（あきやまみずき）、草薙寧々（くさなぎねね）、花里（はなさと）みのり、望月穂波（もちづきほなみ）によるユニット（☞200ページ）「休日、暇人同士で。」が歌う「ベノム」の空耳。楽曲本来の歌詞は「叫べベノム」だが、「叫べ」の部分を多くの者が「スケベ」と勘違いしたことで、この楽曲の愛称となった。用例『スケベノムはみんなの声が綺麗で何回でも聴ける』

スタハラ

意味 スタンプハラスメントの略。キャラクター育成で獲得できるスタンプを、インターネット通信の場で連打し、マウントを取ること。スタンプが発現する際の効果音にも苛立（いらだ）ちが募る。用例『スタハラしてくる奴、アップデートで消えたけど、次のスタンプまで辿りついたヤツがまたやるよ、きっと』

精度（せいど）

📖正確さの度合い。意味 プレイ中、ノーツ（☞196ページ）を叩くときの正確さを示す。PERFECTが最も正確に叩けたことを表す。用例『今日はなんだか精度が良い』

セカイ

📖この世の中。意味 ゲーム内に登場するキャラクターが持つスマートフォンに入っている曲「Untitled」（☞185ページ）を再生すると異世界に行くことができ、停止させると現実世界に戻る。ゲーム内には「教室のセカイ」「ステージのセカイ」「ストリートのセカイ」「ワンダーランドのセカイ」「誰もいないセカイ」の五つのセカイが存在する。また、それぞれのセカイを俯瞰して見ることができる場所が存在し（「セカイの狭間」など）、そこにはオリジナル（＝どのユニット（☞200ページ）にも属さない）のバーチャルシンガー・初音ミクらやユーザーがいる。用例『なんで私のスマホにはUntitled入ってないの？セカイに行って皆に会いたいのに』

全虹（ぜんにじ）

意味 一つの楽曲ですべての難易度をオールパーフェクトでクリアすること。また、その様子。クリア後に埋まる難易度表示下の星の色が、オールパーフェクトの場合、虹色になることから。EXPERTやMASTERの難易度が高い楽曲ほどオールパーフェクトを取りにくいため、達成した者はよくネット上で誇らしげにしている。用例『全虹できる奴は余程の暇人か変態だよ』

雑巾（ぞうきん）

📖 布でできた拭き掃除用の道具。意味 イベラン（☞186ページ）で上位を目指す人の手伝いをする人。ゲーム編成の総合力が高く、十分なスキルを持ち、周回（☞69ページ）に付き合ってくれる人物。用例『私の雑巾になってくれませんか』

体力譜面（たいりょくふめん）

意味 プレイヤーのフィジカルがものをいう譜面。休憩できるようなタイミングが譜面内になかったり、押しづらい配置の譜面だったりする曲など。用例『エンドマとか体力譜面だし、APのために指立て伏せでもするか』

縦連（たてれん）

意味 縦に連続でノーツ（☞196ページ）が流れてくること。高難易度の楽曲に含まれていることが多く、何度も続くと体力や気力が大きく削られる。用例『縦連上手く叩けない（怒）』

ちくわ

📖 魚の身をすり潰して固めた食品。意味 ボカロP・CosMo＠暴走P氏の楽曲「初音天地開闢神話」の略。読み方「はつねてんちかいびゃくしんわ」から拾った文字を合わせている。難易度が高く、ゲーム内の譜面と、ゆるい楽曲の愛称のギャップが大きい。用例『ちくわって名前の割に難しい』

ツッツ 意味「ジャックポットサッドガール」の略。朝比奈まふゆ（=キャラクターの一人）の箱イベ（☞196ページ）で実装された楽曲。「ツッツー」と表記される場合もある。口頭では「ジャクポ」など、呼びやすい言い方が好まれる。用例『ツッツは譜面がさり気なく難しめ』

ツヨツヨ 意味 楽曲「PaIII.SENSATION」の略。読み方「パッショネートスリードットセンセーション」から拾った文字を合わせている。全て小文字。用例『ツヨツヨのMVはダンスの色気が異常』

デモンズ 意味「トンデモワンダーズ」の略。キャラクターの一人、天馬司の箱イベ（☞196ページ）で実装された楽曲。「トンワン」「トンデモ」「トンダズ」「トデンズ」と表す人もいる。用例『デモンズは一部のダンスや歌詞がバズったけど、それをセイキンダンスって言うのは違いますよね??』

テルユア 意味 ボカロP・Livetune氏の楽曲「Tell your world」の略。バーチャルシンガー・初音ミクが単独で歌う。用例『プロセカの始まりにして頂のテルユア』

豆腐（とうふ） 📖豆乳をにがりなどの凝固剤で固めた、白くて柔らかい食品。意味①プロジェクトセカイのユーザー。バーチャルライブを鑑賞する際に登場するユーザーアバターの見た目が、白くて四角い形で豆腐を連想させることから。②①の一人称。自身を「キャラクターを見守る豆腐」とみなした表現。☞おから（188ページ）用例『いち豆腐としてみんなの想いの果てを見届けます』

ドドド 意味「Vivid BAD SQUAD」の略。ゲーム内のユニット（☞200ページ）「Vivids」と「BAD DOGS」がくっついてできたチームの愛称。公式の略称は「ビビバス」だが、「BAD DOGS」の要素が少ないため、「ビビッドバッドスクワッド」の文字を拾って作られた第二の略称。用例『ドドドは仲間を増やして目標まで突き進む』

トリル 📖ある音と、それより二度高い音とを交互に素早く演奏する奏法。意味 ノーツ（☞196ページ）を左右交互に連打する配置。用例『トリルを初見で拾いきれると嬉しくなる』

ドンファイ

意味 ボカロP・黒魔氏の楽曲「Don't fight the music」の略。用例『エペの後にドンファイは鬼畜の所業だ』

なーん

意味 キャラクターの一人、東雲絵名（しののめえな）の愛称。暁山瑞希（あきやまみずき）〈=キャラクターの一人〉が彼女を「えななーん」呼んだことで、ユーザーに「なーん」が広まったことから。なお、ゲーム内で「なーん」と呼ばれたシーンはない。用例『なーんのイベントが来るけど、彼女のバナーイベントのイラストは高確率で泣き顔じゃんね』

茄子（なす）

📖ナス科の一年草。意味「クリスマススタイル☆2022（アナザー1）」という衣装を身にまとっている神代類（かみしろるい）の愛称。全身紫色の衣装に、紫色の髪色がうまくなじみ、親しみをもって「茄子」や「茄子の妖精」と呼ばれている。用例『茄子の妖精はたくさんのユーザーにいじられている気がする』

ニゴミク

意味「ニーゴのミク」の略。それぞれのユニットに存在する、「姿の異なる初音ミク」をユニット〈☞200ページ〉名と併せて表現した呼称の一つ。「ニーゴ〈=ユニット名〉の初音ミク」から。ミク以外のバーチャルシンガーたちも同じ方式で呼ばれることがある。用例『オッドアイのニゴミクは、まふゆやニーゴのみんなに消えないでほしいと思ってる』

ニゴラジ

意味 プロセカ公式YouTubeチャンネル「25時、ナイトラジオで。」の略。主に「ニーゴ〈=ユニット名〉」メンバー役の声優が出演し、プロセカの魅力を発信したり、リスナーからのお便りを読んだりしている。用例『ニゴラジでは「彰子」に会えたり会えなかったり』

認識（にんしき）なーん

意味「限りなく灰色へ」の愛称。東雲絵名（しののめえな）〈=キャラクターの一人〉の箱イベ〈☞196ページ〉で実装された楽曲。「認識難」〈=ノーツ〈☞196ページ〉の構成が複雑であること〉と東雲絵名のあだ名「なーん」〈☞195ページ〉から。用例『認識なーんの赤APできちゃった！』

抜（ぬ）ける

📖何かを通って向こう側に出る。意味 フリックやスライドなどのノーツ〈☞196ページ〉が指から外れて反応せず、MISS判定になる。フルコンボ目前で起こりがち。用例『抜けた……ッ』

ネギトロ　📖マグロのトロや中落ちをたたいたもの。【意味】バーチャルシンガー・初音ミクと巡音ルカのカップリング。それぞれのファンアートで手に持っていることが多いネギ（初音ミク）とマグロ（巡音ルカ）から。【用例】『ネギトロさんの曲は優しい声がする』

ネタ譜面　【意味】ノーツ（☞196ページ）が何らかのモチーフを表すように配置されているなど、視覚的な衝撃が大きい譜面。星や魚のような形にノーツを並べたものなどが登場する。【用例】『ネタ譜面を見てるだけで楽しくなる』

ノーツ　【意味】譜面に流れてくる四角のマーク。タイミングに合わせて押す。【用例】『ノーツは白かったり黄色かったりする』

敗北の女神　【意味】キャラクターの一人、桃井愛莉の愛称。過去のチアフルライブ（＝二チームに分かれてポイントを競うルールのライブ）の勝敗に、愛莉のセリフやイラストが関係している法則性から。愛莉が言及したことが絡むチームは必ず敗北する。【用例】『敗北の女神は今日何をする』

馬鹿にしやがって　【意味】キャラクターの一人、東雲絵名のセリフ。作中のメインストーリー「25時、ナイトコードで。」でのセリフ「……馬鹿に……しやがって……」が元ネタ。本来は、天才的な曲を作る朝比奈まふゆ（＝キャラクターの一人）の才能と自分の絵の才能を比べ、その差を痛感して出た恨み言であった。一度しか言っていないのにユーザー間では彼女の口癖だとして、ことあるごとに引用されるほど定着している。【用例】『「もちろんフルコンだな！」ってスタンプ押されると、「馬鹿にしやがって」が口をついて出てくる』

箱イベ　【意味】箱イベントの略。箱とはユニット（☞200ページ）のことで、ユニット全員がイベントに登場することをいう。ガチャ（☞66ページ）や報酬枠に登場しないキャラクターがいる場合もある。【用例】『ニーゴの箱イベは涙腺爆破装置だから油断できない』

バチャシン

意味 バーチャルシンガーの略。初音ミク、鏡音リン、鏡音レン、巡音ルカ、MEIKO、KAITOの六人。用例『みんなが本当の想いを見つけられるように、セカイによって姿を変え、手伝うバチャシン』

パパなん

意味 キャラクターの東雲絵名・東雲彰人姉弟の父親の愛称。「えななん〈＝絵名の愛称〉」＋「パパ」から。画家を志す絵名の心を折る父親の振る舞いが、本当は娘を想ってのことだったというシナリオが多くのユーザーの胸を打ち、メインキャラクターではないのに人気を集めている。用例『パパなん由来のツンデレ絵名』

ハロハ

意味 ボカロP・ナノウ氏の楽曲「ハロ／ハワユ」の略。明るいのに寂しく感じる曲。用例『ハロハのまふゆちゃんは優しく歌ってるのが逆に怖い』

ピアノ組

意味 キャラクターの天馬司、天馬咲希、青柳冬弥のトリオ。三人とも過去にピアノを習っていたことや、それぞれピアノにまつわる特技を持つことなどから、ユーザーの間で定着した愛称。最近では、天馬家と青柳家が、昔から家族ぐるみの付き合いをしていたことが発覚し、オタクの妄想に拍車がかかっている。用例『何をしても可愛いピアノ組』

火消し

意味 時間経過により回復したライブボーナスを使い果たすこと。そうすることで再びボーナス数が回復し始め、効率よくゲームをすることができる。用例『火消しは作業。ゲームじゃないから。だからスマホ取り上げないで』

ビタチョコ

意味 ボカロP・syudou氏の楽曲「ビターチョコデコレーション」の略。ニーゴ〈＝ユニット名〉が揃って歌って踊る。用例『ビタチョコの背景や皆の表情が格別だからMV見よう！今から！』

暇咲希

意味 MV〈＝ミュージックビデオ〉で演奏パートが無く、暇を持て余している天馬咲希〈＝キャラクターの一人〉。リズムに合わせて体を揺らしていたり、曲調に合った振りを踊っていたりする。用例『暇咲希を見たくて、見たくて、断食しました』

譜面（ふめん） 📖楽譜。 意味「ノーツ（☞196ページ）」や「フリック（＝画面を指ではじく）」などのマークで楽曲を表したもの。 用例『譜面によって必要なやる気が違う』

ブレブレ 📖❶写真のピントが合っていないさま。❷キャラが定まっていないさま。❸一貫性が無く不安定な状態。 意味 ボカロP・和田たけあき氏の楽曲「ブレス・ユア・ブレス」の略。 用例『ブレブレやるとウキウキする』

プロセカ 意味 ☞第11章扉（184ページ） 用例『プロセカは正式名称が長い』

変人ワンツーフィニッシュ（へんじんワンツーフィニッシュ） 意味 神山高校に通うキャラクター・天馬司と神代類のコンビ名。元々、校内で変人だと認識されていた司が「ワン」、転校してきた類が「ツー」。類が司の頭を火薬で爆発させたり、二人でプールを爆破して水柱を上げたりして、たびたび先生に怒られている（逃げ足は類の方が速いため、先に怒られるのは司）。類は至って真面目で、ショーのための実験をしている。実験台になってしまう立場の司は、類のショーへの情熱を分かっているため、文句を言いながらも付き合っている。略して「変人ワンツー」とも。 用例『変人ワンツーフィニッシュの「ツー」は、火薬は使っていないと供述しております』

ボカロP（ボカロピー） 意味 VOCALOIDやUTAUなどの音声合成ソフトで楽曲を作り、SNSに投稿する音楽家。ゲーム内の楽曲を制作した人物もいる。「P」はプロデューサーの意。 用例『ボカロPは実際に自分で歌うこともあるから、結局すごいとしか言えない』

まてま天馬（まてまてんま） 意味 キャラクターの一人、天馬司の愛称。「トンデモワンダーズ」のMV（＝ミュージックビデオ）中盤の歌詞「世界解体十秒前!? 待って待って待って」が元ネタで、この部分の司の振付や表情などが独特であったことから。 用例『まてま天馬はいつだってまてま天馬』

ミクーカ 意味 ①ボカロP・ユジー氏の楽曲「ミルククラウン・オン・ソーネチカ」の略。②キャラクターの初音ミクと星乃一歌のカップリング名。これを愛する者は「ミク一カ」と解釈し、

「みくいちか」と読む。用例『ミクーカのときのみのりちゃんの声めちゃ綺麗だよね』

緑（みどり） 📖草木の葉のような色。意味 ゲーム難易度「EASY」のこと。とても簡単で、プレイ中に眠くなる人がいるほど。背景が緑色になることから。用例『緑こそ聖域』

宮女（みやじょ） 意味 宮益坂女子学園の略。シブヤにあるお嬢様学校。オリジナルキャラクターの二十人中十一人が通う中高一貫校。校外活動を積極的に支援してくれるので、芸能活動などがやりやすい。用例『体育祭と言えば宮女だね』

紫（むらさき） 📖青と赤の中間の色。意味 ゲーム難易度「MASTER」のこと。とても厄介で難しい譜面となっている。難易度背景が紫色になることから。用例『紫は譜面によっては人間を卒業することになる』

メタモン 📖『ポケットモンスター』シリーズに登場するポケモン。☞メタモン（235ページ） 意味「メタモリボン」の略。日野森雫（ひのもりしずく）（＝キャラクターの一人）の箱イベ（☞196ページ）で実装された楽曲。初めて曲名を見たときに多くの人が誤ってメタモンと読んでしまったため、プレイヤーの間で愛称として定着した。用例『メタモンは空耳要素が多い』

モスラ 📖怪獣映画に登場する架空のキャラクター。意味 宵崎奏（よいさきかなで）（＝キャラクターの一人）の箱イベ（☞196ページ）で実装された楽曲「カナデトモスソラ」の略。カナデと略す人もいるが、天才的な略し方だったため、こちらがよく使われている。用例『モスラと初めて略した人にノーベル賞を贈ろう』

もやし 📖大豆などの種子を暗所で発芽させたもの。意味 精度（☞192ページ）判定において一つだけGreatなどがつくこと。Perfectが続いていたときには特に、唯一の「1」が目立ち、その姿がさながらもやしのようであることから。用例『なんかもやし生えてるんだけど』

やみずき 意味 キャラクターの一人、暁山瑞希（あきやまみずき）の愛称。特に「闇瑞希」あるいは「病み瑞希」を指す。イベント「ボクのあしあと きみのゆくさき」にて、目のハイライトが消えるシーンが多々あり、病んでいるように見えたことから。それまで目のハイライトが消える演出がなされたのは朝比奈まふゆ〈＝キャラクターの一人〉のみだったため、多くのユーザーを震撼させた。用例『やみずきを救うのは類か、絵名か、大穴の雫か…?』

ユニット

📖単位。単元。意味 グループと同義。それぞれのセカイの持ち主たちが所属する音楽グループのこと。用例『このユニットと重婚したい』

幼女

📖幼い女の子。幼くて可愛らしい少女。意味 天然な性格で、野菜をカットできただけで満面の笑みを浮かべる高二男子、青柳冬弥〈＝キャラクターの一人〉の愛称。用例『プロセカの幼女は178センチの男』

ラスコ

意味 ボカロP・せきこみごはん氏の楽曲「ラストスコア」の略。効率曲〈☞190ページ〉として有名。用例『ラスコはエビに続く効率曲だ』

ロミシン

意味 ボカロP・doriko氏の楽曲「ロミオとシンデレラ」の略。「キャラメル」〈☞189ページ〉とも。用例『ロミシンとキャラメルだと、ロミシンの方が有名かな』

ワーワーワー

意味 ボカロP・Mitchie M氏作詞、Giga氏、Mitchie氏作曲の楽曲「ワーワーワールド」の略。花里みのり、小豆沢こはね、初音ミクが歌唱する。用例『「ワ」が三つも並ぶと分かりにくいし、ワーワーワーにしよう!』

わたあめ組

意味 キャラクターの青柳冬弥と草薙寧々のコンビ名。イベント「KAMIKOU FESTIVAL!」にて、クラスメイトである二人がわたあめを持ったイラストが公開されたため。文化祭で二人のクラスがわたあめ屋さんの企画をしていたことから。このときのイラストやサイドストーリーが「冬弥＝幼女」〈☞200ページ〉を助長しているかもしれない。用例『わたあめ組はゲーム上手い同士でもある』

ワワワ

意味 「ワールドワイドワンダー」の略。花里みのり〈＝キャラクターの一人〉の箱イベ〈☞196ページ〉で実装された楽曲。用例『ワワワでは天然な雫が拝める』

◆プロセカ界隈用語

CCDDD

意味 ボカロP・和田たけあき氏の楽曲「チュルリラ・チュルリラ・ダッダッダッ！」の略。アルファベット表記した際の頭文字から。文字で記されるときのみ使われる。用例『CCDDDって略してるけど、実際言うときは「チュルリラ」だよね』

CoD

意味「Color of Drop」の略。日野森雫〈＝キャラクターの一人〉の箱イベ〈☞196ページ〉で実装された楽曲。文字で表記するときにのみ使われる。用例『CoDのMVは最後のシーンで見下してもらえる』

eEe

意味「Beat Eater」の略。小豆沢こはね〈＝キャラクターの一人〉の箱イベ〈☞196ページ〉で実装された楽曲。タイトルの二つの「e」と一つの「E」から。文字で表記するときにのみ使われる。用例『EEEじゃない。eEeだ。間違えちゃいけない』

JBF

意味 ボカロP・Dixie Flatline氏の楽曲「Just Be Friends」の略。文字で表記するときにのみ使われる。用例『JBFってTDLとかUSJとかと並んでも遜色ないじゃん』

^^

意味「にっこり^^調査隊のテーマ」の略。鳳えむ〈＝キャラクターの一人〉の箱イベ〈☞196ページ〉で実装された楽曲。文字で表記するときにのみ使われる。口頭では「こり調」。用例『^^でみんなニコニコ』

!!!

意味「モア！ジャンプ！モア！」の略。桃井愛莉〈＝キャラクターの一人〉の箱イベ〈☞196ページ〉で実装された楽曲。文字で表記するときにのみ使われる。口頭では「モアジャン」と略されるが、ユニット「MORE MORE JAMP!」をモアジャンと略す人もいるため、混ざってしまい伝わらないことがある。最近ではそれら全てをはね退ける「モジモ」が文字と口頭の両方で使われつつある。用例『「!!!」!!!』

ーョー

意味「フロムトーキョー」の略。天馬咲希〈＝キャラクターの一人〉の箱イベ〈☞196ページ〉で実装された楽曲。文字で表記するときにのみ使われる。口頭では「フロムトーキョー」とそのまま呼ばれることが多い。用例『コメント欄の「ーョー」って何て読むの？』

第12章

ポケモン

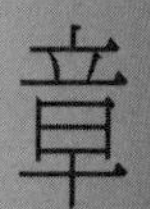

正式名称は「ポケットモンスター」。株式会社ポケモンから発売されているゲームソフトシリーズの総称。また、同作品に登場する架空の生物、それらを題材としたメディアミックス作品群を指す。ジャンルはRPG（＝ロールプレイングゲーム）。

ポケモントレーナーである「あなた」が、世界各地に存在するポケモンを捕まえ、強く育ててチャンピオンに挑んだり、図鑑を完成させたりする、冒険の旅を描いた物語。

ようこそ、ポケットモンスターの世界へ。

RSE（アールエスイー）

意味 『ルビー』『サファイア』と、そのマイナーチェンジ版である『エメラルド』の総称。それぞれの頭文字を繋げたもの。〈主に書き言葉で使用する。話し言葉では「ルビサファ」（☞238ページ）〉 用例 『RSEは四天王戦BGMが最高ってはっきりわかんだね』

相性（あいしょう）

📖 ❶〈陰陽五行説で〉男女の縁が互いに合うこと。❷性格が合うこと。 意味 ①☞タイプ相性（222ページ） 用例 『アーマーガアVSニンフィアは相性悪すぎなんだよなぁ……』 ②相手ポケモンやパーティへの打点（☞224ページ）の有無。あるならば「相性がいい」、なければ「相性が悪い」という。 用例 『害悪パの対策してなすぎてグライポリドヒドと相性が悪すぎる。降参！』

相性補完（あいしょうほかん）

意味 〈パーティ構築で〉ポケモン同士の弱点を補い合うこと。例えば、「クレセドラン〈=ポケモンのヒードランとクレセリアの組み合わせ〉」であれば、ヒードラン〈炎・鋼タイプのポケモン〉が4倍弱点（☞237ページ）である地面タイプの技を受けるときに、クレセリア〈=エスパータイプのポケモン〉が特性「ふゆう」で無効化でき、逆に、ヒードランはクレセリアの苦手な虫タイプの技のダメージを半減以下にできる。この2体が等倍〈=通常〉以上のダメージを受けるタイプは水、岩、電気、ゴースト、悪の五つだけであり、これらの弱点はほかのポケモンでさらに補うことができる。このように、弱点の少ない構築をすると、相手からの技やタイプの一貫性（☞204ページ）が低くなり、対戦で有利に立ち回ることができる。☞タイプ相性（222ページ） 用例 『サザンガルドは相性補完が完璧だよね』

証（あかし）

📖 確かな証拠（で証明すること）。 意味 野生のポケモンが低確率で所持している、あるいは、条件を満たすことで後からつけることができる、ポケモンの個性や勲章のようなもの。 用例 『相棒の証全っ然つかなくて草』

証持ち（あかしもち）

意味 証（☞203ページ）を持っているポケモン。 用例 『証持ち色イーブイ捕まえたから今日か明日辺り死ぬかもしれん』

赤緑（あかみどり）

意味 『赤』『緑』の併称。後に発売された『青』『ピカチュウ』も含めて「赤緑青黄」と表記される場合もある。用例『赤緑の頃から世界観完成されてたポケモンは神ゲーです』

味（あじ） 📖飲食物に舌が触れて起こる、甘い、うまいなどの感じ。意味『ルビー』『サファイア』から登場するポケモンの好みの味。性格によって好きな味と嫌いな味がある。味は全部で「からい」「しぶい」「すっぱい」「あまい」「にがい」の五つがある。例えば、おくびょうな性格のポケモンは「あまい」味を好み、「からい」味を嫌う。味の好みはポケモンコンテスト（☞215ページ）において重要なステータスになる。用例『うわ、嫌いな味だったか！ ごめんな～』

アニポケ 意味 アニメ版『ポケットモンスター』の略称。1997年4月1日からテレビ東京系列で放送が開始され、2023年3月24日に最終回を迎え、26年間に及ぶサトシの旅が終わった。その後、2023年4月14日から新シリーズの放送が開始した。用例『アニポケはダイパの頃がドンピシャで世代だった』

育成論（いくせいろん） 意味 対戦用に、そのポケモンを育てるための方針。三値（☞217ページ）や性格、持ち物、技、バトルでの立ち回りなどについて、ウェブ上で情報交換も行われる。用例『このルカリオの育成論なんかおかしくね？』

石進化（いししんか） 意味「ほのおのいし」や「みずのいし」などの「進化の石」で進化するポケモン。用例『石進化の代表格、ライチュウ先輩』

一撃技（いちげきわざ） 意味 命中率30だが、当たれば必ず相手を倒せる技。「ぜったいれいど」「ハサミギロチン」「つのドリル」「じわれ」の総称。用例『攻撃技全部一撃技の害悪ラプラスで友達と対戦したろ』

一貫性（いっかんせい） 📖同じ方針や考え方で対処していること。意味 ①そのポケモンの覚えている技が、相手のパーティの複数体に対して（一貫して）等倍（＝通常）以上のダメージを与えられること。「技の一貫性」とも。用例『クレセドランのおかげで、相手のガブミミの技の一貫性が低いわ～』 ②あるタイプが、相手のパーティの複数体に対して（一貫して）有利になること。「タイプの一貫性」とも。用例『飛行と炎と虫ばっか入れてたら岩の一貫性がやばい』

③ポケモン自身が、タイプ相性（☞222ページ）や特性、戦術などの観点から総合的に、相手のパーティのポケモン複数体に対して有利であること。「刺さる」とも。

イッシュ三龍（さんりゅう）

意味 『ブラック』『ホワイト』で初登場した伝説のポケモン（＝ゲーム内の特別なポケモン）「ゼクロム」「レシラム」「キュレム」の総称。ゲーム内の地方名「イッシュ」と、ドラゴンタイプのポケモンを意味する「龍」から。用例『イッシュ三龍の中だとレシラムが一番好きだな〜』

遺伝技（いでんわざ）

意味 タマゴから孵化（ふか）したポケモンが、親のポケモンから受け継いだ技。公式用語では「タマゴわざ」。レベルアップでは覚えることができない。用例『この遺伝技の経路わからん。どのポケモンから持ってきたんだ？』

色証（いろあかし）

意味 色違い（☞205ページ）、かつ、証（☞203ページ）を持っているポケモン。出会える確率が低く、稀少価値がある。偶然捕まえた色違いが証を持っていたらラッキー！ くらいの感覚でいたほうが精神衛生上良い。しかし、世のポケ廃（☞232ページ）たちは当然、この存在すら狙って出そうとしているのである。用例『色証三節ノココッチ出るまで寝ません！（死亡フラグ）』

色違い（いろちがい）

📖 色が違うこと。意味 通常とは異なる色のポケモン。出現確率は1/4096（＝約0.024％）だが、確率を上げる方法はある。用例『うおおおおお!!!!! ヒンバスの色違いゲットおおおおおおおおおいや♂かよおおおおお!!!!!』

上（うえ）

📖 ❶高い位置。❷身分や地位などが高いこと。意味「すばやさ」で優（まさ）ること。先攻で動くこと。⇕下 用例『サーナイトなら上取れるから！』

受けル（うけル）

意味 受けループの略。害悪（☞207ページ）の代名詞ともいえる戦術。パーティ全体を耐久力の高いポケモンで構成し、相手の攻撃を「まもる」や「じこさいせい」など、あらゆる技で防ぎながら、ゴツゴツメット（＝「持ち物」の一種）や、「ステルスロック」、「ナイトヘッド」などの技を用いて、定数ダメージでじわじわと競り勝つ戦術。〔絶対に嫌われるため、友達にはやらないようにしよう〕 用例『うつわ、受けルとか害悪じゃん〜』

撃ち逃げ（うちにげ） 意味 デメリットの大きい技を撃った後、すぐに控えのポケモンと交代すること。用例『撃ち逃げ破壊光線きもち～』

ウルトラサンムーン 意味『サン』『ムーン』のマイナーチェンジ版である『ウルトラサン』『ウルトラムーン』の併称。〈主に話し言葉で用いる。書き言葉では「USUM」（☞236ページ）〉 用例『ウルトラサンムーンとサンムーン、だいぶやれること違うね』

運ゲー（うんゲー） 意味 相手のポケモンが混乱自傷〈＝混乱状態のポケモンが自身にダメージを与えること〉するまで「いばる」と「みがわり」〈＝技の名称〉を繰り返したり、むやみに一撃技〈☞204ページ〉を乱発したりと、戦術を排した運任せの戦法。用例『運ゲーマスターワイ、友達のつよつよポケモンたちに吹雪7発、暴風5発当ててしまった挙句（あげく）、何度か追加効果も引いてしまう』

HABCDS（エイチエービーシーディーエス） 意味 ポケモンのステータスを略記したもの。それぞれの単語の頭文字を並べた表現。HP（Hit point）、こうげき（Attack）、ぼうぎょ（Block）、とくこう（Contact）、とくぼう（Diffence）、すばやさ（Speed）を指し、「H」「A」「B」「C」「D」「S」はそれぞれ独立して使用されることが多い。用例『HABCDSがなんのことかわからない？ そのままでいてくれ…』『S102で思いうかぶのガブしかおらん』

HGSS（エイチジーエスエス） 意味『金』『銀』のリメイク版である『ハートゴールド』『ソウルシルバー』の併称。英語表記の頭文字から。用例『HGSSやったことあるならポケウォーカー知ってる？』

SM（エスエム） 📖「サディズム（sadism）〈＝加虐嗜好（しこう）〉」と「マゾヒズム（masochism）〈＝被虐嗜好〉」。意味『サン』『ムーン』の併称。決して📖にあるようなプレイとかではない。〈主に書き言葉で用いる。話し言葉では「サンムーン」（☞217ページ）〉 用例『SMどっち買った？』

SV（エスブイ） 意味『スカーレット』『バイオレット』の併称。〈主に書き言葉で用いる。話し言葉では「スカバイ」（☞219ページ）〉 用例『SVやべぇ。楽しすぎる。ブレワイ以来の感動だわ…！』

XY（エックスワイ）
意味 『X』『Y』の併称。用例 『XYはマチエールちゃんが天使だった』

王冠（おうかん）
📖 ❶王位の印となる冠。❷ビンの口金。意味 「すごいとっくん」（☞特訓（225ページ））に使用するアイテム。何かの蓋（ふた）のような形をしている。用例 『金の王冠より銀の王冠がほしい…』

ORAS（オーラス）
意味 『ルビー』『サファイア』のリメイク版である『オメガルビー』『アルファサファイア』の併称。それぞれの作品名を英語で表記したときの頭文字を並べた表現。用例 『ORASやりたかったけど乗り遅れたな…』

オシャボ
意味 ポケモンを捕まえるためオシャレなボール（=モンスターボールの一種）の略。変わったボールエフェクトが出るボール、または、見た目が凝ったデザインのボール。ポケ廃（☞232ページ）たちの厳選（☞213ページ）対象の一つでもある。用例 『オシャボ厳選は基礎やから（真顔）』

落ちる（おちる）
📖 重みで下へ移動する。意味 ポケモンが倒される。用例 『は!? セグレイブが落ちるのは想定外!!』

おっさん
📖 中年男性を親しんで呼ぶ語。意味 『ブラック』『ホワイト』で初登場した伝説のポケモン（=ゲーム内の特別なポケモン）「トルネロス」「ボルトロス」「ランドロス」の総称。準伝トリオ（☞218ページ）の一つ。顔が中年男性にしか見えないことからつけられた。用例 『おっさんいるじゃんキツ～』

音技（おとわざ）
意味 「りんしょう」「ばくおんぱ」「ハイパーボイス」などの音に関する技。相手の「みがわり」状態を貫通してダメージを与えることができる。用例 『メガサーナイトのハイパーボイス強すぎですわ。これは音技最強と言っても過言』

おんみょ～ん
意味 ポケモンの一種、ミカルゲの愛称。鳴き声がそのように聞こえることから。ダイパ（☞222ページ）世代のトレーナー諸君であれば、シロナ戦のBGMを聞いただけで脳内再生余裕である。用例 『おんみょ～んの脳内再生余裕です』

害悪（がいあく）
📖 他に害を与える悪いもの。意味 「状態異常」（=行動不能やスリップダメージなど）

オタク共通
三次元共通
日本の男性アイドル
K-POP
2.5次元
二次元共通
ゲーム共通
アークナイツ
スプラトゥーン
ファイアーエムブレム
プロセカ
ポケモン
原神
BL

の重ね掛け、高耐久や自己回復による耐久戦などで競り勝つ戦術の蔑称。極めて有効かつ合理的な戦術ではあるが、仕掛けられた側にとっては「相棒たちが一方的に殴られるのを見ているだけ」「相棒たちが実力を発揮できず時間切れで敗北する」という屈辱的な展開となるため、嫌われている。少なくとも、友達に仕掛けるのは得策ではない。☞受けル（205ページ）、TOD（71ページ） 用例『エルフーン入ってるの害悪すぎ。もう絶交だわおまえ』

海外産（かいがいさん）

📖国外で生産されたもの。意味 自分が捕獲したポケモンとは異なる言語設定（=ゲーム内で使用する言語を選択する設定）の環境で捕獲されたポケモン。⇕国内産 用例『海外産5Vメタモン手に入った…？ 羨ましいから一生いろち手に入らなくなる呪いをかけた』

介護（かいご）

📖高齢者や病人などの日常生活の行動を助けること。意味 単体では運用しづらいポケモンを、味方のサポートを尽くして運用すること。用例『サンダース全力介護でマスターランク目指すわ』

改造ポケモン（かいぞうポケモン）

意味「プロアクションリプレイ」や「コードフリーク」などのセーブデータ改変ツールにより、内部データを書き換えられたポケモン。通常では手に入らないボールに入っている、色違いかつ6V（☞230ページ）、親名が「.com」「TV」など、見分ける方法はいくつかある。ゲーム内では「問題のあるポケモン」と表現される。違法に生み出された存在なので、手に入れてしまったらすぐに逃がそう。用例『改造ポケモンはキャッチ&リリースでOK』

回復技（かいふくわざ）

意味「じこさいせい」や「こうごうせい」など、HP（☞64ページ）を回復する技の総称。用例『回復技使ってくるやつは害悪』

返し技（かえしわざ）

意味「カウンター」「ミラーコート」の技をいう。用例『返し技使ってくる代表格は鱗ミロカロスかな』

科学の力ってすげー！（かがくのちからってすげー）

意味『ポケモン』シリーズのお約束（=シリーズを通して踏襲されるキャラクターや設定）。最初の町で必ず聞けるセリフ。この後に必ず、そのソフトから新たに追加された機能（「有線接続が無線接続になった」「無線LANに接続することで、世界中の人とポケモンを交換できるようになった」など）も教えてくれるため、現実の科学の進歩が感じられる一言である。用例『え？ 今の世代はオープンワールドで遊べるの？ 科学の力ってすげー！』

確n（かく）

意味 確定n発の略。必ずn発（n＝自然数）で相手を倒せること。「確1」は「確定1発」の略で、必ず1発の攻撃で相手を倒せることをいう。用例『このバンギなら、コノヨザルのインファ確1でやれるわ』

確率ひっかけ（かくりつひっかけ）

意味 ①不利であろうと有利であろうと、かまわずに相手に運ゲー（☞206ページ）を仕掛けること。用例『不利になってきたから確率ひっかけでもしますかね〜ぐへへ』 ②技の選択を間違えたにもかかわらず、「追加効果（＝技に付随して一定の確率で発動する効果）」で偶然、有利な状況になること。

型（かた）

📖❶同類を形作るもとになるもの。❷手本。フォーム。❸部類。タイプ。意味 育成中のポケモンに与える、パーティ内での役割。例えば、物理技で戦うアタッカーとして育成するのであれば「物理型」といい、相手の攻撃を耐えることを目的として育てるのであれば「耐久型」という。また、様々な型に育成し得るポケモンであれば、採用している技や持ち物の名前にちなんで、「やどみが（＝技の組み合わせ）型」「スカーフ（＝持ち物）型」などと名づけられることもある。用例『特殊型ドサイドンは変態すぎです!!』

カプ神（カプしん）

意味 『サン』『ムーン』で初登場した島の守り神である4体のポケモン「カプ・コケコ」「カプ・テテフ」「カプ・ブルル」「カプ・レヒレ」。用例『カプ神、人間に対して結構厳しいことするよね』

紙耐久（かみたいきゅう）

意味 「ぼうぎょ」「とくぼう」の種族値（☞217ページ）あるいは実数値（☞217ページ）が著しく低いポケモン。用例『フェローチェ紙耐久すぎだな。モデルがゴキブリなのに』

搦手（からめて）

📖❶城の裏手・裏門。陣地の後方。弱点。❷敵の背後から攻める軍勢。意味 「どくどく」や「ステルスロック」などの補助的な役割の技を使い、自身は防御姿勢をとりながらじわじわと相手のHP（☞64ページ）を削る戦法。害悪（☞207ページ）な戦い方の一つ。[用例]『搦手を繰り出してくるトンデモポケモンさんが相手側にいるんスよ…ゲンガーっていうんですけど…』

ガラル三鳥（さんちょう） [意味]『ソード』『シールド』で初登場した伝説のポケモン（＝ゲーム内の特別なポケモン）。ガラル地方（＝ゲーム内の地方）の「ファイアー」「サンダー」「フリーザー」の総称であり、準伝トリオ（☞218ページ）の一つ。カントー地方の三鳥（☞217ページ）と名前は同じだが、全くの別種である。[用例]『ガラル三鳥みんな偽物感出てて好き』

火力（かりょく） 📖 ❶火の強さ。❷銃火器の威力。[意味] 攻撃によって相手に与えるダメージ。「技の威力×こうげき or とくこう×各種補正」によって決まる。[用例]『イーユイの火力高杉乙』

ガンテツボール [意味]『金』『銀』とそのマイナーチェンジ版、およびリメイク版に登場したボール職人のガンテツ（＝キャラクター）が作るモンスターボールの総称。オシャボ（☞207ページ）。彼に一日一回「ぼんぐり」（＝アイテム）を一つ渡すことで作成を依頼できる。具体的には、「ムーンボール」「ラブラブボール」「レベルボール」「フレンドボール」「スピードボール」「ルアーボール」「ヘビーボール」の七種類。各ボールに特殊な効果が付随していたのだが、『金』『銀』当時、内部設定の手違いにより、とんでもない無能ボールであったことが解析によって明らかになっている。『金』『銀』とその関連作品以外にガンテツが登場するタイトルはないが、他の作品でも一連のボールを入手できる場合がある。[用例]『ガンテツボールの中なら、スピードボールが一番好きだなぁ』

キッサキ神殿（しんでん）**の粗大**（そだい）**ゴミ** [意味] ポケモンの一種、レジギガスの愛称。図鑑（☞219ページ）の説明や伝承には数々の功績が残っているにもかかわらず、映画での不遇な扱いや特性「スロースタート」による残念な対戦性能に加え、キッサキ神殿に鎮座していたことも相まって、不名誉な二つ名をつけられた。「レジワロス」

とも。 用例 『おい！ キッサキ神殿の粗大ゴミのことレジギガスっていうのやめろよ！』

起点（きてん） 📖 道路や鉄道などの出発点。 意味 「積み技」（☞積む（224ページ））をほぼ確実に使用できるタイミング。また、そのタイミングとなる相手のポケモン、そのタイミングを作る自分のポケモン。（この状況を「状態異常」などを使用して故意に作ることを、「起点作り」という） 用例 『吹雪ぶち当てたら凍っちゃったから起点にしようと思ったら降参されたなり』『相手のマスカーニャ起点にしたろ』『あくびステロカバはよく見る起点作り要員よな。嫌い』

キトリオ 意味 デフォルトネーム（＝ゲーム開始時点で、あらかじめ設定されているキャラクター名）が「キ」で終わる男主人公三人の総称。『ルビー』『サファイア』の「ユウキ」、『ダイヤモンド』『パール』の「コウキ」、『ハートゴールド』『ソウルシルバー』の「ヒビキ」のこと。 用例 『キトリオの世代が一番人口多いよな～』

基本選出（きほんせんしゅつ） 意味 パーティ構築（☞214ページ）の軸となる主戦力の3体のポケモン。 用例 『うちの基本選出はカイリュー、サーフゴー、ハバタクカミだぜ☆』

逆V（ぎゃくブイ） 意味 ポケモンの個体値（☞215ページ）が「ダメかも（＝0）」であること。32進数で表したとき、個体値0は最高値「V」の「逆」であることから。⇔V 用例 『おっ!? このヒトモシ、Aが逆VでCSがVじゃん！ 採用!!!』

キャンプ 📖 野営。 意味 ポケモンキャンプの略。集めた「きのみ」でポケモンたちとカレーを作ったり、ポケじゃらしで触れ合ったり、ポケモンたちが遊ぶ様子を観察したりすることができる。『ソード』『シールド』で行うことができる。 用例 『屋内でキャンプできるのバグかと思ってたけど、仕様だったんだ…』

急所（きゅうしょ） 📖 ❶大事な場所。❷身体の中で打ち所が悪いと命にかかわる箇所。 意味 バトル中にランダムに発生する、相手のポケモンに与えるダメージが増えるボーナス。他のゲームでいう「クリティカルヒット」。発生すると、相手のポケモンの「能力変化」や「壁（＝技のダメージを軽減する状態）」の影響

オタク共通
三次元共通
日本の男性アイドル
K-POP
2.5次元
二次元共通
ゲーム共通
アークナイツ
スプラトゥーン
ファイアーエムブレム
プロセカ
ポケモン
原神
BL

を無視して通常の1.5倍のダメージを与えることができる。〔ちなみに、ポケモンの急所の場所は明らかにされておらず、『スカーレット』『バイオレット』のDLC〔＝ダウンロードコンテンツ〕第一弾『碧の仮面』にてゼイユ〔＝キャラクター〕が「急所ってどこよ！ 絶対当たってないから!!」と発言している〕 用例『なんで急所三回連続で当てるんや！』

急所技（きゅうしょわざ） 意味「急所〔☞211ページ〕に当たりやすい」「必ず急所に当たる」と表記されている技。 用例『急所技いっぱい覚えるマスカーニャたそつおい』

金銀（きんぎん） 📖❶金と銀。❷金銭。財宝。 意味『金』『銀』の併称。表記されてはいないものの、マイナーチェンジ版である『クリスタル』が含まれる場合もある。 用例『金銀でレッドと戦えるのしびれるぅ！（なお、初見敗北した模様）』

禁伝（きんでん） 意味 伝説のポケモン〔＝ゲーム内の特別なポケモン〕のうち、レーティングバトル〔『ソード』『シールド』以降はランクマッチ〕での使用が禁止されているポケモン。 用例『禁伝環境になったらそれはもう、サ終寸前ってことなんよ』

クッション 📖❶椅子の背などに置いて使う座布団。❷衝撃を和らげ、ものを守るもの。 意味 ①防御面が弱いポケモンでは耐えられない攻撃を代わりに受けて、そのポケモンが安全に行動できるようにお膳立てする防御面が強いポケモン。②エースポケモンが交代時にダメージを負わないようにするため、一時的にバトルに投入されるポケモン。すでに戦って役目を果たしているためにHP〔☞64ページ〕が少なくなってしまったポケモンが、この役割を担うことが多い。 用例『ごめん、ニンフィア。もう役目終わったからクッションにさせて…！』

グロス 📖❶総量。総計。〔gross〕❷光沢。ツヤ。〔gloss〕 意味 鋼・エスパータイプポケモンの一種、メタグロスの愛称。600族〔☞239ページ〕の1体にして、『ルビー』『サファイア』およびそのリメイク版のチャンピオン・ダイゴの切り札。 用例『600族で一番かっこいいのはグロスやから。異論は認める』

けづや 📖動物の毛のツヤ。競馬業界では馬の健康状態を表し、つやつやと光沢があるときは、栄養状態もよく、内臓の疾患もなく、運動に支障がないことを示す。

意味 『ルビー』『サファイア』、『ダイヤモンド』『パール』および、そのマイナーチェンジ版とリメイク版に登場するステータスの一つ。ポケモンコンテスト（☞215ページ）での評価の対象。けづやを磨くには「ポロック」あるいは「ポフィン」というポケモン専用のお菓子を作って与えなければならない。 用例 『けづやMAXアルティメット色ミロカロス様爆誕！』

結論パ（けつろんパ）

意味 第4世代〜第6世代頃のバトル環境において、安定して勝利を収めることができるとされたパーティの総称。プレイヤーの間で共有されていた「勝つことだけを考えた結果組まれた『結論』として生まれたパーティ」という評価が由来。タイプ相性（☞222ページ）や匿名性（☞225ページ）など、あらゆる点において美しいことで（ポケ廃（☞232ページ）の間では）有名。代表例は「ガルーラ」「ガブリアス」「ゲンガー」「ボルトロス」「バシャーモ」「スイクン」の6体。 用例 『6世代結論パことガブガルゲンボルトバシャスイクンは今の環境でもある程度通用するらしい』

厳選（げんせん）

📖 厳しい基準によって選び出すこと。 意味 トレーナーが理想的な個体値（☞215ページ）・性格・性別・特性のポケモン（☞理想個体（238ページ））を手に入れるまで、「捕獲」や「孵化（ふか）」を繰り返すこと。 用例 『只今より、ドラメシヤの色違い厳選（タマゴ）を開始する。（苦行）』

剣盾（けんたて）

意味 ①『ソード』『シールド』の併称。 用例 『剣盾はどっち選んだ〜？』 ②①で初登場した伝説のポケモン（＝ゲーム内の特別なポケモン）「ザシアン」「ザマゼンタ」の併称。ガラル地方（＝ゲーム内の地方）の伝説のポケモンであり、それぞれ剣と盾がモチーフとなっていることから。

剣舞（けんまい）

意味 変化技の一つ「つるぎのまい」のこと。攻撃力を二段階上げることができる。 用例 『ミミッキュの初手はたいてい剣舞やから、ドリュウズさんでド突けば楽勝よ』

攻撃ポッポ（こうげきポッポ）

意味 ポケモンの一種、イワークの愛称。巨体に似合わず、ポッポ（＝ポケモンの一種）と攻撃種族値（☞217ページ）が同値であることから。 用例 『今でこそ攻撃ポッポって笑ってるけど、当時は強い印象しかなかったな。ヒトカゲ選んでたし』

交代読み（こうたいよみ）

意味 ポケモントレーナーが行う対戦中の作戦思考の一つ。相手が次の一手として「ポケモンを交代する」という行動を起こすことを見越して、自身のポケモンに指示を出すこと。相手が次に繰り出すポケモンを予測して攻撃したり、こちらも交代したりと、打つ手は様々である。用例『よっしゃ、ここは交代読み交代でアアアアアアアアア！！！！！！！（絶命の音）』

構築（こうちく）

📖基礎から組み立てて作り上げること。意味 ①並び（☞227ページ）を軸に組んだ対戦パーティの組み方。用例『バンドリ軸の砂パ構築は普通に強かった』 ②サイクルや対面などの、パーティのコンセプトとなる戦術を軸に組んだ対戦パーティの組み方。用例『サイクル構築は肌に合わないかも』

行動保証（こうどうほしょう）

意味 相手のポケモンに対して、自分のポケモンが必ず一回以上行動できること。また、そのような調整。用例『ミミッキュは行動保証が素でついてるのが強い』

ゴキブロス

意味 ポケモンの一種、ヒードランの愛称。伝説のポケモン（＝ゲーム内の特別なポケモン）でありながら世界の秩序を司ることなく、洞窟内の壁を徘徊（はいかい）していたという残念な図鑑説明からつけられた。用例『ゴキブロスって笑ってるけど、対戦性能はめちゃ強なんだからな‼』

国際孵化（こくさいふか）

意味 言語設定（＝ゲーム内で使用する言語を選択する設定）が他言語同士（＝「日本語」と「英語」など）の環境で捕獲されたポケモン2体を「預かり屋（旧・育て屋）」に預けて発見されたタマゴを孵化（ふか）させること。色違い（☞205ページ）厳選（☞213ページ）の手段の一つ。アイテム「ひかるおまもり」（☞229ページ）と併用することで、通常は1/4096（＝約0.024％）の色違いの出現確率を1/683（＝約0.15％）まで上げることができる。用例『色違いのミロカロス欲しいから国際孵化するか～。サブロムでフランス語版やってメタモン捕まえて来よ』

国内産（こくないさん）

📖自分の国で生産されたもの。意味 自分が捕獲したポケモンと同じ言語設定の環境で捕獲されたポケモン。「言語設定」は「日本語」であることが多い。⇕海外産 用例『国内産しか使わないって決めてるから』

御三家（ごさんけ）

📖尾張・紀伊・水戸の徳川三家。意味 ゲームを始めてから最初にもらえるポケモン。「くさ」「ほのお」「みず」タイプの中から1体を選ぶことができる。用例『次の御三家はニャオハを選ぶぜ！』

個体値（こたいち）

意味 ポケモンの生まれ持った個性。隠しステータスの一つで、ゲーム内では、ストーリークリア後に解放される「ジャッジ機能」を使っておおまかな数値を確認することができる。用例『この子の個体値は〝平均以上の能力〟か……』

コピペロス

意味『ブラック』『ホワイト』で初登場した伝説のポケモン（＝ゲーム内の特別なポケモン）「トルネロス」「ボルトロス」「ランドロス」の総称。準伝トリオ（☞218ページ）の一つ。顔やドット絵がほぼ同じで、コピペしたように見えることからつけられた。☞おっさん（207ページ）、三化身（さんけしん）（216ページ） 用例『コピペロスの立ち絵、いつ見ても笑えるわ』

コラミラ

意味『スカーレット』『バイオレット』で初登場した伝説のポケモン（＝ゲーム内の特別なポケモン）「コライドン」「ミライドン」の総称。「ミラコラ」とも。用例『コラミラ犬っぽくてかわよ』

コンテスト

📖あることについての優劣を競う催し。意味 ポケモンコンテストの略。『ルビー』『サファイア』、『ダイヤモンド』『パール』およびそのマイナーチェンジ版とリメイク版に登場するコンテンツ。「かっこよさ」「かしこさ」「うつくしさ」「たくましさ」「かわいさ」の五部門があり、それぞれの部門に向けてポケモンの「けづや」（☞212ページ）を磨く。用例『サーナイトで全コンテスト制覇したぜ！今日は宴じゃー！』

サイクル

📖周期。意味 バトルの際に、相手のポケモンに対して、自分のポケモンを有利なポケモンに入れ替えながら戦う戦術。用例『自分も相手もサイクル戦法極めすぎで交代しかしないやんな？』

最速（さいそく）　📖最も速いこと。〔意味〕「すばやさ」のステータス（☞219ページ）を理論上の限界まで上げること。具体的には、性格補正（☞220ページ）でS×1.1、S個体値V、S努力値252、の状態。☞HABCDS（206ページ）〔用例〕『しょこたんがポケサンで言った「ルナ最速のはずなんですけど～」ってセリフはあまりにも有名』

最遅（さいち）　📖最も遅いこと。〔意味〕「すばやさ」のステータス（☞219ページ）を理論上の限界まで下げること。具体的には、性格補正（☞220ページ）でS×0.9、S個体値逆V、S努力値0、の状態。☞HABCDS（206ページ）〔用例〕『最遅にするメリット？　トリル下で最速』

刺さる（ささる）　📖とがった物が突き立つ。〔意味〕そのポケモン自身に一貫性（☞204ページ）があること。〔用例〕『やめろ、そのおっさんは俺の子たちによく刺さる』

三化身（さんけしん）　〔意味〕『ブラック』『ホワイト』で初登場した伝説のポケモン（＝ゲーム内の特別なポケモン）「トルネロス」「ボルトロス」「ランドロス」の「けしんフォルム」の状態の総称。準伝トリオ（☞218ページ）の一つ。☞おっさん（207ページ）、コピペロス（215ページ）〔用例〕『三化身ビジュはいいんだよな。顔はおっさんのままだけど』

三犬（さんけん）　〔意味〕『金』『銀』で初登場した伝説のポケモン（＝ゲーム内の特別なポケモン）「エンテイ」「ライコウ」「スイクン」の総称。準伝トリオ（☞218ページ）の一つ。犬のような見た目の伝説のポケモンが3体セットで登場したことから。〔用例〕『三犬全員かっこいいから好き。でも、二度と追いかけっこはしたくないかな…』

三色キバ（さんしょくキバ）　〔意味〕三つの技「ほのおのキバ」「かみなりのキバ」「こおりのキバ」の総称。〔用例〕『三色キバは相性補完するときに便利だよね～』

三色パンチ（さんしょくパンチ）　〔意味〕三つの技「ほのおのパンチ」「かみなりパンチ」「れいとうパンチ」の総称。〔用例〕『ニド夫妻は三色パンチ全部覚えるってだけでもう強い』

三値（さんち）
意味 種族値（☞217ページ）、個体値（☞215ページ）、努力値（☞225ページ）の総称。 用例 『ポケモン対戦やるならまず三値から覚えような……！』

三鳥（さんちょう）
意味 『赤』『緑』で初登場した伝説のポケモン（＝ゲーム内の特別なポケモン）、ファイアー・サンダー・フリーザーの総称。準伝トリオ（☞218ページ）の一つ。鳥の姿をした伝説のポケモンが3体セットで登場したことから。 用例 『三鳥は何かとネタにされてるけど、性能はだいぶ強化されたから…』

三闘（さんとう）
意味 『ブラック』『ホワイト』で初登場した伝説のポケモン（＝ゲーム内の特別なポケモン）「コバルオン」「テラキオン」「ビリジオン」の総称。準伝トリオ（☞218ページ）の一つ。 用例 『BW2の三闘の扱い雑すぎでしょｗ』

サンムーン
意味 『サン』『ムーン』の併称。（主に話し言葉で用いる。書き言葉では「SM」（☞206ページ）） 用例 『サンムーンでレッドとグリーンに会えるとかエモ…』

GSC（ジーエスシー）
意味 『金』『銀』『クリスタル』の英語の頭文字を略記したもの。 用例 『GSCのガンテツボールポンコツすぎワロタ』

下（した）
📖 意味 ❶低い位置。❷身分や地位などが低いこと。「すばやさ」で劣ること。後攻で動くこと。⇕上 用例 『ウインディ対面ならコッチが確実に下だな…さて、どうするか…』

実数値（じっすうち）
意味 ゲーム内で実際に表示されるステータス値。三値（☞217ページ）や性格補正（☞220ページ）などを総合的に計算したもの。 用例 『アブリボンの素早さ実数値176？じゃあ準速か』

ジムリ
意味 ジムリーダーの略。ポケモンリーグ公営の施設「ポケモンジム」の責任者。他ゲームにおける中ボスに相当する。作中では、プレイヤーにタイプ相性（☞222ページ）やバトルの流れなどを理解させるためのチュートリアルを行う役割を担う。 用例 『今から最後のジムリと戦うから暇じゃないですね』

種族値（しゅぞくち）
意味 ポケモンの種族としての能力。隠しステータスの一つで、ゲーム内では確認することができない。 用例 『え？ 今更ガブの種族値言えん奴おらんやろ』

順位（じゅんい） 📖順番によってつけた地位や位置。 意味 レーティングバトル（『ソード』『シールド』以降はランクマッチ）でつけられる強さの序列。高ければ高いほど強い。 用例 『今シーズンの順位どれくらいだったー？』

準速（じゅんそく） 意味 「すばやさ」のステータスを理論上、最速（☞216ページ）の次に速くすること。具体的には、性格補正なし、S個体値V、S努力値252、の状態。☞HABCDS（206ページ） 用例 『そのドラパルト最速じゃないよね？ 準速？』

準伝（じゅんでん） 意味 伝説のポケモン（＝ゲーム内の特別なポケモン）のうち、レーティングバトルでの使用が認められているポケモン。 用例 『準伝解禁されたから早速ディンルーを組み込むか〜』

準伝トリオ（じゅんでんトリオ） 意味 3体セットで出てくる準伝説ポケモン。☞おっさん（207ページ）、ガラル三鳥（210ページ）、コピペロス（215ページ）、三化身（216ページ）、三犬（216ページ）、三鳥（217ページ）、三闘（217ページ）、UMA（236ページ） 用例 『準伝トリオでなにが一番好き？』

使用率（しようりつ） 📖供給量のうち、どれくらい使用されているかを表した数値。 意味 対戦環境において、あるポケモンが全てのポケモンのうち、どれだけのプレイヤーに使用されているかを表した数値。高いほど「環境」「メタ」、低いほど「マイナー」という。 用例 『カイリューの使用率高っか！』

序盤鳥（じょばんとり） 意味 ゲームを始めて最初に訪れる草むらに出現する鳥ポケモン。例、「ポッポ」「ヤヤコマ」。 用例 『これが今作の序盤鳥か〜』

序盤ノーマル（じょばんノーマル） 意味 ゲームを始めて最初に訪れる草むらに出現するノーマルタイプのポケモン。例、「オタチ」「ジグザグマ」。 用例 『序盤ノーマルあるある。秘伝要員になりがち』

序盤虫（じょばんむし） 意味 ゲームを始めて最初に訪れる草むらに出現する虫ポケモン。例、「キャタピー」「ビードル」。 用例 『序盤虫って言ったら、やっぱキャタピーっしょ！』

シンオウ三龍（シンオウさんりゅう） 意味 『ダイヤモンド』『パール』で初登場した伝説のポケモン（＝ゲーム内の特別なポケモン）「ディアルガ」「パルキ

ア」「ギラティナ」の総称。ゲーム内の地方名「シンオウ」と、ドラゴンタイプのポケモンを意味する「龍」から。 用例『シンオウ三龍の神々しさは異常。さすが神』

進化前(しんかまえ) 意味 進化可能なポケモンで、まだ最終進化形になっていないポケモン。進化前のポケモンの「ぼうぎょ」と「とくぼう」を高める持ち物「しんかのきせき」の恩恵を受けることができるため、意外と侮れない。 用例『進化前のほうが可愛くて進化させられない…』

四災(スーザイ) 意味『スカーレット』『バイオレット』で初登場した伝説のポケモン(=ゲーム内の特別なポケモン)「イーユイ」「ディンルー」「パオジアン」「チオンジエン」の総称。4体とも「さいやく(災厄)ポケモン」に分類されることから。「スーザイ」は「四災」の中国語読み。 用例『四災って、元ネタもネーミングも明らかに中華系なんだけど、なんでパルデアにおるん?』

スカーフ最速(さいそく) 意味 最速(☞216ページ)の状態に育てたポケモンに「こだわりスカーフ」を持たせ、さらにSを1.5倍した状態。☞H(エイチ)ABCDS(エービーシーディーエス)(206ページ) 用例『スカーフ最速テッカニンはやりすぎでしょ。タスキとかのほうがいいって』

スカバイ 意味『スカーレット』『バイオレット』の併称。〔主に話し言葉で用いられる。書き言葉では「SV」(☞206ページ)〕 用例『スカバイのDLCはやくやりたいなー!』

図鑑(ずかん) 📖ある分野の事物を図や写真を用いて説明した書物。 意味 ポケモン図鑑の特称。見たり捕まえたりしたポケモンが勝手に登録されるハイテクな機械。これを完成させることが主人公の旅の目的の一つ。また、色違い(☞205ページ)勢にとっては完成させるまでがチュートリアルのようなもの(☞ひかるおまもり(229ページ))。図鑑説明は誰が書いているのかとか聞いてはいけない。 用例『図鑑完成まであと3体!!』

ステータス 📖社会的地位。また、それが高いこと。 意味 ポケモンの能力。項目は六つあり、「HP=H、こうげき=A、ぼうぎょ=B、とくこう=C、とくぼう=D、すばやさ=S」の略称で表される。 用例『旅パ6タテはやべぇだろ!』

オタク共通
三次元共通
日本の男性アイドル
K-POP
2.5次元
二次元共通
ゲーム共通
アークナイツ
スプラトゥーン
ファイアーエムブレム
プロセカ
ポケモン
原神
BL

どんなステータスしてんだ!?』

性格補正（せいかくほせい）　意味 ポケモンの「性格」が「能力」の伸びやすさに与える影響。例えば、「性格：いじっぱり」の個体は「能力：こうげき（=A）」が伸びやすく、「能力：とくこう（=C）」が伸びにくい。全国のポケモントレーナーは、育てるポケモンの種族値（☞217ページ）やバトルでの役割を考慮して「性格」を厳選（☞213ページ）する。用例『防御とか特防が下がる性格補正は基本選ばないね』

世代（せだい）　📖 ❶親・子・孫と続いていく各々の代。❷ある年齢層。ジェネレーション。意味『ポケットモンスター』シリーズの発売時期や通信手段、使用機器などによって分類される、作品のタイトルやプレイヤーの層。例えば、「第4世代（☞223ページ）」は「DPt（☞225ページ）」「HGSS（☞206ページ）」、これらをプレイした人たちを示し、「ダイパ（☞222ページ）世代」は「DPt」をプレイした人たちを示す。世代が変わると、新しいバトル形式や新タイプの追加などが行われる。第1世代の赤・緑・青・ピカチュウから始まり、第9世代目スカーレット・バイオレットが発売されている（2023年9月現在）。用例『今の大学生はほとんどが第4か第5世代だよねー』

接触技（せっしょくわざ）　意味 相手のポケモンに「接触」したと判定される技。ほとんどの「物理技」および、「特殊技」の「オーバーヒート」や「はなびらのまい」など。用例『オーバーヒートって接触技だったんだ…』

先制技（せんせいわざ）　意味 相手より先に攻撃できる技。技ごとに優先度が設定されており、同じノーマルの先制技でも「でんこうせっか（優先度+1）」よりも「しんそく（優先度+2）」の方が先手を取れる。また、同じ優先度の先制技を出し合った場合、ポケモン同士のすばやさが参照される。しかし、同速の場合、どちらが先手を取るかはランダムになる。用例『ねこだましが先制技の中で一番好きだわ』

全対応（ぜんたいおう）　意味 相手の構築（☞214ページ）、選出（=バトルするポケモンの選択）、型（☞209ページ）などのすべてに対して不利にならないこと。負けないこと。用例『全対応へイラッシャ育てました。もう負けません』

全抜き(ぜんぬき)

意味 1体のポケモンで、自身あるいは相手のポケモンがすべて倒されること。3 on 3の場合は3タテ、6 on 6の場合は6タテとも表現される。☞○タテ(224ページ) 用例『先制ゴリラに全抜きされました訴訟』

専用技(せんようわざ)

意味 特定のポケモンだけが覚える技。例、「さばきのつぶて」「クロスフレイム」。用例『専用技で一番かっこいいの亜空切断だと思ってる』

第1世代(だいいちせだい)

意味『赤』『緑』、限定発売された『青』、アニメ版の人気を受けて発売された『ピカチュウ』および、同作品でポケモンデビューしたトレーナー。対応ハードは「ゲームボーイ」。ポケモンの総数は151匹である。また、シリーズ初タイトルであることから、「初代」とも呼ばれている。用例『第1世代から今もずっとポケモンやってる人ってどれくらいいるんだろう』

第9世代(だいきゅうせだい)

意味『スカーレット』『バイオレット』および、同作品でポケモンデビューしたトレーナー。対応ハードは「ニンテンドーSwitch」。ポケモンの総数は1021匹である。(2023年9月現在)また、同作品はシリーズ初のオープンワールドであり、バトルシステムにはダイマックスに代わって「テラスタル」が実装された。用例『第9世代からポケモンやり始めた人多そう』

第5世代(だいごせだい)

意味『ブラック』『ホワイト』、同作品の続編である『ブラック2』『ホワイト2』および、同作品でポケモンデビューしたトレーナー。対応ハードは「ニンテンドーDS」。ポケモンの総数は649匹である。また、同世代を機にドット絵によるグラフィックが終了した。用例『第5世代から入った人、今20歳前後でしょ』

第3世代(だいさんせだい)

意味『ルビー』『サファイア』、同作品のマイナーチェンジ版である『エメラルド』、『赤』『緑』のリメイク版である『ファイアレッド』『リーフグリーン』および、同作品でポケモンデビューしたトレーナー。対応ハードは「ゲームボーイアドバンス」。ポケモンの総数は386匹である。用例『第3世代が良グラだった時代はもう大昔なのか…』

オタク共通
三次元共通
日本の男性アイドル
K-POP
2.5次元
二次元共通
ゲーム共通
アークナイツ
スプラトゥーン
ファイアーエムブレム
プロセカ
ポケモン
原神
BL

第7世代（だいななせだい）

意味『サン』『ムーン』、同作品のマイナーチェンジ版である『ウルトラサン』『ウルトラムーン』、『ピカチュウ』のリメイク版である『Let's Go! ピカチュウ・イーブイ』および、同作品でポケモンデビューしたトレーナー。対応ハードは「ニンテンドー3DS」、ピカチュウ・イーブイのみ「ニンテンドーSwitch」。ポケモンの総数は809匹である。用例『第7世代の主人公無表情すぎて怖いw』

第2世代（だいにせだい）

意味『金』『銀』、同作品のマイナーチェンジ版である『クリスタル』および、同作品でポケモンデビューしたトレーナー。対応ハードは「ゲームボーイカラー」。ポケモンの総数は251匹である。また、女主人公が実装されたのも同世代のクリスタル版からである。用例『第2世代から女主人公追加って、当時としては結構先進的だったのでは?』

ダイパ

意味『ダイヤモンド』『パール』の併称。表記されてはいないものの、マイナーチェンジ版である『プラチナ』が含まれる場合もある。（主に話し言葉で用いられる。書き言葉では「DPt」（☞225ページ）） 用例『ダイパが世代って人、一番多そう』

第8世代（だいはちせだい）

意味『ソード』『シールド』、『ダイヤモンド』『パール』のリメイク版である『ブリリアントダイヤモンド・シャイニングパール』、同作品の過去を描いた『LEGENDS アルセウス』および、同作品でポケモンデビューしたトレーナー。対応ハードは「ニンテンドーSwitch」。ポケモンの総数は905匹である。バトルシステムはメガシンカに代わって「ダイマックス」が実装された。用例『第8世代は操作性とかグラとか色々良かったよね』

タイプ相性（タイプあいしょう）

意味 防御側のポケモンの「タイプ」と攻撃側の技の「タイプ」の相性。防御側のポケモンのタイプによって、技が与えるダメージの倍率が変化する。通常のダメージは「等倍」という。受けた技が防御側のポケモンが持つタイプのうちの一つに対して弱点だった場合は「2倍弱点」、二つのタイプに対して弱点だった場合は「4倍弱点（☞237ページ）」という（いずれも「効果は抜群だ」）。また、防御側のポケモンのタイプが、受けた技の威力を0.5倍にすることを「半減」（＝効果はいまひとつのようだ」、0倍にすることを「無効」（＝効果がないようだ」という。ダメージは、「4倍弱点」「2倍弱点」「等倍」「半減」「無効」の順に小さくなる。受けるダメージを半減以下にできることを「耐性がある」という。用例『タイプ相性の覚え方？　丸暗記が一番手っ取り早いと思うよ。計算式みたいに覚えてもいいけど』

タイプ一致（いっち）

意味 ポケモンと、ポケモンが使用する技のタイプが同じこと。技の威力が1.5倍になる。用例『タイプ一致で効果抜群なのに耐えられた…だと……？』

対面（たいめん）

📖顔を合わせること。意味 一度出したポケモンを、よほど不利になるまでは下げず、ポケモンが倒れるまで戦い続ける戦術。用例『ワイ脳筋だから、サイクルより対面のほうが好きなんよ』

太陽神（たいようしん）

意味 ポケモンの一種、キマワリの愛称。用例『太陽神久々に見たw』

第4世代（だいよんせだい）

意味『ダイヤモンド』『パール』、同作品のマイナーチェンジ版である『プラチナ』、『金』『銀』のリメイク版である『ハートゴールド・ソウルシルバー』および、同作品でポケモンデビューしたトレーナー。対応ハードは「ニンテンドーDS」。ポケモンの総数は493匹である。用例『今の新社会人はだいたい第4世代。これは間違いない』

第6世代（だいろくせだい）

意味『X』『Y』、『ルビー』『サファイア』『アルファサファイア』『オメガルビー』のリメイク版である『オメガルビー』『アルファサファイア』および、同作品でポケモンデビューしたトレーナー。対応ハードは「ニンテンドー3DS」。ポケモンの総数は721匹である。また、同世代より、グラフィックの3D化が始まった。バトルシステム「メガシンカ」が追加されたのも同世代からである。用例『第6世代から3D化したんだよね～』

妥協個体（だきょうこたい）

意味 個体値（☞215ページ）、性格、性別、入っているボール、色違い（☞205ページ）かどうかなど、トレーナーが理想として掲げた姿とは異なるが、それに近い状態で誕生あるいは捕獲した個体。☞理想個体（りそうこたい）（238ページ）用例『妥協個体だけど、最近はミントとか特訓でどうにでもなるから問題ないね』

襷潰し（たすきつぶし） 意味 先制技（☞220ページ）や威力の低い技、相性（☞203ページ）の悪い技などをあえて打つことで、「きあいのタスキ（＝「持ち物」の一種）」の効果を阻害すること。 用例 『電光石火で襷潰ししとくか』

○タテ 📖 連敗（連勝）の数を数えることば。 意味 1体のポケモンで、自身あるいは相手のポケモンが倒されること。倒されたポケモンの数をつけて「3タテ（＝3体倒される）」「6タテ（＝6体倒される）」のようにいう。☞全抜き（221ページ） 用例 『この相手なら理論上3タテ可能なんだが』

打点（だてん） 📖 野球で、打者の働きによって得た点。 意味 相手ポケモンに「等倍」（＝通常）以上のダメージを与えられる技。有効打とも。 用例 『大変だ……ドドゲザンに対して打点がない……！』

ダメージ計算（だめーじけいさん） 意味 育成の段階で、ダメージを計算すること。ダメージはポケモンの「基礎ステータス」「技の威力」「タイプ一致」「弱点」「各種補正」から算出される。ダメ計とも。 用例 『努力値振る前にダメージ計算しとこ』

溜め技（ためわざ） 意味 1ターン目に攻撃の準備をし、2ターン目に攻撃する技の総称。例、「ソーラービーム」「ゴーストダイブ」。「パワフルハーブ」を持たせると、一度だけ1ターン目に攻撃することができる。 用例 『溜め技は防御されたり「交代」ですかされたりするから、結構リスキーなんだよね』

厨パ（ちゅうパ） （224ページ） 意味 厨ポケで構成されたパーティ。☞厨ポケ 用例 『好きなポケモン入れてたらいつの間にか厨パになっちまってた……』

厨ポケ（ちゅうポケ） 意味 レーティングバトル（『ソード』『シールド』以降はランクマッチ）において使用率の高い、誰が使っても強いポケモン。「厨房（＝中学生を表すインターネットスラング）が何も考えずに使っても強いポケモン」の略。嘲笑の響きを伴うため、使用には注意が必要。「環境」（☞66ページ）、「メタ」とも。 用例 『お前のパーティ厨ポケしかおらんやん』

積む（つむ） 📖 上に重ねて置く。 意味 自身のランク補正（☞237ページ）を上昇させる技（＝積み技）を使用する。 用例 『初手剣舞で攻撃積むのはミミッキュの常套手段だかんね～』

DPt（ディーピーティー）
意味 『ダイヤモンド』『パール』『プラチナ』の総称。『プラチナ』のみの場合はPt。
用例 『DPtは今でも中古価格高いよね』

でかいサンド
意味 色違い（☞205ページ）個体のポケモンの一種、グラードンのポケモンのサンドと類似しており、かつ体長がサンドよりも大きいことから愛称。色合いが地面タイプポケモンのサンドと類似しており、かつ体長がサンドよりも大きいことから。
用例 『うわでたwでかいサンドw』

天界の笛（てんかいのふえ）
意味 BDSP（☞229ページ）に登場するシンオウ地方、レジェアル（☞239ページ）に登場するヒスイ地方において、アルセウス（＝幻（☞234ページ）のポケモンの一種）に関連するイベントを起こすためのアイテム。かつてBDSPの原作であるDPt（☞225ページ）にて、アルセウス捕獲イベントのために配信が予定されていたが、没になった。「正式な発表を待たずして解析班が情報をネットの海に流してしまったため、公式が怒って配信をやめた」とされているが、実際の理由は不明。
用例 『天界の笛って、なんか吹きにくそうな形してるよね』

天候パ（てんこうぱ）
意味 ある一定の天候のもとで戦うことをコンセプトとして構築（☞214ページ）されたパーティ。
用例 『クリア後のN様、天候パで草』

匿名性（とくめいせい）
意味 型（☞209ページ）の匿名性。「強い」とされている型が複数存在し、対戦相手に型を絞られにくいこと。
用例 『やることが決まってるカバとかとは違って、ルカリオは匿名性があるんでねえ～』

特訓（とっくん）
📖特別訓練の略。
意味 「すごいとっくん」のこと。「ぎんのおうかん」あるいは「きんのおうかん」を消費することで、Lv.100（SV（☞206ページ）ではLv.50以上）のポケモンの個体値（☞215ページ）を後天的に「さいこう」にすることができる。☞V（ブイ）（230ページ）
用例 『色違いのポケモン捕まえたから、特訓してランクマで使お～っと！』

努力値（どりょくち）
意味 「きそポイント」のこと。ポケモンが後天的に得た能力。隠しステータスの一つだが、ゲーム内で存在が明言されている。一匹につき合計510まで、一つのステータスに最大252まで振り分けることができる。ポケ廃（☞232ページ）の間で

オタク共通
三次元共通
日本の男性アイドル
K-POP
2.5次元
二次元共通
ゲーム共通
アークナイツ
スプラトゥーン
ファイアーエムブレム
プロセカ
ポケモン
原神
BL

は最も重要視される数値であり、ポケモンごとの対戦での役割によって、数値の振り分け方が変わる。用例『努力値振り何でやる？ ドーピング派？ 野生戦派？』

トリル

意味 ポケモンの技「トリックルーム」の略。発動すると、そのターンから5ターンの間、「すばやさ」の低いポケモンから行動できるようになる。先制技（☞220ページ）には無効。もう一度使用すると元に戻る。この技を使うことを前提に組まれたパーティを「トリルパ」という。用例『トリルパ始動は誰にやらせようかな～？』

ドロポン

意味 ポケモンの技「ハイドロポンプ」の略。用例『なみのり、ドロポン論争が公式で行われる日が来るとは思ってもみなかったよ……』

内定（ないてい）

📖内々の決定。意味 既存ポケモンの新作登場が決定すること。推しポケが新作に登場するかどうかが気になるプレイヤーたちは、PVが発表されるたび、どのポケモンが映り込んでいるのかを解析するのである。⇔リストラ 用例『サーナイトとミロカロスとトゲキッスの内定頼むぞ増田ア!!!』

なぞのばしょ

意味『ダイヤモンド』『パール』と、マイナーチェンジ版である『プラチナ』のみで行けるバグマップ。マップ内で特定の操作をすることで、アルセウスやシェイミなどの配布ポケモンが手に入る。が、操作を間違えると、最悪の場合データが破損するため要注意。用例『まずはなぞのばしょに入って……右200、下256、左63、からの探検セット！』

なつき進化（しんか）

意味「なつき度」に応じて進化するポケモン。『ソード』『シールド』以降は、「なかよし度」に統合された。用例『グラジオくんの手持ち、なつき進化多くてかわよ』

ナツミショック

意味 山男のナツミ（＝男主人公限定で登場するキャラクター）をめぐる観覧車イベント（＝BW、つまり『ブラック』『ホワイト』殿堂入り（＝メインストーリークリア）後に発生するとち狂ったイベント）で男主人公プレイヤーを襲った悪夢。バトル終了後に一緒に観覧車のゴンドラに乗り込んだナツミが、男主人公を「少年」と呼び、少年愛を連想させる生々しい発言を何度もするなどして、なにげなく男主人公で遊んでいたプレイヤーたちを戦慄させた。続編のBW2でも登場。今度は女主人公限定で登場し、主人公を「小娘」呼ばわりして塩対応する様子が描写された。その後に発売されたXYで、シャラシティの男性から「知り合いに観覧車好きやまおとこがいるんだが……恋が成就したらしい……」という話を聞ける。これをどう捉えるかはあなた次第……。☞黒いゲーフリ（67ページ）、黒い任天堂（67ページ） 用例『女だけど、男主人公で遊んでたからナツミショック経験したわ。あれは衝撃すぎた……』

並び（なら）

意味 相性補完（☞203ページ）の関係にあり、パーティ構築（☞214ページ）の軸となるポケモン2～3体の組み合わせ。例、「ガブガルゲン」「クレセドラン」「サザンガルド」「バンドリ」。用例『サザンガルドの並びは強いしビジュがいい』

ニド夫妻（ふさい）

意味 ポケモン「ニドキング」「ニドクイン」の併称。図鑑説明には子供やパートナーについて書かれることがしばしばあり、同名のポケモンから性別違いで進化することから、このように呼ばれるようになった。夫妻揃って「技のデパート」と呼ばれるほど技範囲（☞239ページ）が広く、また、ロケット団（＝ゲームに登場する組織）ボスのサカキが有するポケモンとしても有名。用例『ニド夫妻の図鑑説明エモいな～』

徘徊系（はいかいけい）

意味 ゲーム中でプレーヤーが話しかけた後、マップ上を動き回る伝説のポケモン（＝ゲーム内の特別なポケモン）。例、ＵＭＡ（☞236ページ）、三犬（☞216ページ）、コピペロス（☞215ページ）。ポケモンの技「そらをとぶ」などで急接近すると遠くへ逃げてしまうため、地道に近づく必要がある。また遭遇後、すぐに逃げる場合が多く、技「くろいまなざし」や特性「かげふみ」を持つポケモンを用意する必要がある。用例『ヤベッ！ 徘徊系倒しちゃった～……またシロナさんと戦ってこなきゃ。（直前セーブしろ）』

廃人スペース（はいじん）

意味 『サン』『ムーン』に存在する、「預かり屋（旧・育て屋）」の目の前にある柵の中の狭いスペース。そこでケンタロスライド〈＝ポケモン「ケンタロス」で移動すること〉をし、柵にこすりつけるようにスライドパッド〈＝ゲームのコントローラーの一部〉を動かすと、効率よく「孵化歩数」を稼ぐことができる。用例『廃人スペースに入ってケンタロスで爆走する状況、よく考えたら変じゃね？』

廃人ロード

意味 ポケ廃〈☞232ページ〉がタマゴの「孵化作業」をするために走る一本道。通常、「預かり屋〈旧・育て屋〉」のすぐ前に設けられている。☞廃人スペース（227ページ） 用例『廃人ロードで流れるBGMいつでも口ずさめるわ』

パケ伝

意味 パッケージ伝説の略。パッケージを飾った伝説のポケモン〈＝ゲーム内の特別なポケモン〉。例、ホウオウ、ルギア、シンオウ三龍〈☞218ページ〉など。『クリスタル』のスイクン〈☞準伝（218ページ）〉を除くすべてのポケモンが禁伝〈☞212ページ〉。用例『今作もパケ伝かっこいいな〜！』

パモさん

意味 『スカーレット』『バイオレット』から登場したポケモンの一種。過去作品におけるピカチュウ〈＝ポケモンの一種〉にあたるゲームのマスコット的存在。「野生」の他に、アカデミー〈＝主人公たちが通う学園〉内で起こる、英語科のセイジ先生〈＝キャラクターの一人〉のイベントで登場する。イベント内でセイジ先生が用いる「パモさん」という呼称が、そのままプレイヤーの間に定着した。用例『パモさん可愛い〜』

パラドックス

📖逆説。意味『スカーレット』『バイオレット』で初登場した、パラドックスポケモンに分類されるポケモン。スカーレット版には過去、バイオレット版には未来のパラドックスポケモンが登場する。用例『パラドックス解禁したけど、めちゃくちゃ使われてるってわけではなさそうだね』

バリバリダー

意味 ポケモンの一種、ゼクロムの愛称。『ホワイト』の登場シーンで鳴き声が「バリバリダー！」とテキスト表記されたことから。用例『このゲートの先はバリバリダーかな？』

ぱるぱるぅ

意味 ポケモンの一種、パルキアの愛称。『プラチナ』の登場シーンで鳴き声が「ぱるぱるぅ!!!」とテキスト表記されたことから。用例『うちのぱるぱるぅ意地だったわ』

BDSP（ビーディーエスピー）

意味『ブリリアントダイヤモンド』『シャイニングパール』の併称。DPt（☞225ページ）のリメイク作品でありながら、「原作『ダイヤモンド』『パール』の再現」を目指した作品であり、キャラクターの等身はおろか、バグが多いところまで再現されてしまった。そんな所を揶揄（やゆ）して「バグだらけスペシャル（BDSP）」とも呼ばれている。〔主に書き言葉で用いられる。話し言葉では「ダイパ（☞222ページ）リメ」〕用例『BDSPのシロナはさすがに強すぎる……小学生はクリア出来ないよ……』

ピカブイ

意味①ポケモン「ピカチュウ」「イーブイ」の併称。用例『ピカブイの新グッズかわいい〜』②ゲームタイトル『ピカチュウ』のリメイク版である『Let's Go! ピカチュウ・イーブイ』の略。

ひかるおまもり

意味シリーズにおいて、ストーリークリア後にポケモン図鑑を完成させるともらえる「お守り」。色違い（☞205ページ）の出現率を三倍にする効果を持つアイテム。色違いを集めているポケ廃（☞232ページ）たち（＝色違い勢）は、このお守りを手に入れるためにポケモン図鑑の完成を爆速で行う。ちなみに、このお守りがない時の色違い出現率は1/4096（＝約0.024%）である。用例『あと一匹でひかるおまもりもらえるのに、その一匹が毎週金曜日にしか出現しない…だと……？（現在土曜日午前0時3分）』

髭（ひげ）

📖❶口や顎の周りに生える毛。❷動物の口辺りに生える長い毛や突起。意味ポケモンの一種、フーディンの愛称。髭が生えていることが由来。用例『エスパー最強時代の髭はめっちゃ強かったな』

膝（ひざ）

📖ももとすねの間にある関節。意味ポケモンの技「とびひざげり」の愛称。用例『次エースバーンが膝外したら勝ち。当たったら負けるわ』

非接触技（ひせっしょくわざ）

意味相手のポケモンに「接触」しない技。ほとんどの「特殊技」および、「物理技」の「じしん」や「かえんボール」など。用例『地震は非接触技だからゴツメ意味ないで』

必中技（ひっちゅうわざ） 意味 「必ず命中する」と表記されている技。 用例 『影分身とか小さくなるとかしてくる害悪野郎と当たったときほど必中技が欲しくなるときはないよ（）』

秘伝要員（ひでんよういん） 意味 ポケモンの技「ひでんわざ」を覚えさせた、フィールド移動専用のポケモン。ポケモンは1体につき技を四つ覚えられるが、主要な「ひでんわざ」は八つあるため、パーティで最低でも2体は用意することになる。「ひでんわざ」の性質上、バトルではほとんど役に立たない場合が多く、彼らがバトルフィールドに出るときは、バトル用に育成したポケモンが倒れたときに回復するクッション〔☞212ページ②〕として繰り出されることがほとんど。 用例 『秘伝要員と言えば、オオタチ、マッスグマ、ビーダル、トロピウスあたりが有名だね』

ひとしら 意味 証〔☞203ページ〕の「みたことないあかし」を持つことによって得られるポケモンの二つ名「ひとをしらない」の略。 用例 『やば…今捕まえた色、ひとしらだったんだけど～！』

130族（ひゃくさんじゅうぞく） 意味 主に「すばやさ」種族値〔☞217ページ〕が130のポケモン。他のステータスを参照する場合は「攻撃種族値130族」などと呼ばれる。 用例 『クロバットって130族だったの!?』

V（ブイ） 📖〔アルファベットで〕Uの次、Wの前。 意味 ポケモンの個体値〔☞215ページ〕が「さいこう〔＝31〕」であること。個体値の最高値31を32進数で表すと「V」であることから。ステータスが六つとも最高値のポケモンを6Vと呼ぶ。⇕逆V 用例 『あ…ありのまま今起こったことを話すぜ！ 4Vルカリオと5Vメタモンから6Vリオルが生まれたんだ！！！！！！！』

ブイズ 意味 イーブイフレンズの略。イーブイ〔＝ポケモンの一種〕とその進化系8体の総称。ポケモンセンター〔☞ポケセン（232ページ）〕でもグッズ化が進んでおり、ピカチュウに並んでポケモンの看板キャラクターとしてプレイヤーたちの間で定着している。 用例 『君、ブイズの中でどの子が一番好き～?』

不遇（ふぐう） 📖運に恵まれず、才能や能力に見合った処遇を受けられないこと。 意味 種族値ン（☞217ページ）、技範囲（☞239ページ）、特性などが他のポケモンより劣っていて、差別化が難しく活躍しづらいポケモン。しかし、何をもって不遇とするかは人によるため、安易に口にすることははばかられる。表現の仕方によっては、他者の推しポケの悪口になり、地雷（☞18ページ）を踏み抜きかねないので注意しよう。用例『ミツハニー♂とかヤトウモリ♂は進化できないの不遇すぎる……公式よ、彼らになにか救済を……』

ぶっぱ

意味 他のステータス（☞219ページ）に対し、努力値（☞225ページ）を上限の252まで振ること。「ぶっぱなし」から。「極振（きょくふり・ごくふり）」ともいう。用例『ワイ脳筋やから、アタッカーは大体ASかCSぶっぱしてるわ』

○振り（ふり）

意味 ○の中には主に4～252までの自然数か、言葉が入る。あるステータスに対し、努力値をどれだけ、あるいは、何に割り振る（割り振った）のかを示したもの。252振ることを「極振り」という。用例『こいつはS12振りで準速ニンフィアを抜ける』

ベイビィポケモン

意味 一般ポケモンだがタマゴ未発見グループに属し、進化するとタマゴが見つかるようになる進化前（☞219ページ）のポケモンの総称。元々はポケモンカードゲームから逆輸入された俗称であり公式用語ではない。用例『ベイビィポケモンみんな可愛いんだけど、孵化（ふか）厳選の天敵だったりする』

捕獲クリティカル（ほかく）

意味 ポケモンを捕獲するためにモンスターボールを投げたとき、確実に捕まえられる現象。まれにしか起こらない。発生すると、野生のポケモンを収めたボールがわずかに揺れる判定モーション（＝三回揺れるアレ）がスキップされる。用例『ボールがもうない！ 頼む、捕獲クリティカル来てくれ!!!』

捕獲要員（ほかくよういん）

意味 野生ポケモンを捕獲することに特化したポケモン。「みねうち」や「まひ」「ねむり」など、相手を「状態異常」にする技を覚えるポケモンが選ばれる。用例『捕獲要員といえばキノガッサだよね～』

ポケカ 意味「ポケモンカードゲーム」の略。ポケモンシリーズを題材としたトレーディングカードゲーム。用例『最近ポケカの転売ヤバない？』

ポケセン 意味 ポケモンセンターの略。ゲーム内に登場する施設。また、それと同名のポケモン公式グッズショップ。プレイヤーからはゲーム内、現実を問わず、この愛称で親しまれている。用例『明日一緒にポケセン行こーぜ！』

ポケダン 意味『ポケモン不思議のダンジョン』シリーズ（＝ポケモンが主人公の冒険RPG）の略。用例『ポケダンは闇のディアルガ戦が一番熱い！異論は認めん！』

ポケ廃（はい） 意味 ポケモン廃人の略。ゲームに異常なまでに執着し、徹底的にやり込むポケモンプレイヤーらの俗称。主に「対戦廃人」のことを指すが、他にも「色違い廃人」や「オシャボ廃人」、「リボン廃人」、「証廃人」などが存在する。用例『ポケ廃の執着心とか記憶力とか、とにかくキモいんだよね～（即死級ブーメラン）』

ポケモナー 意味 ポケモンを主食とする変態のケモナー（☞60ページ）。「ポケモン」＋「ケモナー」から。用例『ルカリオはポケモナーの餌食になってる一番のポケモンだから』

ポケモン 意味 ☞第12章扉（202ページ）

ポケモンの新作、スカーレットとバイオレットのDLCは2023年秋以降に配信開始ですぞ！』

保険金詐欺（ほけんきんさぎ） 意味「持ち物」の一種「じゃくてんほけん」を持たせたバンギラス（＝ポケモンの一種）。高い耐久力をダイマックス（＝バトルシステムの一種）などの特定条件下でさらに強化し、安全に「じゃくてんほけん」を発動することからつけられた異名。用例『初手保険金詐欺で相手ポケモンばちこり倒していくぅ～』

ホラースポット 意味 ゲームに登場する特定のエリアにつけられる俗称。赤緑（☞203ページ）の「シオンタウン」やDPt（☞225ページ）の「もりのようかん」、BW2の「Nの部屋」など、BGMや発生するイベントがホラー要素（＝心霊的なもの）を含み、その薄気味悪さや後味の悪さなどからプレイヤーの恐怖心を掻き立てる名所。☞黒いゲーフリ（67ページ）、黒い任天堂（67ページ） 用例『ホラースポットの中で一番トラウマになったの森の洋館だわ。ロトム捕まえに行くとき、攻略本でテレビの部屋までのルート叩き込んで音消して行ったもん』

ぽわぐちょ

意味 ポケモンの一種、トリトドンの愛称。鳴き声の擬音「ぽわ～おぐちょぐちょ」が由来である。用例『レジェアルのぽわぐちょ超強いな!?』

舞(まい)

意味「ちょうのまい」「つるぎのまい」などポケモンが覚える踊り系の技の総称。用例『とりあえず初手で舞積んどくか』

マイナー

📖❶規模が小さいさま。重要ではないさま。❷有名でないさま。意味 レーティングバトル（『ソード』『シールド』以降はランクマッチ）で使用率が低いポケモン。用例『サーナイトはマイナー？ そんなん知らん！』

マジカル交換(こうかん)

意味『スカーレット』『バイオレット』から実装されたポケモン交換システム。ミラクル交換（☞234ページ）をパワーアップさせた内容となっており、交換中もゲームを進めたり、ローカル通信でも交換できたりするようになった。用例『マジカル交換してたら明らかに改造個体なの送られてきた～（泣）』

増田(ますだ)ァ！

意味 ポケモントレーナーが運営に対して放つ叫び。「増田」とは、ポケモンシリーズの企画・開発元企業ゲームフリークの元常務取締役で、現在は株式会社ポケモンで同シリーズの開発に参加しているクリエイター・増田順一氏のこと。ゲームに関連する不具合や、イベントに対する批判が目的でプレイヤーが口にする場合が多いが、感謝の意を示すためであることもしばしば。叫ばれる内容は増田氏の管轄外であることが大半だが、運営・プレイヤーとも、互いにそれを知った上で〝ネタ〟として楽しんでいるということを忘れてはいけない。本当に物申したいことがある場合は、株式会社ポケモンかゲームフリークに直接連絡しよう。用例『今作もバグが多いぞ！ 何とかしてくれ、増田ァ！』

まひるみ

意味 相手を技「でんじは」で麻痺（まひ）状態にし、「ずつき」や「エアスラッシュ」など怯み（ひるみ）効果のある技を繰り出すことで、麻痺か怯みでほぼ永続的に相手を行動不能にする害悪（☞207ページ）な戦術。主に、トゲキッス（＝ポケモンの一種）が使ってくる戦法である。用例『まひるみキッスはもう古いだと？ それでも俺はまひるみキッスを使う!!!』

幻（まぼろし）

📖❶実際にはないが、あるように見えるもの。❷はかなく消えてしまうもの。意味「まぼろしのポケモン」の略称。映画館の前売りチケットの購入者特典などとして配布されることが多いため、通常プレイでは基本的に入手不可能。用例『映画配布の幻持ってる人羨ましい～』

まもみが

意味 ポケモンの技「まもる」＋「みがわり」のコンボ。用例『どくどくからのまもみがで害悪戦法かましていくぅ～』

ミミカス

意味 ポケモンの一種、ミミッキュの愛称。特性「ばけのかわ」による行動保証（☞214ページ）により、『サン』『ムーン』で初登場して以降、対戦の場で暴れている凶悪なポケモンであることから。用例『ミミッキュのことミミカスってって呼んでるやつの大半が、そのミミカスに世話になってるはず』

ミラー

📖鏡。意味 対戦中、同じポケモン同士で対面（☞223ページ）すること。用例『メガルカリオミラーはもう運を勝ち取った方が勝つんですよ』

ミラクル交換（こうかん）

意味 第8世代（☞222ページ）で追加されたポケモン交換システム。インターネットに接続した状態でポケモンを交換に出すと、世界中のプレイヤーとリアルタイムでポケモン交換することができる。☞マジカル交換（こうかん）（233ページ）用例『ミラクル交換マッチングしてる間に他のことやりて～』

見（み）れる

📖「見る」の可能形「見られる」の、ら抜き言葉。意味 対戦において、自分の特定のポケモンが、相手の特定のポケモンに対して有利である状態。刺さっている（☞216ページ）こと。用例『ドラパなら土下座で見れるわ』

ミント

📖シソ科ハッカ属のハーブ。口に含むと清涼感がある。意味 ポケモンの性格補正（☞220ジペー）を変えるためのアイテム。「ハーブ（ミント）で性格補正を変える」というとなかなかヤバそうだが、ステータス画面を見ると、元々の性格が変わったわけではないことがわかる。用例『ミント買えるようになったの助かる〜』

メガノコッチ

意味 蛇のような見た目の地面タイプのポケモン、ジガルデ（＝タイプのポケモン、ジガルデ（＝50％フォルム）の愛称。メガ＋ノコッチ（＝つちへびポケモン）から。禁伝（☞212ジペー）過去最低の合計種族値（☞217ジペー）600、生態系の監視だけが与えられた役割など不遇（☞230ジペー）な性能、設定である。用例『メガノコッチさん見た目は好きなんだけどね』

メタモン

意味「全国図鑑」No.132のポケモン。タマゴグループ・メタモン。「へんしん」以外の技は一切覚えず、相手の姿を模倣することでバトルを行う……が、捕獲されたメタモンの多くは孵化（ふか）厳選（☞213ジペー）の親個体として採用される。用例『海外産6Vメタモン欲しい（強欲）』

モエルーワ

意味 ポケモンの一種、レシラムの愛称。『ブラック』の登場シーンで鳴き声が「モエルーワ！」とテキスト表記されたことから。用例『バリバリダーとモエルーワだったら、モエルーワの方が人気高いだろ（偏見）』

やどみが

意味 ポケモンの技「やどりぎのたね」＋「みがわり」のコンボ。かつては、エルフーン（＝ポケモンの一種）がコットンガード（＝技の一種）のあとに選択する技として採用され、対戦環境を牛耳（ぎゅうじ）った。用例『やどみがはエルフーンの常套（じょう）（とう）手段なのにやってこない？ つまりこいつは変態型か！（名推理）』

唯一王（ゆいいつおう）

意味 ポケモンの一種、ブースターの愛称。種族値（☞217ジペー）と覚える技の相性が悪過ぎたために、使いどころのない残念な性能だったことから。用例『フレドラもらったし、これでブースターも唯一王卒業だろ！』

唯一神（ゆいいっしん）

📖宗教上崇拝する、ただ一つの神。意味 ポケモンの一種、エンテイの愛称。種族値（☞217ジペー）と覚える技の相性（☞203ジペー）が悪過

オタク共通
三次元共通
日本の男性アイドル
K-POP
2.5次元
二次元共通
ゲーム共通
アークナイツ
スプラトゥーン
ファイアーエムブレム
プロセカ
ポケモン
原神
BL

ぎたために、使いどころのない残念な性能だったことから。 用例『唯一神も過去の栄光(?)だろ?』

USUM（ユーエスユーエム） 意味『サン』『ムーン』のマイナーチェンジ版である『ウルトラサン・ウルトラムーン』を略記したもの。〈主に書き言葉で用いられる。話し言葉では「ウルトラサンムーン」（☞206ページ）〉 用例『SM持ってるのにUSUM買うの、なんか渋っちゃうよね……』

有効打（ゆうこうだ） 📖❶格闘技において、有効と判断される攻撃。❷問題解決をするのに効果的な方法。 意味 ☞打点（224ページ） 用例『待って、ギルガルドに有効打ないわ。詰んだ』

UB（ユービー） 意味『サン』『ムーン』で初登場した、「ウルトラビースト」に分類されるポケモンに似た生き物。厳密にはポケモンではない。「ウルトラボール」という専用の捕獲用ボールが製造されている。 用例『UBをモンボで捕まえる縛りやってるけど、一向に捕まる気配せん』

UMA（ユーマ） 📖未確認動物。ツチノコやネッシー、宇宙人などが該当する。〈和製英語「unidentified mysterious animal」の頭文字を取ったもの〉 意味『ダイヤモンド』『パール』で初登場した伝説のポケモン（＝ゲーム内の特別なポケモン）「ユクシー」「エムリット」「アグノム」の総称。準伝トリオ（☞218ページ）の一つ。 用例『UMAは徘徊系だからダルいんだよな～』

夢特性（ゆめとくせい） 意味「隠れ特性」のこと。また、それを持つポケモン。後者の意味で使われることが多い。隠れ特性が登場した当時、「ポケモンドリームワールド」でしか捕獲できなかったことから。「夢」とも。 用例『とくせいパッチがあれば簡単に夢特性に変えられるから厳選楽になったなぁ』

ゆれないおまもり 意味 捕獲クリティカル（☞231ページ）の発生率を上げるアイテム。 用例『ゆれないおまもり本当に効果ある？ ってくらいクリティカル出ないじゃん……』

○○要員（ようよういん） 📖その物事を行うのに必要な人員。 意味 パーティで、特殊な役割を担っているポケモン。例、「壁要員」「天候要員」「秘伝要員(☞230ジペー)」「捕獲要員(☞231ジペー)」など。用例『ブリムオンはトリル要員の最適解やろ!』

4倍弱点(よんばいじゃくてん)

意味「タイプ」を二つ持つポケモンにおいて、攻撃された際にその両方のタイプが弱点となること。弱点となるとダメージが通常の2倍なので、ダメージ2倍×2タイプでダメージ4倍。例えば、ナットレイ(=ポケモンの一種)のタイプは草・鋼なので、炎タイプの技の場合、4倍のダメージをうける。用例『カイリューは氷技が4倍弱点だから、夢特性マルチスケイルを採用して「じゃくてんほけん」を持たせるのが、一番オーソドックスなスタイルだよ!(オタク特有の早口)』

ライバル

📖競争相手。好敵手。意味 ゲーム開始時に主人公と共に旅立つ、主人公と同年代のポケモントレーナー。共にチャンピオンの座を狙って競い合う相手となる。主人公より先にチャンピオンになったのは、グリーン、N、ネモの三名だけである。用例『みんないいんだけど、やっぱり至高のライバルと言えばグリーンだなぁ……』

ラティ兄妹(きょうだい)

意味『ルビー』『サファイア』で初登場した伝説のポケモン(=ゲーム内の特別なポケモン)「ラティオス(兄)」と「ラティアス(妹)」の併称。用例『ラティ兄妹の映画を見ろ!!!(迫真)』

乱n(らん)

意味 乱数n発の略。n発(n=自然数)で相手を倒せる可能性があること。乱数3発なら、2発の攻撃では相手を絶対に倒せないが、3発の攻撃で相手を倒せるかもしれないということである。しかし、倒しきれない可能性も残す。用例『この振り方でテテフと戦ったら乱3か〜。もう少し調整考えるかな』

ランク補正(ほせい)

意味 バトル中、「ランク」に合わせて、一定の割合でポケモンの能力が変化すること。技や「持ち物」などによって「ランク」が変化したときに起こる。ランクは0(=ランクなし)を基準に-6から6の13段階ある。例えばランク0(=基準)時の能力の数値が、ランク1では3/2倍、ランク2になると2倍(=4/2倍)に上昇する。反対に、ランク-1では2/3倍に、ランク-2になると1/2倍(=2/4

倍）に下降する。用例『HP半分と引き換えに攻撃のランク補正MAXになるのはお得だ』

リアル襷（たすき）
意味「持ち物」の一種「きあいのタスキ」を持っていないにもかかわらず、HP（☞64ページ）1で相手からの攻撃に耐えること。用例『3回連続リアル襷はもうわかってるな～。さすがはうちの子だ！』

リーグ周回（しゅうかい）
意味ポケモンリーグを周回（☞69ページ）すること。「賞金（＝バトルに勝つともらえるゲーム内のお金）稼ぎ」や経験値を稼ぐために行うことが多い。用例『は～、金ないからリーグ周回行くか～』

リストラ
📖❶組織再編。❷整理解雇。意味既存ポケモンが新作に登場しないと確定すること。⇔内定 用例『トゲキッスがリストラってどういうことだよ増田ァ!?』

理想個体（りそうこたい）
意味個体値（☞215ページ）や性格、性別、入っているボール、色違い（☞205ページ）かどうかなど、トレーナーが理想として掲げた姿で誕生あるいは捕獲した個体。☞妥協個体（だきょうこたい）（223ページ）用例『A抜け5Vで色違いのロコンとか理想個体すぎる』

リボン
📖ひも状の装飾用織布。頭部や衣服、贈り物などにつける。意味ポケモンと仲良くなったり、ポケモンがたくさん戦闘に出たり、コンテストで優勝したりしたときにもらえるもの。これを推しポケにつけて可愛がるトレーナーも多い。用例『うちの可愛いサーナイトちゃんにコンテストリボン全部つけたぞ……！　あとはリボンシンジケートだけだ！』

ルビサファ
意味『ルビー』『サファイア』の併称。表記されてはいないものの、マイナーチェンジ版である『エメラルド』が含まれる場合もある。〈主に話し言葉で用いられる。書き言葉では「RSE」（☞203ページ）〉用例『ルビサファだけやったことがないんだよなー』

レート
📖率。歩合（ぶあい）。意味レート戦またはレーティングバトル。ある一定期間の勝率を競い合う対人対戦システム。持ちレートは1500から始まり、勝てば数値が上がり、負ければ下がる。参加には「ポケモングローバルリンク」に登録する必要がある。用例『みんなが剣盾でランクマに潜る一方、レートでは今でもバーサーカーたちが死闘を繰り広げていたのであった……(実話)』

レジェアル

意味『LEGENDS アルセウス』の略。SV(☞206ページ)の前身としてシリーズ初のオープンワールドを実現しており、舞台となった地方やストーリーの存在感の大きさも相まって「神ゲー」と名高い作品である。用例『レジェアルをまだやってない? やれ! サンタさんにでも買ってもらえ!』

レジワロス

意味☞キッサキ神殿(しんでん)の粗大(そだい)ゴミ(210ページ) 用例『レジワロスさん。ついに神殿から追い出されて外の穴に……?』

連続技(れんぞくわざ)

意味2~5回連続で攻撃を与える技の総称。例、「みだれひっかき」「スイープビンタ」。用例『連続技採用するならスキルリンクじゃないと、リスク高いよなー』

600族(ろっぴゃくぞく)

意味合計種族値(☞217ページ)が600になるポケモン。伝説、あるいは幻のポケモンは含まれない。用例『600族限定バトルやって誰が最強か決めようぜ?』

枠(わく)

📖❶細い材で外側の縁を囲ったもの。❷一定の範囲。区分。意味パーティの構築(☞214ページ)に必要な要素。また、それを満たすポケモン。例、「メガ枠」「ダイマ枠」。用例『ゴツメ枠にはさめはだガブリアスを採用しといたぜ!』

技(わざ)のデパート

意味技範囲(☞239ページ)があまりにも広過ぎるポケモン。主にニドキングのことを指すが、他にもゴウカザルやケンタロスなどを指すこともある。用例『ニド夫妻は夫婦揃(そろ)って技のデパートがすぎる』

技範囲(わざはんい)

意味ポケモンが覚える技の種類。多くの技を覚えられるほど死角は少なくなり、より多くのポケモンに対応できる。用例『ニド夫妻の技範囲広すぎなんだよなぁ』

第13章

原神

界隈用語

2020年9月28日に中国の企業miHoYoがリリースした、新世代オープンワールド型アクションRPG（＝ロールプレイングゲーム）。謎の神による襲撃を受けて封印されてしまった旅人の「あなた」は、長い眠りから覚め、生き別れた双子の片割れとの再会を目指す。片割れを取り戻すために壮大な幻想世界「テイワット」の七国の神を訪ね、各地域の問題を解決しながら、最高の相棒とともに冒険する。

青二才（あおにさい）

意味 キャラクターの一人、放浪者を推すオタクたちの呼び名。「っふふふふ……青二才どもぉ〜。また会う日まで」は放浪者がバージョンアップ予告の生放送終盤で視聴者に向けて発したセリフ。語尾に「♡」がつきそうな言い方に、一部のオタクたちは限界オタク〈☞15ページ〉となった。その後、オタクたちは自らを青二才と称したため、Twitter〈現・X〉上に青二才が溢れかえった。 用例 『今日から私は青二才。青二才ども繋がろうぜ』

アルハイゼン構文（こうぶん）

意味 キャラクターの一人、アルハイゼンが発するセリフの総称。アルハイゼンの雪の日ボイス〈＝ゲーム内の寒い環境でのみ聞くことのできるセリフ〉「寒いのか？ 俺は大丈夫だが。」やVer3.6「盛典と慧業」予告番組での「君たちはまだ寝ないのか？ 俺は寝るが。おやすみ。」など。「君は○○しないのか？ 俺はするが。」の形で使用される。あまりの使い勝手の良さから原神界隈のみならず他界隈にまで名を轟（とどろ）かせた。 用例 『君はカーヴェをひかないのか？ 俺はひくが』

移動（いどう）パーティ

意味 キャラクターの夜蘭（イェラン）、早柚（さゆ）、綺良々（きらら）、放浪者などの元素スキル〈＝各キャラクターに固有の能力〉で移動が快適になるキャラを編成したパーティ。ゲーム内には高低差のある場所が多かったり、水面移動が必要な場面があったりする。そこで移動パーティに属するキャラクターを使うことで、空中での移動、地面の高速移動、壁登りの移動が格段に楽になり、探索快適度が増す。 用例 『移動パーティ、探索快適で最高』

えっちベルト

意味 普段着ているジャケットを着崩したタルタリヤ〈＝キャラクターの一人〉のイラストに描かれていたベルト。2022年7月20日、公式が誕生日イラストとしてTwitter〈現・X〉上に投稿し、普段は見えないジャケットの下に胸下で留められている黒ベルトを見て、多くのユーザーが「えっちだ」と大興奮したことから。 用例 『なんだそのえっちベルトは!?!?!』

炎神（えんじん）

意味 星4であるにもかかわらず、一人でヒーラー〈＝回復スキルをもつキャラクター〉とバッファー〈＝

能力上昇スキルをもつキャラクター〉を両立できるやべーやつ。基礎攻撃力の高い武器を持たせて元素爆発〈=各キャラクターに固有の大技〉のエリアを展開し、その中にいる味方の攻撃力を大幅に上昇させる。加えて炎の元素共鳴〈=ベネットと炎元素キャラクターの二人を同じパーティに入れること〉で、味方全員の攻撃力がさらに25%上がる。「炎神」とは、その能力の優秀さを称えた呼び方で、「星6」とも呼ばれる。なお、テイワット〈=ゲームの舞台となる大陸〉には土着の神である本来の炎神もおり、現在ナタの国を統治している。用例『炎神？ いるじゃんベネットが』

おうるっく

意味『原神』の公式グッズの一つ。フクロウの着ぐるみを着たディルック〈=キャラクターの一人〉のデフォルメ姿のような、丸いフォルムの人形。用例『おうるっくちゃん可愛い……』

オープンワールド

意味キャラクターの肌が、がっつり見える状態。「背中がオープンワールド」「太ももがオープンワールド」のように使う。用例『エウルアめっちゃ背中がオープンワールド』

おっぱいソード

意味キャラクターの一人、雷電将軍の元素爆発〈=各キャラクターに固有の大技〉「奥義・夢想真説」の発動時に、胸から雷の刀を取り出すとんでもないカットインを指す言葉。くだけた言い方で「おっぺぇソード」ともいう。用例『おっぱいソード最高！ おっぱいソード最高！』

俺が値切るよ（おれがねぎるよ）

意味キャラクターの一人、トーマのセリフ。公式には存在しないが、魔神任務第二章第一幕「鳴神不動、恒常楽土」でトーマが値切り交渉をする場面の印象と、トーマの元素爆発〈=各キャラクターに固有の大技〉発動時のセリフ「俺が守るよ」が組み合わさって生まれた言い回しだと思われる。Ver2.2での壁紙配布でのタルタリヤとトーマが一緒に談笑しているワンシーンや、タルタリヤのセリフ「俺が払うよ」〈☞243ページ〉との相性の良さから「俺が払うよ」「俺が値切るよ」とセットで使われることがある。用例『トーマが値切ってタルタリヤが払って♡俺が値切るよして♡』

俺が払うよ 意味 キャラクターの一人、タルタリヤの名言・迷言。魔神任務一章二幕「久遠の体との別れ」で鍾離〈=キャラクターの一人〉に対して言ったセリフ。財布を忘れたにもかかわらず、高価な品物を買おうとする鍾離の様子を見かねて、代金の支払いを肩代わりする趣旨で口にした。用例『あ、俺が払うよだ』

風男子 意味 風属性の男主人公、ウェンティ、魈、楓原万葉、鹿野院平蔵、放浪者の六人のキャラクター〈2023年9月現在〉。「風元素キャラ」+「男子」。風元素の男性には少年系の見た目のキャラクターしかいないため、全員まとめて「風男子」と呼ばれている。神や仙人、人形などで、実際には見た目にそぐわぬ高齢であるが、膝上までの丈のズボンをはいていることが多く、幼い印象が強い。用例『風男子沼に沈んでるのがもう自分でもわかる』

カレー 📖 複数の香辛料を使用して作ったスパイシーなソースを用いた料理。意味 キャラクターの一人、ナヒーダのモチーフ武器「千夜に浮かぶ夢」の愛称。カレーのルーを入れる容器のような形のシルエットから。用例『ナヒナヒの餅武器の既視感あれだ、カレー入れるやつだ』

義兄弟村 意味 義理の兄弟であるキャラクター、ディルックとガイアの絡みが好きな人たちの界隈。期間限定イベント「残像暗戦」や金リンゴ〈=期間限定エリア〉イベント「真夏！島？大冒険」など、公式からの不意をついた情報供給に、義兄弟村のオタクはのたうち回っている。用例『まーた義兄弟村が公式に燃やされてる』

教令院をぶっ壊す 意味 スメール〈=ゲーム内の国家〉の魔神任務「虚空の鼓動、熾盛の劫火」で発覚した、ナヒーダ〈=キャラクターの一人〉に対する教令院〈=ゲーム内の組織〉の対応にぶち切れたオタクたちの心情。教令院の前に行き、通常攻撃や元素スキル〈=各キャラクターに固有の能力〉、元素爆発〈=各キャラクターに固有の大技〉を使用し破壊の限りを尽くそうとした旅人〈=プレイヤー〉もいる。用例『もう許せねえ教令院をぶっ壊す』

クソガキのまま

意味 キャラクターの一人、放浪者の性格が、彼として登場していたスカラマシュ〈=無慈悲で冷酷、高圧的な性格のキャラクター〉〈時代〉と同様に生意気であることに衝撃を受けたオタクが使用した表現。放浪者が新キャラクターとして発表された際に、外見がうり二つで、既にプレイアブルキャラクターとして人気だったスカラマシュと関連する人格であることが匂わされたが、名前や服装は違っていたため、性格も異なるだろうという受け止めがプレイヤーらの間で広がった。しかし、その後、声優発表と同時に「君ごときが、僕を直視する気か?」というセリフが公開され、スカラマシュと同じすぎる性格にTwitter〈現・X〉は大いにざわついた。用例『クソガキのままだ！ すげえや！』

けつみどり

意味 武器「磐岩結緑（ばんがんけつろく）」の愛称。結（けつ）+緑（みどり）から。「ばんがんけつろく」と入力しても変換されにくいため使用されている。用例『けつみどりでも装備させとくか』

原神（げんしん）

意味 ☞第13章扉〈240ページ〉 用例『もうとっくに原神くんに人生狂わされてるんだよこっちは』

原石割り（げんせきわり）

意味 『原神』での石割り〈=石〈☞63ページ〉を砕いて使用すること〉。ゲーム内のアイテム「樹脂」を補充するための行動。用例『今日も元気に原石割りしま～す』

恒常キャラ（こうじょうキャラ）

意味 恒常〈☞68ページ〉ガチャ〈☞66ページ〉で入手できる星5キャラクター。ディルック、ジン、モナ、七七、刻晴（こくせい）、ティナリ、ディシア〈2023年9月現在〉。用例『恒常キャラあとディルックだけなのに既にジンは5凸してる』

恒常星5両手剣炎元素のディ（こうじょうほしごりょうてけんほのおげんそのディ）

意味 恒常〈☞68ページ〉キャラクターのディルック〈=男性キャラクター〉とディシア〈=女性キャラクター〉。ディシアが恒常キャラクターになるとわかると、彼女と同じ「恒常で、星5〈=レアリティ〉で、両手剣〈=武器の一種〉で、炎元素〈=属性の一つ〉で、名前がディから始まる」という特徴を持つディルックと似通いすぎていると話題になった。用例『恒常星5両手剣炎元素のディがでた？ どっち!?』

ゴーリラ

意味 ヒーラーキャラクターをゴリゴリのアタッカー型にしたバーバラ〈=キャラクターの一人〉。火力〈=攻撃力〉の高さから「ゴリラ」+「バーバラ」で「ゴーリラ」と呼ばれている。用例『マルチのゴーリラの火力えぐい』

国際タルタリヤ

意味 タルタリヤ〈所属の国：スネージナヤ〉、ベネット〈所属の国：モンド〉、香菱〈所属の国：璃月〉、楓原万葉〈所属の国：稲妻〉と、それぞれ所属する国家が異なる四人のキャラクターで編成される多国籍蒸発パーティ〈=蒸発の元素反応を活かしたキャラクター編成〉。「国際パ」ともいう。用例『イベントで全キャラ使えるならせっかくだし国際タルタリヤ使ってみよ』

ござる

意味 稲妻〈=ゲーム内の国家〉に所属するキャラクター・楓原万葉の愛称。万葉の特徴的な語尾の「ござる」からきている。用例『やっっとござる引けた〜〜〜〜〜〜』

邪タル

意味 ボスとしてアイテムの邪眼を使用している状態の、週ボス〈=レベルアップに必要な報酬を週に一度だけ供給するボス〉第二形態のタルタリヤ〈=キャラクターの一人〉の愛称。「邪眼」+「タルタリヤ」。魔神任務第一章第三幕「迫る客星」クリア後に解放される征討領域「黄金屋」では、ファデュイ「公子」〈=週ボス第一〜三形態のタルタリヤ〉との過去の戦いを追体験できる。用例『邪タル倒せな…倒せたわ』

ジャマイオス

意味 モンド〈=ゲーム内の国家〉の合成台〈=手持ちのアイテム同士を合成し、新たなアイテムを作り出すための装置〉の側に立つNPC〈=ノンプレイヤーキャラクター〉ティマイオスの愛称。「邪魔」+「ティマイオス」。絶妙な位置に立っているため、合成台を使う際にティマイオスに話しかけてしまい時間のロスにつながることから。彼に話しかけたくないがために、隣国・璃月の合成台を使うプレイヤーも多かった。後に「合成台を使ってもいい？」という会話コマンドが追加されたことで、事態の改善につながった。用例『あ～～ミスってジャマイオスに話しかけちゃった』

神鶴万心（しんかくばんしん）

意味 キャラクターの神里綾華・申鶴・楓原万葉・珊瑚宮心海からなる凍結パーティ（＝凍結の元素反応を活かしたキャラクター編成）。神羅天征（☞246ページ）のロサリア（＝キャラクターの一人）を氷サポーターの申鶴に変更している。凍結パーティの中では最強格で、神羅天征と同様、綾華にバフ（☞73ページ）を集めて元素爆発（＝各キャラクターに固有の大技）で一気にダメージを出す編成。凍結の通用しないボス敵にも大打撃を与えられるほど強い。メインアタッカーを神里綾華、氷元素（＝属性の一つ）付与 兼 （相手に与える）氷ダメージアップ 兼 （相手の）氷耐性ダウンを申鶴、集敵（＝敵を一箇所に集める技） 兼 翠緑（＝キャラクターに装備させることでキャラクターのステータスが上がる「聖遺物」の一つ）デバフ（☞71ページ） 兼 ダメージバフを楓原万葉、水（＝水元素）付着 兼 回復を珊瑚宮心海が担っている。用例『はよ申鶴とここみんお迎えして神鶴万心組んで敵ボッコボコにしたい』

〇〇真君（しんくん）

意味 仙人風の名前をつくる敬称。ゲームに登場する国の一つ・璃月（リーユエ）には、留雲借風真君や削月築陽真君など、最後に「真君」がつく仙人が登場する。その名に着想を得て、ある人物の特徴や状態に「真君」をつけることによって、仙人風の通称をつくる習慣が界隈に広まった。ネタ的に用いられる。用例『爆死真君すぎてもう無理』

神羅天征（しんらてんせい）

意味 キャラクターの神里綾華・ロサリア・楓原万葉・珊瑚宮心海からなる凍結パーティ（＝凍結の元素反応を活かしたキャラクター編成）。綾華にバフ（☞73ページ）をかけて、一気に敵を仕留める超火力（＝攻撃力）の凍結編成。メインアタッカーは神里綾華、サブアタッカー 兼 会心率バフはロサリア、集敵（＝敵を一箇所に集める技） 兼 翠緑（＝キャラクターに装備させることでキャラクターのステータスが上がる「聖遺物」の一つ）デバフ（☞71ページ） 兼 （相手に与える）ダメージアップは楓原万葉、水（＝水元素）付着 兼 回復を珊瑚宮心海が担っている。☞神鶴万心（246ページ） 用例『私も神羅天征パ組んでみたいよ』

水上ダッシュ

意味 キャラクターの神里綾華とモナの天賦（＝各キャラクターに固有の特殊能力）「神里流・霰歩」「虚実流動」で、通常ダッシュの代わりに地中に潜りながらスタミナを消費し、素早く移動すること。通常ダッシュとは違って、なぜか水面を移動できる。水上を走っている最中にスタミナが切れてしまうと天賦効果が終了し、そのまま溺れてしまうことがあるので注意が必要。しかし、氷元素である綾華は水を凍結させられるため、スキルとダッシュをうまく使い分けると永久に水面を走り続けられる。別名「綾華ダッシュ」「モナダッシュ」。用例『あ……水上ダッシュ失敗して死んだ。ごめんモナ』

スナップショット

意味 元素スキル（＝各キャラクターに固有の能力）や元素爆発（＝各キャラクターに固有の大技）の強さが継続時間終了まで固定されること。発動したときのステータスを参照し続ける仕様。元素スキル・元素爆発には「発動時のステータスを参照」「リアルタイムのステータスを参照」の二種類が存在する。有名なのはベネットで爆発を切り（＝発動する）、交代した香菱の攻撃力をさらに上げ、その状態で爆発を切るものだ。香菱の元素爆発は「発動時のステータスを参照」であるため、ベネットの元素爆発で攻撃力バフ（☞73ページ）が乗った状態で元素爆発を切ることで、フィールドから出ても火力（＝攻撃力）は変わらない。用例『スナップショット強いな』

スメール男子4人組

意味 スメール（＝ゲーム内の国家）に属するティナリ、セノ、アルハイゼン、カーヴェの男性キャラクター四人組。四人とも教令院（＝ゲーム内の組織）の卒業生。アルハイゼンの実戦紹介動画（＝公式のキャラクター紹介動画）では、四人が酒を飲みながら議論する様子が見られる。用例『スメール男子4人組のわちゃわちゃ感好き〜〜〜』

聖遺物厳選

意味 キャラクターに装備させるアイテムを厳選すること。自分の欲しいステータスの聖遺物（＝装備したキャラクターのステータスが上がる効果があるアイテム）が出るまで秘境を周回（☞69ページ）し、何度もボスを倒すこと。聖遺物は1キャラクターにつき最大5個まで装備でき、装備するキャラクターによって求められるステータスが異なる。聖遺物には2セット効果、4セット効果があり、自分が育成したいキャラクターに合ったセット効果を持つ聖遺物を求めて厳選が始まる。キャラクターに合うスコアが高ければ高いほどよいものとされているが、求めるメインステータスとサブステータスが一致したものは思うように出てきてはくれない。聖遺物を入手した際、ランダムに効果が決定するため、一度厳選し始めることは修羅の道を突き進むことを意味する。用例『絶縁の聖遺物厳選…終わらねぇよ……』

ダイソン 意味 ウェンティ（＝キャラクターの一人）の元素爆発（＝各キャラクターに固有の大技）「風神の詩」で敵を吸い込み、一か所に引き寄せること。その凄まじい吸引力からついた。用例『ダイソンで吸引吸引！ 気持ちがいい～!!!』

田中（たなか） 📖姓の一つ。意味 武器のシリーズ名である「匣中（こうちゅう）」の愛称。「匣中」を読むことができず、スマートフォンなどでも入力できないプレイヤーたちが、類似する漢字「田中」を当てたことから。例えば匣中龍吟（こうちゅうりゅうぎん）（＝剣）は「田中剣」、匣中滅龍（こうちゅうめつりゅう）（＝槍）は「田中槍」と呼ばれる。用例『田中剣でそんな火力出るの!?』

タルタル 意味 キャラクターの一人、タルタリヤの愛称。タルタルソースとも呼ばれる。用例『タルタルほんと戦闘狂だなぁ……』

DX日輪刀（デラックスにちりんとう） 意味 キャラクターの一人、神里綾人（かみさとあやと）のモチーフ武器「波乱月白経津（はらんげっぱくふつ）」の愛称。波や水を纏（まと）う刀の見た目が人気漫画『鬼滅の刃』に登場する武器を再現したおもちゃ「DX日輪刀」（バンダイ）に似ていることから。用例『DX日輪刀引くか』

踏氷渡海真君（とうひょうとかいしんくん） 意味 キャラクターの一人、ガイアの愛称。ガイアの元素スキル（＝各キャラクターに固有の能力）「霜の襲撃」によって海を渡ることができるため、中国のコミュニティでつけられた。☞○○真君（しんくん）（246ページ） 用例『踏氷渡海真君で稲妻まで密入国するぞ』

○○ドーナツ

📖 小麦粉に、卵、砂糖、水などを加え油で揚げた菓子。中心に穴が開いていることが多い。 意味 武器の一種である星5法器「不滅の月華」「碧落の瓏」の愛称。ドーナツのようなシルエットから。「不滅の月華」は紫色のため「紫芋ドーナツ」もしくは「ドーナツ」、「碧落の瓏」は緑色のため「抹茶ドーナツ」と呼ばれる。 用例『新作ドーナツでてるの草』

トリプルクラウン

意味 キャラクターの強化ができる天賦（=各キャラクターに固有の特殊能力）三種（=通常攻撃・スキル・爆発）を全て最大レベル10に上げること。「天賦三つ（=トリプル）」+「冠（=クラウン）」。なお、天賦を二つ最大レベルに上げた状態はダブルクラウンという。冠を使用してレベルを上げることを「王冠を捧げる」と表現することもある。キャラクターの凸（☞72ページ）具合によってはレベル+3されて最大レベルが13のキャラもいる。レベルを上げるために必要な「知恵の冠」は、大型イベントで一つしか入手できないレアアイテムのため、使いどころに注意が必要。最大レベルまで上げるには知恵の冠に加えて、大量の突破素材（=キャラクターのレベル上限を解放するためのアイテム）とモラ（=ゲーム内の通貨）が必要になる。キャラクターによっては使わない天賦はレベルを上げなくても良い場合があるが、愛が強い人は推しキャラの天賦レベルを最大にしていることもある。突破素材とモラの消費が止まらないなんて、愛の前には些末なことである。 用例『トリプルクラウン捧げるからな』

ナイハイゼン

意味 アルハイゼンがプレイアブルキャラクターとしてなかなか実装されない状態。「無い」+「アルハイゼン」。アルハイゼンが、魔神任務（=メインストーリー）などに登場はしているものの、なかなかプレイアブルキャラクターとして実装されなかった時期に、Twitter（現・X）のトレンドによく上がっていた単語。「また実装されないのか…これじゃアルハイゼンじゃなくてナイハイゼンじゃないか」と悲嘆に暮れていた旅人（=プレイヤー）は少なくない。 用例『今回もまたナイハイゼンか』

ナショナル

意味 香菱（シャンリン）・ベネット・行秋（ゆくあき）の三人のキャラクターを編成したパーティ。主要メンバー三人を星4で編成できるコスパの良いパーティである。この三人だけでも十分に完成度が高く、最後の自由枠の選択肢が大幅に広がる。行秋を夜蘭（イェラン）に入れ替える場合もある。重雲（ちょううん）〔=キャラクターの一人〕を加えると「元祖ナショナル（重雲ナショナル）」、雷電将軍なら「雷電ナショナル」、フィッシュル〔=キャラクターの一人〕なら「フィッシュルナショナル」などが存在する。用例『雷電ナショナルで螺旋星9クリアするぞ』

年金生活（ねんきんせいかつ）

意味 ランクが上限の60に達するとそれ以降の冒険経験値がモラ〔=ゲーム内の通貨〕に代わること。用例『ついに年金生活開始か〜』

配布キャラ（はいふキャラ）

意味 誰でも入手可能なキャラクター。アンバー、ガイア、リサ、バーバラ、香菱（シャンリン）、コレイ、ノエル、リネットが常設されている〔2023年9月現在〕。その中でもアンバー、ガイア、リサはなぜかキャラガチャで星4ピックアップ〔=星4の中で排出率が高いキャラクターに選ばれること〕として実装されたことがない。そのため、この三人は最も凸〔☞72ページ〕が進めにくい。凸をするためには、どんどん引き当てられるキャラクターが増えているキャラガチャですり抜ける〔=ピックアップキャラクター以外を引き当てる〕か、定期的に交換対象になるスターライト〔=アイテム〕交換を活用して地道に進めるしかない。用例『すり抜けで配布キャラ来たんだが夢？運使い果たした？』

パインアメ

意味 アイテム「旋曜玉帛（せんようぎょくはく）」の愛称。見た目がパインアメに似ていることから。用例『パインアメが集まらない』

非常食（ひじょうしょく）

意味 ゲームにおけるナビゲーター役のキャラクター、パイモンの愛称。旅人〔=プレイヤー〕がパイモンを紹介する際に出る選択肢「非常食」から。用例『パイモン！お前は愛すべき非常食だよ!!!』

白ポ（びゃくポ）

意味 キャラクターの一人、白朮（びゃくじゅつ）の愛称。「朮」をよく似た形の片仮名の「ポ」で表したもの。だが「びゃくじゅつ」と打てば一発で「白術」と変換される。用例『白ポついに実装されるんか』

不穏(ふおん)テーヌ

意味 フォンテーヌ〈＝ゲーム内の国家〉の呼称の一つ。「不穏」＋「フォンテーヌ」から。フォンテーヌ人のみを溶かす物騒な水が登場したり、フォンテーヌ国内でＮＰＣ〈＝ノンプレイヤーキャラクター。操作できないキャラクターの総称〉が多くの人の前で死んで（殺されて）しまったり、「殺さないで…お願いだから…」などのセリフがあったりと、フォンテーヌに関わる演出に不穏すぎるものが多いため、いつしか多くの旅人〈＝プレイヤー〉が用いるようになった。用例『リネ!? ファデュイ……立ち絵……召使……むり……不穏テーヌこわい……』

プリケツ剣法(けんぽう)

意味 刻晴(こくせい)〈＝キャラクターの一人〉の二段目の通常攻撃モーションの際、身体をひねって尻を突き出す動き。正面や横の視点から眺めると、思っていた以上にケツを突き出してくれる。用例『刻晴でた！ さっそくプリケツ剣法やってみよ』

ブリブリ祭(さい)

意味 モンド〈＝ゲーム内の国家〉の祭りの一つ「ブリーズブリュー祭」。Ver3.1のイベント「杯の中のバラッド」で開催された。他には風花祭(ウィンドブルームさい)、バドルドー祭が存在する。用例『ブリブリ祭の話よかった…』

弊(へい)ワット

意味 自分のテイワット〈＝ゲームの舞台となる大陸〉。「弊社」と同じように「弊」を使用した表現。用例『弊ワットに推しが来ない、なんで???』

平和(へいわ)ット

意味 平和な世界線のテイワット〈＝ゲームの舞台となる大陸〉、または原作終了後に平和になったと仮定されたテイワット。原作の重たい設定などに苦しむユーザーが平和を求めて生まれた。用例『あぁぁーー、こんな平和ットが本編であってほしかった』

負(ま)け確(かく)デート

意味 あるキャラクターの一人であるカーヴェとプレイヤーとのデートイベント。カーヴェはアルハイゼン〈＝キャラクターの一人〉の自宅に居候しており、デートイベントの発生条件として、魔神任務〈＝メインストーリー〉

オタク共通
三次元共通
日本の男性アイドル
K-POP
2.5次元
二次元共通
ゲーム共通
アークナイツ
スプラトゥーン
ファイアーエムブレム
プロセカ
ポケモン
原神
BL

第三章第五幕「虚空の鼓動、熾盛の劫火」クリアだけでなく、アルハイゼンの伝説任務〈=キャラクタークエスト〉隼の章第一幕「烏合の虚像」クリアが必須だと発覚したことから、「負け確デート」と呼ばれている。カーヴェとデートするのに彼の同居人の伝説任務を先にクリアする必要があるなんて…！ 用例『ふーん…アルハイゼンの伝説任務が前提条件、ね…。負け確デートすぎるが』

マシンガンゴロー

意味 ゴロー〈=キャラクターの一人〉の通常攻撃一段目の硬直を狙い撃ちでキャンセルし、通常攻撃一段目のみを爆速で発射する技。コントローラー専用テクニック。用例『この人マシンガンゴロー上手すぎる』

餅武器（もちぶき）

意味 モチーフ武器の愛称。キャラクターのピックアップ〈=排出率が高いキャラクターに選ばれる〉期間と同時期に武器ガチャでピックアップされる。モチーフとはいっても必ずしも性能が完璧にかみ合ってはおらず、他の武器のほうが相性が良い場合もある。性能がキャラクターと最もかみ合っている武器は「最適武器」と呼ばれる。用例『餅武器狙うか凸進めるか…悩む…』

モルガナ

意味 キャラクターであるモナ・ウェンティ・甘雨（かんう）・ディオナからなる凍結パーティ〈=凍結の元素反応を活かしたキャラクター編成〉。初期から存在する編成。メインアタッカーを甘雨、シールド兼回復をディオナ、翠緑〈=キャラクターに装備させることでキャラクターのステータスが上がる「聖遺物」の一つ〉デバフ〈☞71ページ〉兼集敵〈=敵を一箇所に集める技〉をウェンティ、水〈=水元素〉付着兼（相手に与える）ダメージアップをモナと、それぞれの役割がある。用例『久しぶりにモルガナ使お』

雷電親子（らいでんおやこ）

意味 創造者であり母である雷神・雷電影（らいでんえい）〈=キャラクターの一人。雷電が姓、影が名〉と、彼女によって創造された人形・放浪者〈=キャラクターの一人〉のコンビ名。魔神任務〈=メインストーリー〉間章第三幕「伽藍に落ちて」で雷電親子の複雑な関係がより明らかになり、クリアした多くの旅人〈=プレイヤー〉のメンタルはズタボロにされた。それに追い打ちをかけるように、「伽藍に落ちて」クリア後には雷電将軍〈=雷電影に作られたプレイアブルキャラクター〉と八重神子〈=キャラクターの一人〉のボイスから「国崩〈=放浪者が過去に自ら名乗った名前〉について」が消去されたため、二人から放浪者の記憶も消えたのではないかという憶測が広がった。雷電親子の業は深い。また、雷電将軍を編成に入れてスカラマシュ戦に挑むと、影〈=雷神名バアルゼブル〉に向けた特殊ボイスを聞ける。影の代役である雷電将軍は放浪者の後に作られたとされているため、一部のプレイヤーたちには、放浪者が兄、雷電将軍が妹と認識されている。この二人を雷電兄妹と呼ぶ。用例『雷電親子ifの話1000000億個読ませてくれ……』

螺旋（らせん）

意味『原神』内におけるエンドコンテンツ〈=やりこみ要素（☞75ページ）〉の一つである「深境螺旋」の略。1から8までのステージがあり、モンド〈=ゲーム内の国家〉のマスク礁のゲートから挑戦可能。それをすべてクリアすると次の段階「淵月螺旋」へ進める。螺旋は一層ごとに三つの間があり、それぞれの間には三つの挑戦〈「挑戦時間残り○○秒以上でクリアする」など〉が存在する。それをクリアすると「淵星」〈=クリアした証明となるアイテム〉がもらえ、豪華報酬を獲得できる。「淵星」を六つ集めれば次の階層に進める。淵月螺旋は毎月1日と16日に報酬がリセットされる。自分の育成でどれだけ戦えるのかを試したり、星9クリアを目指したり、報酬をもらうために行ったりと、ある程度プレイをしてきた旅人〈=プレイヤー〉たちが挑戦する。用例『今期の螺旋一番キツいって前回も言った気がする』

リアルモラ

意味 現実世界のお金。ゲーム内の通貨「モラ」に例えたもの。用例『モラもなければリアルモラもないのバグすぎ』

第14章

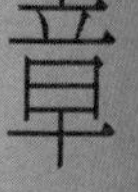

「Boys Love（ボーイズラブ）」の略称。男性同士の恋愛や性愛を描いた作品・ジャンルのことを指す。1970年代初頭から1980年代に誕生した少女漫画における「少年愛」から「JUNE（ジュネ）系」、「やおい（☞266ページ）」と時を経て発展したもの。

α（アルファ） 意味 オメガバース（☞257ページ）に登場する「とてもレアですごい人」。眉目秀麗、頭脳明晰、何でもできるハイスペ（＝ハイスペック）なキャラクター。男性にも女性にもいる。αであるということだけで大手企業に合格するなど優遇されている。 用例 『ハイスペαもいいけど、たまに残念なαもいい』

アンチ王道転校生 意味 王道転校生（☞王道主人公（256ページ））の悪いところを抽出し、誇大化させたキャラクター。声がでかい・話を聞かない・顔の良い人としか仲良くしないなど問題要素しかない性格をしている。また自分の思い通りにいかなければ癇癪を起こして暴力的になる。物語の障害として描かれる。 用例 『アンチ王道転校生は人間メガホンだ』

一匹狼不良 意味 王道学園（☞255ページ）ものに登場する、主人公のクラスメートの一人。ガラが悪く、周りから遠巻きにされているところに主人公が臆さず話しかけることで懐く。そこから主人公の取り巻きの一人となる。多くの場合、当て馬のような役割を担い、主人公と結ばれることは少ない。 用例 『一匹狼不良が主人公と結ばれてるのって珍しい』

古の腐女子 意味 腐女子（☞265ページ）歴が長く、古いBL作品を知っている人。「あの数字」というと「801」（☞やおい（266ページ））がすぐに出てくる。 用例 『古の腐女子だから、肩幅が広い男を見ると自然と涙が出てくる』

受け 📖受け身に立つこと。受け手。 意味 男性同士の肉体関係で、挿入される側。ネコとも。かけ算（☞257ページ）表記では右に表記されることから「右」とも呼ばれる。⇔攻め 用例 『受けは可愛い子も生意気な子もあり』

王道学園 意味 BL小説の学園ものにおける王道ストーリー。金持ちの子息が通う小中高一貫の全寮制男子高校が舞台となることが多い。☞アンチ王道転校生（256ページ）、生徒会（261ページ）、俺様生徒会長（257ページ）、腹黒副会長（263ページ）、チャラ男会計（262ページ）、寡黙書記（257ページ）、双子庶務（265ページ）、風紀委員会（264ページ）、一匹狼不良（255ページ）、爽やか（260ページ）、理事長（266ページ）、親衛隊(260ページ)、親衛隊隊長(260ページ)、チワワ(262ページ)、制裁(261ページ)、抱きたい・抱かれたいランキング(262ページ) 用例『そんな閉鎖的な王道学園なんて実際には存在しねえんだよなぁ!? 存在しろよ!!!!』

王道主人公(おうどうしゅじんこう)

意味 王道ストーリーにおける王道的なキャラ設定の主人公。多くの場合は一般庶民の転校生で、頭がよく、コミュニケーション能力が高い。また、鳥の巣のような黒のカツラにビン底眼鏡で変装をしている場合もある。なお、変装の下は絶世の美男子である。 用例『王道主人公とかよく考えたらただの陽キャで草』

襲い受け(おそいうけ)

意味 攻め(☞261ページ)を襲うような勢いで積極的に性行為に持ち込もうとする受け(☞255ページ)。また、そのような受けが登場するジャンル。 用例『襲い受けはえっちであればあるほどいい』

汚超腐人(おちょうふじん)

意味 BLを好む女性。貴腐人(☞257ページ)の、さらに程度が上の人。『エースをねらえ!』に登場する「お蝶夫人」をもじった表現。☞腐女子(265ページ)、腐死鳥(264ページ) 用例『貴腐人より上の汚超腐人って、どんな状態になるのかな』

雄っぱい(おっぱい)

意味 肉厚で、筋肉で豊満になった男性のけしからん(☞15ページ)胸部。 用例『雄っぱいを誇張して描く』

男前受け(おとこまえうけ)

意味 男気に溢れた性格の受け(☞255ページ)。また、そのような受けが登場するジャンル。 用例『男前受けは健康にいいよ。当たり前だろ』

お腐施(おふせ)

意味 BL関係の作品やグッズなどを買うこと。「お布施」をもじった言葉。作家や関係各所に投資し、今後も素晴らしい作品を生み出し続けてほしいという気持ちで財布の紐を緩める。 用例『今日もお腐施といきましょう』

Ω(オメガ)

意味 オメガバース(☞257ページ)に登場する「とてもレアで社会的地位の低い人」。男性でも妊娠能力があり、ヒートと呼ばれる発情期に無意識に発せられるフェロモンで、他者に自らを襲わせてしまうことから「人を性犯罪者にする」と蔑視されがちだが、作品によって蔑まれたり重宝されたりと、境遇は様々だ。 用例『Ωは大概可愛い』

オメガバース

意味 男女の性別だけでなく、α（☞255ページ）、β（☞265ページ）、Ω（☞256ページ）という性別が存在する世界線。αがΩのうなじを咬むことで番（☞262ページ）が成立する。用例『オメガバース設定の中で特に好きなのは、うなじを隠すためのタートルネックとか首輪。頑張って隠そうとするΩが可愛いね』

俺様生徒会長

意味 王道学園（☞255ページ）の生徒会会長。「抱かれたいランキング」（☞抱きたい・抱かれたいランキング（☞262ページ））で一位を取り生徒会長の座に就く。性格は唯我独尊のスパダリ（☞19ページ）である。非王道になるとヘタレや不憫など、他の属性がつくこともある。用例『俺様生徒会長は素で「フッ…おもしれえ男。」って言ってくる男だから』

隠れ腐女子

意味 周囲に腐女子（☞265ページ）であることを隠している者。用例『日本の人口の2割以上は隠れ腐女子だと思ってる』

かけ算

📖乗法。意味 カップリング（☞12ページ）のこと。乗算記号「×」を使い、カップリングを表現することから。基本的に「攻め×受け」の順番で表記される。用例『かけ算で表記するとタグ付けできなくない？』

ガチムチ

意味 筋骨隆々の男性。最近では受け（☞255ページ）にされることが多い。用例『この作品のガチムチ受けが最高に推せる。攻めでもいい体格だけど受けにしたい』

Come

意味 Dom/Subユニバース（☞263ページ）において使われるCommand（☞259ページ）の一つ。おいで、来いという意味。用例『Comeと言われて嬉しそうに駆け寄る』

寡黙書記

意味 王道学園（☞255ページ）の生徒会書記。話すことが苦手な場合が多く、警戒心が強い。一度主人公に懐くと大型犬のような愛嬌を振りまく。身長がとてつもなく高く、生徒会で最も体格がよいという設定が多く見られる。用例『寡黙書記の魅力は見た目はでっかいワンコなのに中身は小動物なところです』

貴腐人

意味 BLを好む女性。腐女子（☞265ページ）の類義語で、「貴婦人」をもじったもの。

☞汚超腐人(256ページ)、腐死鳥(264ページ) 用例『このままいくと貴腐人になってしまう…』

逆カプ

意味 あるカップリング(☞12ページ)に対して、受け(☞255ページ)と攻め(☞261ページ)のキャラクターの役割が逆転しているカップリング。 用例『逆カプが許せるのは、二人の性格とか体格が似たり寄ったりで、「どっちも見たい！」ってときだけなんですよ(個人の意見)』

腐る

意味 ＢＬにはまっている状態。☞腐女子(265ページ) 用例『腐っちまった悲しみに……』

下剋上

📖下の地位の者が上の地位の者に勝ち、地位が逆転すること。 意味 社会的地位や年齢などが「下」とされる者が攻め(☞261ページ)、「上」の者が受け(☞255ページ)となるジャンル。 用例『下剋上モノはあまり嗜まないもので…』

健気受け

意味 相手に対して愛情深く一途な受け(☞255ページ)。また、そのような受けが登場するジャンル。 用例『健気受けがほんと健気過ぎて泣きそう。おい攻め、健気な受けを泣かすな幸せにしろ』

健全

📖健やかなこと。 意味 ＢＬ作品の中でも性的描写がないもの。 用例『健全な作品は時と場合によっては全然アリ』

固定

📖動かないようにすること。 意味 ①攻め(☞261ページ)、受け(☞255ページ)となるキャラクター、あるいは属性が決まっていること。リバ(☞266ページ)や逆カプ(☞258ページ)は受けつけない。あるキャラクターや属性について、攻めとなること以外を認めないのであれば左固定、受けとなること以外を認めないのであれば右固定という。 用例『私はわんこ系左固定だから』 ②特定のキャラクター二名について、Ａの相手はＢだけ、そしてＢの相手もＡだけと決まっており、それ以外のカップリングを受けつけないこと。そのような嗜好を持つ人に対し、「Ａ×Ｃ」の作品を見せようものなら発狂してしまう。⇔リバ 用例『Ａ×Ｂは固定なの！ それ以外地雷だから早く森に帰って！』

固定厨

意味 特定の攻め(☞261ページ)と受け(☞255ページ)のカップリング(☞12ページ)は好き

だが、攻めと受けが逆のカップリングや、攻めと受けのどちらかが違うカップリングは認めない、という嗜(し)好(こう)を持つ人。〔自嘲・嘲笑の響きを伴う〕 用例『馬鹿野郎！ 私は固定厨だって言ってるだろ！』

Command(コマンド)

意味 Dom/Subユニバース〔☞263ページ〕において、Dom〔☞263ページ〕がSub〔☞259ページ〕に使う命令のようなもの。Subが命令を完遂することで双方の欲求が満たされ、信頼関係が築ける。しかし信頼関係が上手く築けていないとCommandを受けつけなかったり、Sub drop〔☞259ページ〕に陥ることがある。 用例『Commandを使うとき、厳しい顔をしているとSubは萎縮しがちな気がする。それがいいんだけど』

誘(さそ)い受(う)け

意味 攻め〔☞261ページ〕を誘惑して口説き落とす受け〔☞255ページ〕。また、そのような受けが登場するジャンル。肉体的な関係では受けだが、精神的には主導権を握る。 用例『誘い受けは可愛すぎて、軽率に電車内でにやける』『私は誘い受けソムリエなので』

Sub(サブ)

意味 Dom/Subユニバース〔☞263ページ〕に登場する「支配されたい人」。英語「Submissive〔=従順な〕」が由来。Dom〔☞263ページ〕の命令に興奮し、従うことで心が満たされるという特性がある。⇔Dom(ドム) 用例『自尊心の塊なSubを屈服させる系は見てるとにやけてくるんだよな〜』

サブカプ

意味 サブカップリングの略。BL作品内でのメインカップル以外のカップル。いい味を出し、時にはメイン以上に滾(たぎ)るカップルとなる。 用例『サブカプの方が可愛いなんてこと、よくある話だよ』

サブスペ

意味 Subスペースの略。Sub〔☞259ページ〕が完全にDom〔☞263ページ〕のコントロール下に入り、トランス〔=恍惚(こうこつ)〕状態になること。互いに良い信頼関係が築かれていなければ、この状態に陥ることはできない。 用例『サブスペに入った受けちゃんかわちぃねぇ〜♡』

Sub Drop(サブドロップ)

意味 Sub〔☞259ページ〕がDom〔☞263ページ〕とのPlay〔☞265ページ〕の後にケア〔=After care〕されなかったり、Command〔☞259

ページ)を強要されたときに起きる発作のようなもの。Bad tripともいう。用例『Sub Dropになるような Commandする Domはクソ！』

左右（さゆう） 📖左と右。 意味 カップリング（☞12ページ）のこと。カップリングは「攻め×受け」のように、左右の位置によって「攻め（☞261ページ）」「受け（☞255ページ）」を表すことから。 用例『左右どっちでも可』

爽やか（さわやか） 📖すがすがしいさま。 意味 王道学園（☞255ページ）ものの主人公のクラスメートの一人。見た目と性格が爽やかで、周りからの人気も高い。転校してきた主人公に話しかけて仲良くなるという描写がよく登場する。一匹狼不良（☞255ページ）と同様、当て馬として描かれることが多い。 用例『こいつは爽やかなフリをしていて実は物語の中でいちばん重い過去を持っていたりするんだよな』

サンドイッチ 📖薄切りのパンに野菜や肉などを挟んだ食べ物。 意味 受け（☞255ページ）が二人の攻め（☞261ページ）に言い寄られる様子。 用例『サンドイッチされてる受けが涙目だと尚良し』

自家栽培（じかさいばい） 意味 好きなジャンルやカップリング（☞12ページ）の作品などを自ら生み出し、自分の手で供給（☞14ページ）を補うこと。 用例『自家栽培で、マイナーな二人を推していく』

親衛隊（しんえいたい） 📖国家の要人を警護する武装集団。 意味 学園内の人気が高い生徒にできるファンクラブのようなもの。大概、穏健派と過激派に分かれている。過激派は親衛隊内での規律が厳しく、親衛対象に少しでも近づくと過激で残酷な手段をもって近づいた生徒を排除する。過激派の親衛隊はその親衛対象から嫌われている場合が多い。 用例『親衛隊を敵に回すと明日は無い』

親衛隊隊長（しんえいたいたいちょう） 意味 王道学園（☞255ページ）ものに登場する親衛隊（☞260ページ）の隊長。過激派の親衛隊隊長は親衛対象に心酔しており、親衛対象の安寧を乱す生徒には手加減なく制裁（☞261ページ）を行う。 用例『親衛対象のキャラによって親衛隊隊長のキャラも決まる』

巣作り（すづくり） 📖鳥などが巣を作ること。 意味 オメガバース（☞257ページ）の設定で、発情期の

Ω（☞256ページ）が、好意を抱いているα（☞255ページ）の持ち物や衣類などを集める様子を指した比喩表現。動物の巣作りに似ている。**用例**『巣作りしてる最中も、作ったあと寝ているのも最高に可愛いから、月曜日も頑張れる』

Stay（ステイ）

意味 Dom/Subユニバース（☞263ページ）で使われるCommand（☞259ページ）の一つ。そのまま待て、という意味。**用例**『Stayはあまり使われてない気がする』

砂を吐く（すなをはく）

意味 口から砂糖の代わりに砂を吐き出すほど、腐女子（☞265ページ）が、攻め（☞261ページ）と受け（☞255ページ）の甘い雰囲気を過剰に摂取した様子。実際には砂も砂糖も口から出ない。**用例**『やぁっぱ。砂を吐くかと思った…』

制裁（せいさい）

📖ルールに違反した際に加えられる社会的圧力。**意味** 王道学園（☞255ページ）もので親衛隊（☞260ページ）が規律を乱した生徒に対して行う行為。呼び出しての忠告から、強姦（ごうかん）やリンチなど、現実には許されない行為に及ぶこともある。制裁を行った者が、学園を退学し、家族から離縁されるなど、悲惨な末路を辿る様子が描かれることもある。**用例**『主人公に巻き込まれて生徒会と関わることになってしまって制裁される脇役可哀想すぎん？』

生徒会（せいとかい）

📖（中学校・高等学校で）生徒による自治的な組織。**意味** 王道学園（☞255ページ）の生徒会。「抱きたい・抱かれたいランキング」（☞262ページ）という人気投票で選出されている。容姿端麗、頭脳明晰（めいせき）であり、日本の未来を担う大財閥の子息などで構成されている。学園の教員よりも強い権力を持つ場合もある。**用例**『王道生徒会は人気投票のくせにハイスペ集団なのさすがすぎる』

攻め（せめ）

📖攻撃すること。**意味** 男性同士の肉体関係で、挿入する側。タチとも。かけ算（☞257ページ）表記では左に表記されることから「左」とも呼ばれる。⇔受け **用例**『普段気だるげな子が攻めだとなんか急に萌える』

総受け（そううけ）

意味 他の全てのキャラクターに対して受け（☞255ページ）となるキャラクター。また、そのようなキャラクターが登場するジャンル。**用例**『総受けキャラは何してても可愛がられる』

オタク共通
二次元共通
日本の男性アイドル
K-POP
2.5次元
二次元共通
ゲーム共通
アークナイツ
スプラトゥーン
ファイアーエムブレム
プロセカ
ポケモン
原神
BL

総攻め（そうぜめ）

意味 他の全てのキャラクターに対して攻め（☞261ページ）となるキャラ。また、そのようなキャラクターが登場するジャンル。 用例『総攻めキャラの赤面は健康に良い』

抱きたい・抱かれたいランキング（だきたい・だかれたいランキング）

意味 王道学園もので、年に一度、新聞部主催で行われるイベント。投票により学園内の生徒を格付けする。生徒会メンバーが選出される場でもあるため、学園にとっては重要である。フィクションのBL作品においては、有効な舞台装置として機能する。 用例『生徒会の選考が抱きたい・抱かれたいランキングだなんて、この学園終わってんな』

タチ

意味 ☞攻め（せ）（261ページ） ⇔ネコ 用例『あいつをタチにしない女はセンスがない！』

チャラ男会計（チャラおかいけい）

意味 王道学園（☞255ページ）の生徒会（☞261ページ）会計。つかみどころのない自由奔放なキャラクター設定が一般的である。非王道になるとチャラ男会計が主人公とされる物語が多い。またその場合、「チャラ男」という性格を演じている設定が多い。 用例『非王道もののチャラ男会計は本当にかわいそうなことになるんだけど、それが面白いから頑張ってほしいですね』

チワワ

📖 犬種の一つ。 意味 王道学園（☞255ページ）の男子生徒で、身長があまり高くなく、見た目がかわいらしいが、凶暴な一面もある様子を犬のチワワになぞらえた言い方。親衛隊（☞260ページ）に多い。 用例『チワワたちは手段を選ばないから恐ろしい』

番（つがい）

📖 雄と雌のペア。夫婦。 意味 オメガバース（☞257ページ）におけるカップル。生涯のパートナーとなることで、恋愛や結婚などよりも強い絆で結ばれ、一度番（つがい）になると片方が死ぬまで縛られる。 用例『あの二人は「運命の番」だよ』

年上受け（としうえうけ）

意味 年上の男性が受け（☞255ページ）であること。☞年下攻め（とししたぜめ）（262ページ） 用例『年上受けは健康法の一つとして推奨される』

年下攻め（とししたぜめ）

意味 年下の男性が攻め（☞261ページ）であること。☞年上受け（としうえうけ）（262ページ） 用例『年下攻めは健康法の一つとして推奨される』

Dom（ドム） 意味 Dom/Subユニバース（☞263ページ）に登場する「支配したい人」。英語「Dominant（=支配的な）」が由来。Sub（☞259ページ）とのPlay（☞265ページ）によって、支配欲求、庇護欲求を満たすと同時に、相手との信頼関係を築くことを強く望んでいる。⇕Sub 用例『Domの恍惚とした顔が堪らない』

Dom/Subユニバース（ドムサブ） 意味 嗜虐・被虐が性別として理解される世界線。男女の性に加え、支配したいDom（☞263ページ）と支配されたいSub（☞259ページ）、両方あるSwitch、どちらでもないNormalがある。☞Play（265ページ）、Command（259ページ）、Kneel（263ページ）、Come（257ページ）、Stay（261ページ） 用例『Dom/Subユニバースは Command の使い方がカギ』

ナマモノ 📖なまの魚など。 意味 俳優やアイドルなど、現実に（=ナマで）存在する者（=モノ）で作られたカップリングがテーマの作品。 用例『ナマモノはちょっとNGです』

Kneel（ニール） 意味 Dom/Subユニバース（☞263ページ）にて使われるCommand（☞259ページ）の一つ。お座り、跪けという意味で、ペタン座りを指す場合が多い。 用例『基本のCommandでありながら最強のCommandである、それがKneelだ』

にょた 意味 女体化の略。男性キャラクターの身体が女性の身体になること。原作がある場合は、物語上の設定を理由に女体化する（=にょたる）場合がある。「ニョタ」とも。 用例『あの男をにょた化した人はIQが5億ある』

ネコ 意味 ☞受け（255ページ） ⇕タチ 用例『いや、あいつをネコにしない女こそセンスがない！』

薔薇（ばら） 📖バラ科バラ属の植物。 意味 BLの別称。 用例『百合の反対が薔薇』

腹黒副会長（はらぐろふくかいちょう） 意味 王道学園（☞255ページ）の生徒会（☞261ページ）副会長。「抱きたいランキング」で一位を取り副会長の座に就く。容姿は美麗である。また性格は腹黒であり、敬語キャラであることが多い。非王道になると腹黒・敬語キャラを演じている設定が多い。 用例『腹黒副会長はタチに人気があるくせして抱かれる気皆無なの面白いよな』

BL（ビーエル） 意味 ☞第14章扉（254ページ） 用例『BL見てると本当に元気出るから今はもうこれだけでいいよ』『この前本屋のBLコーナー行ったらギャルおってビビった』

BL脳（ビーエルのう） 意味 有機物・無機物にかかわらず、森羅万象を男性同士の恋愛に置き換えて妄想する脳みそ。「やおい脳」とも。 用例『標識擬人化BLを思いつくBL脳、まじで天才だな』

非王道（ひおうどう） 意味 王道学園（☞255ページ）のストーリーから少し外れた物語。物語の舞台設定はそのままに、キャラクターの性格などに王道学園との違いを作ることが多い。 用例『非王道は王道キャラたちの性格が王道から少しズレて愉快になるのが魅力です』

非王道主人公（ひおうどうしゅじんこう） 意味 非王道（☞264ページ）ストーリーの主人公。王道学園の主人公とは違い、変装をしていなかったり、見た目が平凡だったりする。しかし、ひょんなことから生徒会やその他の人気の生徒から懐かれ、ハーレム物語を展開していく。 用例『非王道主人公は身長が高くて顔がいいとなおいいですね』

風紀委員会（ふうきいいんかい） 意味 学園の規律を守り、警察のような役割を担う委員会。生徒会と同等の権力を持ち、生徒の停学や退学の判断まで行う。生徒会とは犬猿の仲であり、中でも生徒会会長と風紀委員長の相性が最悪であるケースが散見される。生徒会と異なり、メンバーは人気投票で選出されていない場合が多い。 用例『学園を支えているのは生徒会と風紀委員会だ』

腐死鳥（フェニックス） 意味 BLを好む女性。腐女子（☞265ページ）の最終形態にして最高位。不死鳥（＝フェニックス）をもじった言葉で、自虐的に使われる。☞貴腐人（きふじん）（257ページ）、汚超腐人（おちょうふじん）（256ページ） 用例『腐死鳥に私はなる!!!』

腐教（ふきょう） 意味 BL愛好家の中で推し作品を薦めること。「布教」をもじった言葉。 用例『腐教活動が忙しすぎて夜しか寝れない』

腐臭（ふしゅう） 📖腐った臭い。 意味 BLの雰囲気がすること。二次元にも三次元にも使われる。 用例『え？ なんだろう。腐臭がする』

腐女子（ふじょし）

意味 BLを好む女性。「婦女子」をもじった言葉。☞腐る（くさる）（258㌻）、腐男子（ふだんし）（☞265㌻）
用例『腐女子って見えないだけで四人に一人くらいは存在するんじゃね？』

双子庶務（ふたごしょむ）

意味 王道学園（☞255㌻）の生徒会（☞261㌻）庶務。見た目がそっくりな双子であり「二人で一セット」という意識が強い。見た目が酷似していることを利用して主人公に突然「どっちが○○でしょうかゲーム」を仕掛ける。軽々と正解する主人公に懐くところまでが双子庶務の王道ストーリーである。
用例『双子庶務は交互にしゃべられるとどっちがどっちかわからなくなる』

腐男子（ふだんし）

意味 BLを好む男性。腐女子（☞265㌻）から派生した言葉。
用例『最近、腐男子増えてるらしいですね』

Play（プレイ）

意味 Dom/Subユニバース（☞263㌻）での特殊なコミュニケーション方法。互いの欲求を満たし、信頼関係を築く。コントロール権はSub（☞259㌻）のものだが、それをDom（☞263㌻）に預ける形でCommand（☞259㌻）を使って行われる。
用例『Playの始まりはKneel率高め』

平成の攻め（へいせいのせめ）

意味 容姿端麗・高身長・絶大なる権力の持ち主であり、物語の設定上、オークションにかけられた受け（☞255㌻）を高額で落とす攻め（☞261㌻）。高確率で肩幅が広く顔が長い。平成期のBLによく登場した。
用例『今、平成の攻めみたいな気持ちでいる』

平成の攻め

ベーコンレタス

意味 ボーイズラブ（BL）の隠語。英語表記の頭文字が同じであることから。
用例『え？ BL？ 何それベーコンレタス？？』

β（ベータ）

意味 オメガバース（☞257㌻）に登場する「普通の人」で、世界の人間の九割方を占める。
用例『βはあまり描かれない』

ヘタレ攻め（ぜ）

意味 受け（☞255ページ）がキスを待っているときにキスができないような意気地なしの男性が、攻め（☞261ページ）であること。用例『ヘタレ攻めは余裕のある受けと組み合わされることで一層よさが増すんだよ。わかるか？』

メスお兄さん（にい）

意味 女性のような柔らかく豊満な肉体を持ち、色っぽい雰囲気をまとった男性。用例『メスお兄さんって乳もケツも太腿（ふともも）もムチムチで本当に元気出る』

モブおじ

意味 脇役のおじさんキャラクター。高確率で肥満であり、小汚く描かれがち。語彙（ごい）力はある。用例『綺麗な受けの綺麗さはもちろんだが、惨めさをより際立たせるために、モブおじは存在する…』

やおい

意味 「ヤマなし、オチなし、イミなし」の頭文字をとってできた、男性同士の性愛。また、それを題材とした作品の総称。「801」と表記することもある。用例『やおいものは外で見れない。見てはいけない』

理事長（りじちょう）

意味 王道学園（☞255ページ）の理事長。王道主人公の叔父である場合が多く、主人公を溺愛している。王道のストーリーではいざというときに頼れる大人として描かれる。しかし、アンチ王道の場合はアンチ王道転校生（☞255ページ）をひいきし、好き勝手する甥を放置するどうしようもない大人として描かれることが多い。用例『王道の理事長は頼りになるけどアンチ王道の理事長はまじで邪魔』

リバ

意味 受け（☞255ページ）と攻め（☞261ページ）の役割が交代すること。⇔固定 用例『リバ含むから注意してね』

脇役主人公（わきやくしゅじんこう）

意味 王道では脇役として描かれるキャラクターが物語の主人公となったもの。王道のストーリーが進行する脇で他のキャラクターと恋に落ち結ばれる展開が多い。作品によっては王道主人公（☞256ページ）と結ばれるケースもある。用例『王道物語では当て馬になりがちな一匹狼とか爽やかが脇役主人公になるのが面白いよな』

大限界跋

〝日本語の世界〟の広がりに衝撃を受けた経験が、三度あります。

一度目は、大学一年生のときに受講した日本語学の「基礎セミナー」です。日本語の歴史を調べ、発表する演習でした。「高校で学んだ文法は、平安貴族の日本語が規範」ということを知り、高校までに学んだ「古典」以外の時代の日本語を初めて意識しました。急に〝日本語の世界〟が広がったような気がして、ワクワクしたのをよく覚えています。

二度目は、大学院生のときに受講した「方言」についての集中講義です。『万葉集』などの〝書かれた日本語〟ばかり研究していると、そこに現れる日本語が全てであるかのように錯覚してしまうことがあります。しかし「方言」の講義で学んだのは、「文献には現れない日本語がある」ということでした。そのときにも、〝日本語の世界〟がまた何倍にも広がったように感じました。

そして三度目が、学生たちの使用する「オタク用語」の豊かさに気づいたときです。漠然と「アイドル用語」「ゲーム用語」のように、ジャンルごとに特有の用語があるかもしれないと予想していましたが、実際には、「アイドル」の中でも「日本のアイドル」と「韓国のアイドル」には異なる用語があり、「ゲーム」は作品ごとに用語があるという充実ぶりでした。ここにまた途轍もない〝日本語の世界〟が広がっていたのです。

「オタク用語」は同じ界隈を愛好する者同士という、ごく狭い範囲でしか用いられません。更に、オタク的な話題以外にはほとんど使用しません。「オタク用語」は、限られた人間関係で、限られた話題のときにだけ使用される日本語です。部外者からは見えないところで使用されているため、アクセスるのが難しいものだといえるでしょう。ですから、私一人であれば、「オタク用語」をこれだけたくさん集めるのは容易ではなかったと思います。しかし、幸いなことに、心を開いて好きなものを熱心に語ってくれる学生たちがゼミに集まりました。そこで、彼女たちの使用する「オタク用語」を集め、彼女たち自身が語釈を書くという取り組みを実現することができました。

いわゆるオタクの人たちにとって、夢中になっている作品や世界はとても大切なものでしょう。そして、その世界を表現する言葉は、彼ら彼女らにとってかけがえのないものだと思います。その言葉を説明しようとしたときの、ゼミ生たちの様子はすさまじいものでした。授業時間外にも言葉を集め、熱心に語釈を書き続けました。ゼミ活動として同人誌的に辞書を作成し、大学祭で販売しましたが、準備期間には夜遅くまで大学に残り、体力の限界まで製本を続けていました。そして、本書の出版が近づいたこの夏には、現在の二年ゼミ生、卒業したゼミ生とオンライン上で何度も集まり、夜遅くまで校正作業を続けました。まさしく青春だったと思います。私は、彼女たちを見守り、活動する環境を整えることに力を注いできましたが、一緒にもう一度、青春を過ごさせてもらったように思います。素晴らしい経験をさせてくれた彼女たちに、心から感謝しています。

また、三省堂辞書出版部の皆様のお陰で、私たちのゼミでの活動がこのような立派な本となりましたこと、深く感謝いたします。ありがとうございました。

二〇二三年十月

名古屋短期大学現代教養学科准教授
小出　祥子

あ・ア
か・カ
さ・サ
た・タ
な・ナ
は・ハ
ま・マ
や・ヤ
ら・ラ
わ・ワ
記号など

[ふ・フ]

[へ・ヘ]

【な・ナ】

【に・ニ】

【ぬ・ヌ】

【ね・ネ】

【の・ノ】

【と・ト】

[ち・チ]

[つ・ツ]

[て・テ]

あ・ア
か・カ
さ・サ
た・タ
な・ナ
は・ハ
ま・マ
や・ヤ
ら・ラ
わ・ワ
記号など

[そ・ソ]

[た・タ]

〔す・ス〕

〔せ・セ〕

[さ・サ]

[し・シ]

あ・ア
か・カ
さ・サ
た・タ
な・ナ
は・ハ
ま・マ
や・ヤ
ら・ラ
わ・ワ
記号など

〔け・ケ〕

〔こ・コ〕

[き・キ]

[く・ク]

[か・カ]

あ・ア
か・カ
さ・サ
た・タ
な・ナ
は・ハ
ま・マ
や・ヤ
ら・ラ
わ・ワ
記号など

〔う・ウ〕

〔え・エ〕

大限界 索引

・本書に収録した全項目の 章|ページ を示す。
・章タイトルの略号は下記のとおり。

オタ ◀ オタク共通用語
3 ◀ 三次元共通用語
ドル ◀ 日本の男性アイドル界隈用語
K ◀ K-POP界隈用語
2.5 ◀ 2.5次元界隈用語
2 ◀ 二次元共通用語
ゲー ◀ ゲーム共通用語
アー ◀ アークナイツ界隈用語
スプ ◀ スプラトゥーン界隈用語
ファ ◀ ファイアーエムブレム界隈用語
プロ ◀ プロセカ界隈用語
ポケ ◀ ポケモン界隈用語
原神 ◀ 原神界隈用語
腐 ◀ BL界隈用語

[あ・ア]

[い・イ]

編者紹介

小出祥子（こいで・よしこ）

1982年愛知県生まれ。名古屋大学大学院文学研究科博士後期課程修了。博士（文学）。名古屋短期大学現代教養学科准教授。ゼミ生に影響されて、オタ活に興味津々。主な著書に『実践　日本語表現―伝わる日本語を身につける―』（共著・学術図書出版社）、論文に「奈良時代語における助辞ケリと助辞ケム」（名古屋大学国語国文学113. 2020）、「目的語となる上代の準体句について」（名古屋言語研究12. 2018）、「上代日本語における視覚の対象と現実／非現実領域：「見む」に注目して」（美夫君志87. 2013）などがある。

オタク用語辞典 大限界

二〇二三年一二月　五　日　第一刷発行
二〇二三年一二月一五日　第二刷発行

編　者　小出祥子
著　者　名古屋短期大学小出ゼミ（2022・2023年度生）
発行者　株式会社 三省堂　代表者 瀧本多加志
印刷者　三省堂印刷株式会社
発行所　株式会社 三省堂
〒一〇二－八三七一
東京都千代田区麴町五丁目七番地二
電話（〇三）三二三〇－九四一一
https://www.sanseido.co.jp/

〈大限界・288pp.〉

落丁本・乱丁本はお取り替えいたします。

Printed in Japan

ISBN978-4-385-36623-4

本書の内容に関するお問い合わせは、弊社ホームページの「お問い合わせ」フォーム（https://www.sanseido.co.jp/support/）にて承ります。